Nos prénoms et leurs histoires

www.quebecloisirs.com

UNE ÉDITION DU CLUB QUÉBEC LOISIRS INC.

Dépôt légal — Bibliothèque et Archives nationales du Québec, 2010
ISBN Q.L. : 978-2-89666-045-2
Publié précédemment sous ISBN : 978-2-7619-2934-9

Imprimé au Canada

Guy Bouthillier

Nos prénoms et leurs histoires

Les prénoms masculins du Québec

Pour la suite du monde et de notre monde.
Le mien s'appelle Guillaume, Geneviève, Antoine,
Alexandre, Paul. C'est pour nous aider à aller toujours plus loin devant
que je suis remonté avec eux si haut et si loin.

Remerciements

Je remercie Jean-François Nadeau de m'avoir suggéré de m'adresser aux Éditions de l'Homme. Je remercie Pierre Bourdon pour son accueil et ses bons conseils, ainsi que toute l'équipe des Éditions de l'Homme pour leur soutien à toutes les étapes du processus de publication. Je compte sur eux pour le prochain tome qui portera sur les prénoms féminins. Comme je compte aussi sur mes amis qui, tout au long, m'ont accompagné de leur intérêt et de leurs remarques : Marie-Andrée Charlebois, Adrian Popovici, Guy Bourassa.

Introduction

Je me suis toujours intéressé aux mots, à leur sens, à leur portée, à leur mouvement dans le temps et dans l'espace. Il était donc normal que je m'intéresse aux prénoms, qui sont aussi des mots, et pas n'importe lesquels, ni pour ceux qui les portent ni pour l'ensemble d'une collectivité dont ils sont un élément du patrimoine national. Il est d'ailleurs significatif qu'on dise des prénoms qu'ils sont des noms « propres ».

Ce sont nos prénoms à nous, Canadiens français devenus Québécois francophones, qui m'intéressent et qui sont au cœur de ce livre. Je voulais aussi profiter de mes promenades parmi nos prénoms pour voir comment ces choses-là se présentent ailleurs – notamment tout à côté de nous, mais j'y reviendrai.

Les prénoms que je voulais connaître, ce sont bien entendu ceux d'aujourd'hui – appelons-les, pour simplifier, « ceux du XXe siècle » –, qui sont aussi ceux de demain, puisqu'on les entend déjà dans nos pouponnières et nos garderies. Mais je voulais aussi remonter le temps et voir un peu plus loin que le bout de mon nez. Et, comme celui-ci a déjà sept décennies à son compte, je me suis retrouvé d'un coup parmi les prénoms du temps de mes grands-parents, et il m'a suffi de remonter encore un peu le passé pour embrasser tout le XIXe siècle. Ce sont donc 200 ans de prénoms qui m'intéressent ici.

Cette période peut sembler longue, mais en l'espèce les choses ne bougent pas aussi vite qu'on pourrait croire. Il suffit de prendre un peu de recul pour constater que plusieurs des prénoms d'aujourd'hui sont en réalité des valeurs sûres de toujours, et que d'autres, qui semblent nouveaux aux yeux des futurs parents, sont simplement des revenants enfin revenus chez eux.

Par ailleurs, je commençais aussi à me faire une idée de ce que j'avais envie de dire sur chacun d'eux. Or, comme je savais que tous ces noms nous viennent de très loin dans l'espace et dans le temps, j'ai pensé qu'il serait intéressant de les accompagner et de voyager avec eux depuis leur lointain point de départ – leurs origines étymologique et géographique – jusqu'à leur arrivée dans nos contrées. Mais je savais aussi que, avant toutes choses en matière de prénoms, il faut exécuter une opération préliminaire qui, pour plusieurs, demeure souvent la seule : les peser et les mesurer pour connaître leur « fréquence d'usage », comme on dit dans le domaine.

Pour ce faire, je savais que je n'aurais aucun problème avec les prénoms du XXe siècle, car ce travail a déjà été fait, et fort bien, par un statisticien de l'Institut de la statistique du Québec, M. Louis Duchesne[1]. Je savais aussi qu'une tâche semblable avait été faite pour la période de la Nouvelle-France par le Programme de recherche en démographie historique (PRDH) du département de démographie de l'Université de Montréal, dont les résultats sont disponibles sur Internet.

Promenades sur le mont Royal

Mais, pour le XIXe siècle, je ne savais trop comment m'y prendre. Or, c'est au cours d'une promenade sur le mont Royal, parmi les monuments et les pierres tombales du cimetière Notre-Dame-des-Neiges[2], que j'ai trouvé la solution. En y pénétrant, je me retrouvais au milieu d'un foisonnement de noms et de prénoms de personnes qui ont vécu et sont morts à Montréal (sauf quelques exceptions, aventuriers du Klondike, soldats de la Première Guerre mondiale ou naufragés du *Titanic*), si bien que, partout où je dirigeais mon regard, j'apercevais exactement ce qu'il me fallait pour commencer mon travail.

Au début, j'ai été naturellement attiré par les prénoms qu'on n'entend plus de nos jours, Adélard, Elzéar, Cléophas, Philéas, Télesphore, etc., qui paraîtront sans doute « bizarres » et « vieux jeu » à certains, mais que, pour ma part, je ne considère plus ainsi depuis que j'ai appris à les fréquenter et à les connaître. Sachons qu'il fut un temps, pas si lointain, où ces prénoms étaient tout à fait normaux chez nous. Aussi naturels que le sont les prénoms aujourd'hui à la mode et qui demain peut-être ne le seront plus.

Aujourd'hui, plus aucun ne m'étonne, mais il m'arrivait au début, au retour d'une chasse aux prénoms, de chercher à épater mes amis – et ma fille – en leur révélant mes plus récentes « trouvailles », ce qui provoquait d'abord la surprise, puis, souvent, l'éclair dans l'œil de celui qui réentendait après toutes ces années le prénom d'une grand-mère ou d'un arrière-grand-oncle. Mais je crois bien que, s'il fallait absolument donner une réponse à la question qui m'est si souvent posée (« Quel est le plus rare ? »), je répondrais : Exalaphat pour les garçons ; Chrysaladigue pour les filles. (Tous deux trouvés lors de mes promenades.) J'imagine cette petite scène de famille en 1860 : « Chrysaladigue ! Exalaphat ! C'est l'heure du souper ! »

Quoi qu'il en soit, j'allais vite comprendre que tous ces prénoms surannés, qui avaient d'abord stimulé ma curiosité, n'étaient au fond qu'une assez petite partie d'un ensemble

1. Voir Louis Duchesne, *Les prénoms. Des plus rares aux plus courants au Québec*, Saint-Laurent, Trécarré, 2006, 289 p. Son tableau à la p. 31 donne par ordre de fréquence les 100 prénoms masculins les plus portés dans l'ensemble de la population du Québec en l'an 2000. C'est à ce tableau que je me réfère lorsque, le cas échéant, j'indique le rang qu'occupait un prénom « en l'an 2000 ».
2. Le cimetière Notre-Dame-des-Neiges est parfois appelé Côte-des-Neiges, d'où le sigle CDN que j'emploierai dans cet ouvrage.

beaucoup plus vaste, et que pour chaque prénom bizarre il y en avait des dizaines qui étaient « ben ordinaires » (dirait Charlebois), qu'il y avait quantité de Pierre, de Jean et de Jacques, sans oublier les Marie et les Joseph, naguère si abondants au Québec.

J'ai donc voulu en avoir le cœur net. C'était en novembre 2005, juste avant que les premières neiges ne viennent compliquer les choses. J'ai choisi une zone un peu isolée du cimetière Notre-Dame-des-Neiges, vers le sommet, la section M3500-3627, intimidé sans doute à l'idée de déranger quelqu'un (mais qui au juste aurais-je bien pu déranger ?). Ensuite, j'ai pris de quoi écrire et commencé à relever systématiquement les prénoms (mais non les patronymes) et les années de naissance, ce qui était évidemment indispensable si je voulais les situer dans le temps – pour les personnes nées après le 31 décembre 1799, mais avant le 1er janvier 1900.

J'ai ratissé le cimetière section par section – du moins celles où je pensais qu'il y aurait des « sujets » nés au XIXe siècle –, passant d'un monument à l'autre, d'une pierre tombale à l'autre. Je ne retenais, pour cette première tournée du cimetière, que les prénoms des Canadiens français, en tout cas des francophones. Cela m'a permis de visiter tous les coins du cimetière que j'ai fini par connaître assez bien pour en identifier les sections non plus par les numéros administratifs, mais par les noms de famille sur certains monuments. « Ici, je suis chez les Martineau ; là, chez les Valois ; plus loin, chez les Desjardins. » Et je crois bien que, de tous ces monuments qui me servaient de points de repère, celui qui m'a le plus frappé est celui d'une famille Prévost sur lequel on peut lire : « Alsace-Lorraine Caron née en 1915. » Pour cette raison, j'ai baptisé cette section « l'Alsace-Lorraine ». Cela dit, je reste plein d'admiration et de respect pour la mémoire et le patriotisme d'une famille qui a choisi de donner à une enfant née sur les bords du Saint-Laurent le nom d'un lointain territoire perdu par la France en 1871, pour lequel des hommes, en Europe, se battaient et mouraient.

Sans doute eût-il été plus facile de recourir aux archives, et cette idée a pu me traverser l'esprit certains jours de pluie (ma pire ennemie, qui diluait l'encre sur le papier), ou quand le vent faisait craquer les arbres. Mais c'eût été certainement moins agréable, car mes excursions me permettaient de me retrouver dans une des plus belles zones naturelles que puisse offrir une ville moderne. Et il y avait plus. Dans les archives, tous les noms sont couchés, à plat, à l'horizontale, et souvent dans la poussière du papier jauni, où ils ne sont plus qu'anonymes données inanimées. Au lieu de quoi, en faisant comme je l'ai fait, je les prenais un à un, et chacun retrouvait ainsi devant moi, le temps de mon passage, son individualité bien réelle et bien vraie, j'allais dire « en chair et en os ». Car ils n'étaient pas couchés, mais debout, et c'est debout qu'ils m'attendaient, chacun à sa place, comme des soldats au moment de la revue. Debout et prêts – de nouveau – à décliner noms, prénoms, dates de naissance, et parfois aussi, mais c'est plus rare chez les Canadiens français, les lieux de naissance, les métiers, comme ils faisaient « dans le temps », quand quelqu'un daignait s'intéresser à eux. Et si des gens, aujourd'hui, s'intéressent à eux, c'est qu'ils ont peut-être encore quelque chose à dire.

C'est ainsi que je me suis intéressé à tous, aussi bien à ceux qui m'attendaient du haut de leurs tours monumentales qu'aux plus humbles, ceux qui sont alignés plus discrètement dans le bas du cimetière, près de la sortie, serrés côte à côte dans les sections ND1-3967, TR 6000-7639, etc. Car il était important, pour avoir un portrait aussi juste que possible, de ratisser tous les coins du cimetière, pour atteindre toutes les classes et tous les milieux. Bien que je doute qu'il y ait au Québec, en matière de prénoms, des différences de milieu social, je sens bien qu'il doit y avoir, du moins pour les plus petits prénoms, des différences quant à la provenance géographique. Si j'en fais l'hypothèse, c'est que je me rappelle un passage d'un mandement de Mgr Bourget à l'adresse de ses curés : « Votre dévotion pour le Titulaire de la Paroisse vous portera aussi à invoquer son nom, jour et nuit, par forme d'aspiration. Votre confiance dans le nom de ce Saint vous engagera à le donner à quelqu'un de la famille, en sorte qu'avec le temps il n'y aura pas une maison, dans la Paroisse, qui n'ait au moins une personne portant ce nom vénérable et chéri. » Cette idée fut reprise plus tard par le premier concile provincial pour l'ensemble du Québec (voir **Le poupon et le goupillon,** p. 34).

Grâce à ces promenades, j'ai recensé les prénoms de 25 000 Canadiens français nés au XIXe siècle, hommes et femmes en parts égales.

Dans la foulée, j'ai immédiatement entrepris de relever les prénoms de 6000 autres Canadiens français nés dans les vingt premières années du XXe siècle, car je me doutais que la séparation des siècles n'était qu'artificielle. De toute façon, j'allais aussi m'intéresser aux prénoms du XXe siècle.

Du côté des Anglais

Après mon « tour de jardin » chez les Canadiens français – des centaines d'heures « de terrain » plus tard –, satisfait de ce que j'y avais appris, mais toujours désireux de profiter de la nature et de l'ambiance des cimetières (du moins des cimetières du mont Royal, véritables jardins où l'on peut se promener, pique-niquer et, qui sait, peut-être donner naissance à une nouvelle vie), j'ai littéralement franchi la clôture pour me retrouver dans ce qu'on appelle communément le « cimetière protestant », le cimetière Mont-Royal. Je voulais savoir comment les choses s'étaient passées chez ceux qu'on appelait encore, il y a peu, « les Anglais », et qui l'étaient effectivement quand ils n'étaient pas des Écossais, ou plus rarement des Irlandais – en tout cas « anglo-protestants », comme je les appelle dans ce livre.

Là, j'ai relevé les prénoms de 15 000 personnes, ce qui m'a appris que nos prénoms ne nous sont pas exclusifs, pas plus que les leurs (du moins les plus courants), mais qu'ils appartiennent à un vaste ensemble qui englobe nos villes, nos pays, nos continents et nos religions. François, Frank, Franco, Frantisek, Francisco, Franz ; une seule et même souche.

Chez les Irlandais

Du coup, je me suis mis à penser qu'il devait y avoir certaines différences attribuables à la religion – qui fut si importante, voire capitale, quant à l'attribution des prénoms –, c'est-à-dire entre les catholiques et les protestants. Pour tirer l'affaire au clair, j'ai voulu savoir comment on faisait chez les Irlandais. Ce qui était facile, car, s'ils étaient catholiques, ils étaient regroupés dans le cimetière des catholiques, et, s'ils étaient anglophones, cela se lirait bien dans les patronymes et dans la langue des inscriptions. Je suis donc retourné au cimetière Notre-Dame-des-Neiges pour y faire une seconde tournée, relevant cette fois 5000 prénoms masculins et 5000 prénoms féminins « irlando-catholiques » – comme je les appelle, un peu lourdement peut-être. Cela m'a permis de constater des différences, sinon dans les noms eux-mêmes, du moins dans leurs fréquences d'utilisation, comme on le verra entre autres pour Patrick et pour Michel. Cette constatation faite sur le terrain vaut pour les pratiques au XIXe siècle. Elles ont pu évoluer depuis lors.

Comment les choisir ?

Voici ma récolte de prénoms du XIXe siècle : 31 000 Canadiens français et 25 000 anglophones des deux religions. Une récolte également généreuse en nombre de prénoms différents, plus de 600 chez les hommes (Canadiens français), près de 700 chez les femmes, toutes différences orthographiques confondues. On ne s'en étonnera pas : l'univers des prénoms en est un d'abondance. Léo Jouniaux, un auteur connu dans le domaine, en propose 20 000 dans son plus récent livre[3] ; Stéphanie Rapoport, 12 000, dans son *Officiel des prénoms*[4] ; et Louis Duchesne, 2300. Et cette abondance ne se tarira pas de sitôt : la liste de la Régie des rentes du Québec des prénoms attribués en 2008 rapporte 9093 prénoms masculins, toutes langues, origines et religions confondues. Seuls 80 prénoms ont 100 occurrences ou plus ; et moins de 500, 10 occurrences ou plus.

Les variantes orthographiques

Ouvrons ici une parenthèse à propos des variantes orthographiques d'un même prénom, qui sont universelles, propres à toutes les époques et à tous les pays. Ainsi, de

3. Voir Léo Jouniaux, *Les 20 000 plus beaux prénoms du monde*, Paris, Hachette, 2007.
4. Publié aux Éditions First.

nos jours, doit-on écrire Matthieu ou Mathieu ? Éric ou Érik ? Zacharie ou Zachary ? Dans mes explorations des cimetières, j'ai bien sûr relevé un certain nombre de graphies différentes. S'il fallait décerner un prix aux prénoms possédant le plus grand nombre de graphies, celui-ci irait à Godefroy et à Émery, pour lesquels j'ai relevé six graphies chacun. Ce fait n'a pas échappé à l'œil vigilant – ou à l'oreille fine... – de Louis Hémon, qui le relate dans son roman *Maria Chapdelaine*[5] :

> Au pays de Québec, l'orthographe des noms et leur application sont devenues des choses incertaines. Une population dispersée dans un vaste pays demi-sauvage, illettrée pour la majeure part et n'ayant pour conseillers que ses prêtres, s'est accoutumée à ne considérer des noms que leur son, sans s'embarrasser de ce que peut être leur aspect écrit ou leur genre. Naturellement la prononciation a varié de bouche en bouche et de famille en famille, et lorsqu'une circonstance solennelle force enfin à avoir recours à l'écriture, chacun prétend épeler son nom de baptême à sa manière, sans admettre un seul instant qu'il puisse y avoir pour chacun de ces noms un canon impérieux. Des emprunts faits à d'autres langues ont encore accentué l'incertitude en ce qui concerne l'orthographe ou le sexe. On signe Denise, ou Denije ou Deneije ; Conrad ou Courade ; des hommes s'appellent Herménégilde, Aglaé, Edwige...

Cette parenthèse refermée, revenons à la question : quels noms choisir ? Car j'ai dû faire des choix, parfois en me laissant guider par l'intuition, bonne conseillère pour les prénoms plus « discrets » ou plus rares, mais toujours en puisant abondamment dans la catégorie des « poids lourds » et autres prénoms-vedettes. Je disposais, pour ce faire, des palmarès des 10, 20 et 50 premiers prénoms que j'avais dressés par décennie pour le XIXe siècle (en réalité, à compter de 1820) ; et, pour le XXe siècle, je pouvais consulter la liste établie par Louis Duchesne des 100 prénoms les plus répandus dans la population de l'année 2000.

Pour ce premier tome qui porte sur les prénoms masculins, j'en arrive à près de 130 entrées (comme on dit pour les mots du dictionnaire) qui forment le cœur de ce livre et qui portent sur autant de prénoms (un peu plus, en réalité, car certaines entrées comptent plus d'un prénom). Cela dit, mon plaisir ne s'est pas arrêté là ! Pour chaque entrée, je signale les prénoms voisins ou dérivés du premier, les « prénoms du voisinage ». Par exemple, à l'entrée « Cyrille », je souligne l'existence de Cyriaque ; à « Charles », celle

5. Voir Louis Hémon, *Maria Chapdelaine*, illustrations de Clarence Gagnon, Montréal, Art Global, Libre Expression, 1980, 206 p.

du grand Charlemagne; et ainsi de suite. Si bien que, au total, ces quelque 130 entrées évoquent plus de 300 prénoms masculins (voir **Index des prénoms mentionnés,** p. 263).

Voyages sur les ailes de nos prénoms

Est-ce parce que, à l'origine de ce travail, il y eut toutes ces promenades dans les cimetières, au soleil et aux quatre vents? Est-ce parce que beaucoup de nos monuments sont si vieux que leurs inscriptions sont difficiles et parfois même impossibles à lire? Est-ce parce que ces inscriptions me renvoyaient sans cesse à un temps passé, à travers les décennies, les époques? Est-ce parce que de nombreuses précisions données sur le pays de naissance, et parfois aussi les épitaphes (et pas seulement ce simple *Gone Home* si évocateur rencontré au détour d'une allée), me renvoyaient à des horizons lointains? Toujours est-il que, ayant beaucoup voyagé dans le temps et l'espace grâce à ces vieilles pierres, j'ai pensé à mon tour faire voyager mes prénoms.

D'abord, il s'agissait de photographier chacun d'eux «sur son départ», c'est-à-dire d'en connaître l'origine étymologique (hébraïque, grecque, latine, germanique, etc.), puis d'indiquer quels personnages avaient été les premiers à rendre illustre leur prénom. C'est ainsi que je me suis trouvé propulsé dans l'histoire des rois, des princes et des conquérants, ainsi que chez les saints qui, de Padoue, d'Assise ou de Venise, ont fixé leurs noms dans la mémoire collective. Si les saints sont si présents dans ce livre, ce n'est pas par caprice ou par hasard, mais bien à cause de la règle des baptêmes selon laquelle on ne donne un prénom à un enfant que s'il a été porté par un saint ou par un bienheureux (voir **Le poupon et le goupillon,** p. 34). Pour cette partie du travail, je me suis appuyé sur les 13 tomes des *Vies des saints et des bienheureux*[6] des bénédictins Baudot et Chaussin, publiés à Paris de 1935 à 1959, et sur le plus succinct *Dix mille saints* des bénédictins de Ramsgate[7].

Une fois qu'il avait pris son envol, tel prénom avait pu, par exemple – on le verra chez Serge, Éphrem ou Christian –, passer par un endroit qui lui était propre, comme la Russie, la Turquie, la Scandinavie, etc., mais toujours je propose un «itinéraire recommandé» (comme on dit dans les *Guides Michelin*) qui le fait passer par l'Angleterre, puis par la France.

Recommandation sans surprise pour la France: après tout, Robert Giffard, Jean Talon, François de Laval, Louis de Buade de Frontenac, Louis-Joseph de Montcalm

6. Voir RR. PP. Baudot et Chaussin, O.S.B., *Vies des saints et des bienheureux selon l'ordre du calendrier avec l'historique des fêtes,* Paris-VI, Librairie Letouzey et Ané.
7. Voir *Dix mille saints,* dictionnaire hagiographique rédigé par les bénédictins de Ramsgate (traduction du livre anglais *The Book of Saints,* sixième édition, 1988), Éditions Brepols, 1991.

sont venus ici avec armes et bagages, prénoms compris, et ceux-ci se sont perpétués tout naturellement après eux, au-delà des ruptures politiques, comme on le constatera en égrenant les prénoms de ce livre. Pour cette étape de l'itinéraire, j'ai eu recours au *Dictionnaire des prénoms* et au *Temps des Jules*[8] ainsi qu'au site Internet suivant: <prenoms.doctissimo.fr>.

Mais pourquoi passer par l'Angleterre, un lieu où plusieurs des prénoms québécois ont été absents (et pas seulement Napoléon et Roméo)? Parce que l'Angleterre partage avec la France de nombreux prénoms, et des plus courants, depuis que les Normands les lui ont apportés. Mais aussi parce que, depuis 1760, nous faisons partie de son univers, et elle du nôtre; que depuis lors nous partageons avec elle les mêmes souverains, universelle source de prénoms dans tous les pays; et que les noms de ces personnages et ceux des membres de leurs royales familles ont été attribués ici à nombre d'enfants. Victoria, chez les filles, est peut-être le meilleur exemple, et la fréquence chez nous du prénom William au XIXe siècle est peut-être attribuable au règne de William IV dans les années 1830. Et, si le prénom Georges est connu dans tous les pays de la chrétienté, et fort bien portant en France même, son abondance dans nos baptistaires doit peut-être quelque chose au fait que nos lois, nos constitutions, nos débats même ont été placés sous le sceau du roi George III, qui régna sur nos rives et sur nos assemblées de 1760 à 1820.

Quoi qu'il en soit, ce passage par l'Angleterre, pour lequel je me suis servi de l'*Oxford Dictionary of English Christian Names* d'Elizabeth Gidley Withycombe (et que j'appellerai tout simplement «l'*Oxford*»), m'a tout naturellement conduit à évoquer la place des prénoms dans les familles anglophones du Québec au XIXe siècle.

L'arrivée au Québec

Au bout du voyage, on arrive enfin à destination. Tel est le but de ce livre: montrer nos prénoms tels qu'ils sont chez nous. J'ai donc situé chacun d'entre eux dans l'usage des familles, dans l'activité sociale (au moyen des «illustrations») et dans notre géographie (plus précisément dans notre toponymie).

L'usage des familles

La première indication porte sur la place du prénom dans l'usage des familles aux XIXe et XXe siècles. De ce point de vue, j'ai distingué quatre grands types de prénoms:

8. Voir Jacques Dupâquier, Jean-Pierre Pelissier et Danièle Rebaudo, *Le Temps des Jules. Les prénoms en France au XIXe siècle*, Paris, Éditions Christian, 1987.

- ceux du XIXe siècle ;
- ceux du XXe siècle ;
- ceux dont les années de grande popularité chevauchent la frontière entre ces deux siècles ;
- et ceux du XIXe siècle qui, après s'être plus ou moins effacés, sont revenus en force au XXe siècle, généralement dans le dernier quart du siècle.

Ces données sur la fréquence des prénoms sont souvent les premières auxquelles on s'intéresse, c'est pourquoi j'en ai chaque fois tiré la matière d'un « titre » donné au prénom. Par ailleurs, les renseignements que fournit le PRDH (Programme de recherche en démographie historique[9]) du département de démographie de l'Université de Montréal m'ont permis d'ajouter à mes propres indications celles relatives à la période de la Nouvelle-France, qu'on trouvera dans chaque entrée.

Les illustrations

C'est en fréquentant le *Dictionnaire des prénoms*[10] (que j'appellerai « le *Larousse* »), qui propose des « illustrations » pour les prénoms en usage en France, que j'ai eu l'idée de faire de même pour les nôtres, pour ainsi sortir le prénom du seul domaine de la statistique et lui rendre son visage – à tout le moins, *un* visage.

Est apparue alors une première difficulté : le peu d'illustrations à proposer pour certains prénoms, en particulier les plus anciens ou les plus discrets, généralement ceux du XIXe siècle (on sait tous que Moïse fut un prénom usité au Québec, mais peu de ces Moïse ont laissé leur marque dans la mémoire collective), et les plus récemment apparus, qui, pour cette raison, attendent encore les hommes qui leur donneront de la notoriété.

Cela dit, la difficulté la plus fréquente ne fut pas la rareté des illustrations, mais bien plutôt leur abondance. Ce qui m'a contraint à choisir, donc à éliminer certaines personnes (je donne des exemples, je ne dresse pas un bottin mondain du Québec), non sans prendre quelques précautions, mais sans nier toutefois mes propres inclinations. Je me console à la pensée que ce livre donnera peut-être à d'autres l'envie de faire le même exercice avec les prénoms d'une école, d'un lieu de travail, d'un milieu de vie particulier, et d'élaborer leur propre tableau d'illustrations.

Quoi qu'il en soit, pour les illustrations j'ai choisi des noms connus du grand public ou facilement reconnaissables par les fonctions que ces hommes ont occupées

9. Je n'expliquerai plus ce sigle. Désormais, j'appellerai simplement ce programme le PRDH.
10. Voir Chantal Tanet et Tristan Hordé, *Dictionnaire des prénoms*, Paris, Larousse, 2006.

(on ne connaît pas tous les premiers ministres de l'histoire du Québec, mais chacun sait ce qu'est un premier ministre). J'ai aussi cherché à représenter le plus de domaines possible de l'activité sociale, depuis la politique, la religion et les affaires, jusqu'aux lettres et aux beaux-arts, en passant par le sport, la radio et la télé, sans oublier nos auteurs-compositeurs-interprètes, peut-être les mieux placés pour nous raccorder tous.

La toponymie

Au Québec, plusieurs de nos prénoms se retrouvent dans la toponymie de villages. D'ailleurs, 111 de mes entrées se classent dans cette catégorie (voir **Ces villages qu'on n'oublie pas,** p. 80). J'ai donc pensé présenter les prénoms de ce livre en regard des noms de nos villages. Pour ce faire, je me suis reporté au dictionnaire de la Commission de toponymie du Québec, *Noms et Lieux du Québec*, paru en 2006. Je m'en suis tenu généralement aux seuls noms de villages (c'est ainsi que je les appelle, bien que leur nom officiel soit autre), mais sans exclure au besoin certains autres toponymes. Pouvait-on en effet parler du prénom Laurent sans évoquer « son » fleuve, ou de Victoria sans évoquer « son » pont ?

Ce survol du territoire québécois sur les ailes de nos prénoms nous fera voyager à travers les siècles, puisque la plupart des noms de nos villages datent des XVIIIe et XIXe siècles. Il nous amènera aussi aux quatre coins du pays, de Saint-Éphrem-de-Val-Paradis en Abitibi jusqu'à Saint-Adélard en Gaspésie, en passant par Saint-Paul-de-l'Île-aux-Noix en Montérégie et par Saint-Cyriac au Saguenay. Peut-être comprendrons-nous ainsi combien solides sont les assises de nos prénoms, et combien profondes sont leurs racines dans nos mémoires.

On verra aussi que certains prénoms ne survivent plus aujourd'hui au Québec que grâce à la toponymie. Un village ou un panneau indicateur devient ainsi un témoin, un véritable héraut du « Je me souviens ». Ce devoir ainsi rendu à la mémoire vaudra pour toujours, à la condition qu'on ne fasse pas – qu'on ne fasse plus ! – disparaître ces noms de villages sous quelque prétexte bureaucratique que ce soit. Fallait-il vraiment effacer de nos mémoires le plus que centenaire village de Sainte-Scholastique pour faire place au nom d'un aéroport qui n'aura même pas duré plus d'un petit quart de siècle ?

Bon voyage !

Guide du lecteur

1. Les prénoms sont présentés individuellement, chacun faisant l'objet d'une entrée qui « raconte » le prénom et le situe dans le temps et dans l'espace. Au début de chaque entrée sont évoqués d'autres prénoms que le prénom-vedette. On les appelle « prénoms du voisinage » et « prénoms féminins ».
2. Ce livre traite des prénoms portés par les Canadiens français (on dit aujourd'hui francophones) du Québec. La plupart des prénoms sont donc français. Leurs équivalents étrangers, notamment anglais, italiens ou allemands, sont généralement mentionnés dans la description du prénom. Certains prénoms d'origine étrangère se sont si bien adaptés au Québec qu'ils ne sont plus perçus comme étrangers et qu'ils peuvent faire l'objet d'une entrée particulière. Par exemple, pour l'anglais, Patrick, Wilfrid, William ; pour l'italien, Antonio, Mario, Roméo. D'autres prénoms étrangers, connus et illustrés au Québec, sont mentionnés parmi les prénoms du voisinage.
3. Ce livre porte sur les prénoms des XIXe et XXe siècles. Une place a cependant été faite aux prénoms les plus fréquemment donnés depuis l'année 2000. Ces 50 prénoms sont présentés dans **Pouponnières, garderies et maternelles,** à la page 176. La plupart d'entre eux, connus depuis longtemps, sont traités ailleurs dans le livre, ayant fait l'objet d'une entrée.
4. Ce premier tome est consacré aux prénoms masculins. Le second tome, à paraître, traitera des prénoms féminins. Cela dit, une place a été faite aux prénoms féminins à la suite des « prénoms du voisinage » de chaque entrée. On peut consulter l'annexe 3 à la page 268.
5. Une entrée s'ouvre par un « titre » qui lui est attribué et qui situe le temps fort de l'usage du prénom. Quatre catégories ont été établies : a) prénoms du XIXe siècle ; b) prénoms du XXe siècle ; c) prénoms chevauchant ces deux siècles ; d) prénoms du XIXe siècle réapparus au cours du XXe siècle, généralement dans le dernier quart du siècle. Lorsqu'un prénom s'est classé premier au cours d'une année, le titre de « médaillé d'or » lui est décerné. Une liste de tous les médaillés d'or apparaît à la page 112.

6. Les principaux ouvrages de référence ont été cités dans l'introduction. J'ai aussi employé *Le Petit Larousse illustré, Le Petit Robert des noms propres*, l'*Encyclopædia Britannica*, l'*Encyclopédie Universalis*, et *Wikipédia* dans Internet.

Nos prénoms de A à Z

ADÉLARD

Un prénom de la seconde moitié du XIXe siècle.
Trois graphies : ADALARD, ADALHARD, ADÉLARD.
PrénOMS du voisinage : JOSEPH-ADÉLARD, MARC-ADÉLARD.
Prénoms féminins : ADÉLA, ADÉLAÏDE, ADÈLE, ADELINE.

Le prénom Adélard est d'origine germanique. Son étymologie *Adal*, « noble », a donné plusieurs prénoms féminins. Un saint de ce nom vécut aux VIIe et VIIIe siècles. Petit-fils de Charles Martel et abbé de Corbie, en Picardie, saint Adélard (751-827) fut l'un des conseillers de Charlemagne, son cousin. En Angleterre, où les Normands avaient introduit ce prénom, vécut au XIXe siècle un autre moine bénédictin qui s'illustra comme philosophe scolastique, Adélard de Bath (1070-1150), appelé aussi Adalard ou Aethelard. *La Grande Encyclopédie* dit qu'il fut « l'un des hommes les plus savants qu'ait produits l'Angleterre du Moyen Âge ».

Excepté ces deux personnalités, la chronique n'a guère retenu d'autres illustrations de ce prénom qui semble avoir été peu répandu. Pour le domaine anglais, l'*Oxford* n'en souffle mot, et je n'ai relevé aucun Adélard parmi les quelque 7700 prénoms d'anglo-protestants recensés au cimetière Mont-Royal ni parmi les 5000 irlando-catholiques. Même rareté en France. Le *Larousse* n'en porte aucune mention, pas plus que les autres répertoires. Dans *Le Temps des Jules*, Dupâquier n'a pas relevé le moindre Adélard parmi 90 000 personnes recensées.

Inconnu en Nouvelle-France (un seul cas recensé), Adélard apparaît discrètement au Québec dans les premières décennies du XIXe siècle, gagne en importance à partir de 1860 et se classe parmi les 25 plus populaires pour les années 1860, 1870 et 1880. Sa meilleure décennie : 1870, avec une 14e place et 1,7 % des prénoms.

Très discret dans la toponymie, où l'on ne relève qu'un hameau gaspésien du nom de Saint-Adélard, il fut illustré par Louis-Adélard Senécal (1829-1887), industriel et homme politique, par Adélard Turgeon (1863-1930), député et ministre à Québec, et par Adélard Godbout (1892-1956), premier ministre du Québec en 1936, puis de 1939 à 1944. Adélard Langevin (1855-1915) fut archevêque de Saint-Boniface (Manitoba), Adélard Perron fonda en 1890 la fromagerie qui porte son nom au Lac-Saint-Jean, et Adélard Raymond (1889-1962) acquit le grade de vice-maréchal de l'Air dans l'armée canadienne. Marc-Adélard Tremblay, né en 1922, s'est illustré comme professeur et anthropologue. Dans les années 1920 à Montréal, l'abbé Joseph-Adélard Delorme fut accusé du meurtre de son frère, mais il fut acquitté après quatre procès.

ADOLPHE

Un prénom de la première moitié du XIXe siècle.
Prénoms du voisinage : ADOLPHIS, ADOLPHUS.
Prénom féminin : ADOLPHINE.

Ce n'est pas demain la veille que, dans nos cours d'école, on réentendra ce prénom, jadis assez courant au Québec, aujourd'hui marqué pour toujours, ou pour longtemps, par le souvenir d'Adolf Hitler et de son féal fou, Adolf Eichmann.

L'origine de ce nom se situe dans les pays germaniques et dans le vieux nom de personne Adwulf (ou Adelulf) qui, par sa forme latinisée Adolphus, a donné notre Adolphe. Et c'est en Allemagne que vécut saint Adolphe (v. 1185-1224), moine cistercien, chanoine à Cologne, évêque d'Osnabrück de 1216 à 1224. Dans ce même pays apparut le premier souverain de ce nom, Adolphe de Nassau, qui deviendra empereur du Saint Empire romain germanique en 1292. Mais c'est en Suède, où trois rois l'ont porté, que ce prénom s'illustrera le plus parmi les monarques. Le premier, Gustave II Adolphe, régna de 1611 à 1632 et joua un rôle important sur la scène européenne ; le deuxième, Gustave IV Adolphe, régna de 1792 à 1809 ; et le dernier, Gustave VI Adolphe, roi de 1950 à 1973, fut souvent appelé le « vieux roi de Suède » dans les médias. Un second duc de Nassau du nom d'Adolphe présida aux destinées du grand-duché de Luxembourg de 1890 à 1905.

Le prénom Adolphe se retrouvera en Angleterre dans la foulée de l'accession au trône de la Maison de Hanovre (1714), comme d'autres prénoms qui ont suivi le même itinéraire – Ernest, Frédéric, Georges… Mais, contrairement à ces derniers, Adolphe semble avoir eu un parcours bien modeste en Angleterre. Du reste, sa présence ici au XIXe siècle, parmi les anglo-protestants du Québec, a été presque imperceptible : à peine six personnes de ce nom parmi les 7700 noms recensés ; et deux seulement parmi les 5000 noms irlando-catholiques.

Adolphe apparut en France au XVIIIe siècle. Au XIXe siècle, il occupait, selon le *Larousse*, le modeste 45e rang. Mais il fut bien illustré : en musique, par le compositeur Adolphe Adam (1803-1856) et par le flûtiste Adolphe Sax (1814-1894), inventeur du saxophone ; en politique, par Adolphe Crémieux (1796-1880), ministre de la Justice et auteur du « décret Crémieux », et par Louis-Adolphe Thiers (1797-1877), historien, député et chef de gouvernement ; dans la vie militaire, par Adolphe Niel (1802-1869), maréchal de France et ministre de la Guerre. L'écrivain et homme politique français d'origine suisse Benjamin Constant (1767-1830) donna le nom d'*Adolphe* à l'un de ses romans, paru en 1816.

Cela dit, le prénom Adolphe était pratiquement inconnu en Nouvelle-France (cinq références seulement). C'est au XIXe siècle qu'il entre dans les usages au Québec, et c'est dans la première moitié de ce siècle qu'il se distingue. De 1820 à 1850, il fut toujours parmi les 15 prénoms les plus populaires, se classant même au septième échelon en 1830, avec près de 3 % des prénoms. Sa popularité déclinera au cours de la seconde moitié du siècle : 23e en 1860, 33e en 1870, 43e en 1880. Il avait disparu des tableaux en 1890.

Bien que de rang moyen et de carrière brève, le prénom Adolphe fut bien illustré par Adolphe Chapleau (1840-1898), premier ministre, puis lieutenant-gouverneur ; par Adolphe-Basile Routhier (1839-1920), auteur des paroles de l'hymne national du Canada ; par Adolphe Tourangeau (1831-1894), maire de Québec ; par Louis-Adolphe Paquet (1859-1942), directeur du Grand Séminaire de Québec. Enfin, ce prénom a laissé sa marque dans notre toponymie. Deux villages fondés au milieu du XIXe siècle, l'un au nord de Québec, (Saint-Adolphe) l'autre au nord de Montréal (Saint-Adolphe-d'Howard), nous rappellent celui qui fut évêque d'Osnabrück au XIIIe siècle.

ADRIEN

Prénom populaire dans les premières années du XXe siècle, mais dont l'ascension avait commencé à la fin du XIXe.
Prénom féminin : ADRIENNE.

Il y eut bien un saint martyr de ce nom au IVe siècle. Il y eut aussi six papes Adrien entre la fin du VIIIe siècle et le début du XVIe siècle. Mais celui qui marqua la mémoire de l'humanité, c'est Hadrien (*Aelius Hadrianus*), l'empereur romain du IIe siècle. Celui-ci devait son nom à la commune d'Adria, au nord-est de l'Italie d'aujourd'hui, qui donna aussi son nom à la mer Adriatique. L'empereur Hadrien, entre autres mérites, s'est rendu célèbre pour avoir fait construire une imposante fortification militaire longue de 117 kilomètres, le « mur d'Hadrien », qui marquait le nord de l'Empire romain en Grande-Bretagne et qui sépare aujourd'hui, *grosso modo*, l'Angleterre de l'Écosse. Ce mur devait fermer la route aux populations du Nord, ou, dit plus crûment, séparer la civilisation romaine de la barbarie.

Le *Hadrian's Wall* est resté profondément ancré dans la mémoire des Anglais (du reste, on le visite toujours, et il fait partie du patrimoine historique mondial de l'UNESCO depuis 1987), mais le prénom de l'empereur ne semble pas avoir eu de succès en Angleterre: *It has never been a popular name in England*, dit l'*Oxford*. En tout cas, il a été ignoré par les anglo-protestants du Québec au XIXe siècle (deux mentions seulement), ainsi que par les Irlando-Québécois. On peut tout de même mentionner le Montréalais Adrian K. Hugessen (1891-1976), natif d'Angleterre et issu d'une famille de lords, qui siégea au Sénat canadien.

En France, selon le *Larousse*, le prénom a pu avoir été donné à partir du XVIe siècle, mais sans jamais se démarquer. D'après Dupâquier, au XIXe siècle Adrien se situait au très modeste 65e rang et Adrienne était plus discrète encore. C'est par les écrivains que ces prénoms se sont fait remarquer en France, grâce à Julien Green et à son roman *Adrienne Mesurat* (1927), à Marguerite Yourcenar et à ses *Mémoires d'Hadrien* (1951).

En Nouvelle-France, Adrien est demeuré modeste et Adrienne fut un prénom presque inexistant. Au Québec, au XIXe siècle, on vit apparaître ce prénom vers 1850, et il obtint ses meilleurs résultats vers la fin du siècle, notamment en 1890 quand il se classa 29e et atteignit la barre du 1 %. Il se maintint assez bien dans les premières décennies du XXe siècle, mais il s'estompa par la suite.

Le prénom est présent dans notre toponymie grâce à deux villages fondés au XIXe siècle: Saint-Adrien-d'Irlande, près de Thetford Mines, et Saint-Adrien, en Estrie, à la frontière du Maine.

Le prénom fut porté dans les affaires par Adrien Miron, de la célèbre famille de cimentiers, et illustré dans les arts et les sciences par le peintre Adrien Hébert (1890-1967), par le mathématicien et professeur d'université Adrien Pouliot (1896-1980), et par l'écrivain Adrien Thério (1925-2003). Adrien Arcand (1899-1967) fut le chef d'un mouvement politique d'inspiration nazie; Adrien Robert (1906-1970) fut chef de police à Hull et à Montréal, puis directeur général de la Sûreté provinciale du Québec; Adrien Gagnon (né en 1924) fut chef de file de la culture physique, de la musculation et de la santé par la nature. Adrien Arcand, Adrien Robert et Adrien Gagnon, trois destins bien différents, mais un même respect, une même adulation pour la force physique. Ce n'est pas Adrian Diaconu, le boxeur québécois d'origine roumaine, qui le leur reprocherait.

Aimé

Prénom populaire à la fin du XIXe siècle et au début du XXe.
Prénoms du voisinage : Amabilis, Amable, Amédée, Chéri.
Prénoms féminins : Aimée, Amable.

Aimé et Amable : deux prénoms voisins, l'un « qui est aimé », l'autre « qui est digne d'être aimé ». Pour les premiers chrétiens qui les ont créés, Dieu est évidemment l'objet de cet amour. Amédée, de ce point de vue, est plus explicite : *ama/deus*, c'est « celui qui aime Dieu ». Ces prénoms se sont répandus dans les territoires où dominait le latin, en France, en Savoie, en Italie, où des saints et des bienheureux les ont portés. Ils ont été illustrés par trois ducs de Savoie prénommés Amédée, et, plus près de nous, par le peintre Amedeo Modigliani (1884-1920). En Allemagne, où l'on aimait bien les prénoms à forme latine (Adolphus, Alphonsus, Julius...), Amadeus est illustrissime.

Les Normands les introduisirent en Angleterre. Si les prénoms masculins n'y ont guère laissé de traces, les prénoms féminins Amy et Mabel (dérivés des prénoms français Aimée et Amable) ont eu du succès et n'étaient pas rares parmi les anglo-protestants du Québec au XIXe siècle (ensemble, plus de 1 % de représentation).

Aimé, « ce très ancien prénom », fut « longtemps bien vivant en France », nous dit le *Larousse*. Mais, au XIXe siècle, il n'occupait plus que le modeste 60e rang, Amable et Amédée étant plus rares encore. Il fut illustré par le poète martiniquais Aimé Césaire (1913-2008), et comme patronyme par l'écrivain Marcel Aymé (1902-1967).

En Nouvelle-France, c'est le prénom Amable qui dominait, au 23e rang, avec quelque 1400 mentions au PRDH, loin devant Aimé, qui n'en eut qu'une poignée, et Amédée, sans aucune mention. Mais, au Québec, au XIXe siècle, le prénom Aimé arrive en tête, devant Amédée et Amable. C'est aussi lui qui prend le plus de place dans la toponymie avec trois villages baptisés Saint-Aimé (l'un près de Sorel, l'autre près de Mont-Laurier, et le troisième dans Charlevoix). On connaît Saint-Amable, au sud de Montréal, et la rue Saint-Amable dans le Vieux-Montréal. Quant à Saint-Amédée, il désigne un hameau sur la rivière de la Petite-Nation, et c'était autrefois une municipalité du Lac-Saint-Jean, fondée en 1902, puis annexée à Péribonka en 1926.

Aimé a été illustré par un homme politique important du XIXe siècle, Antoine-Aimé Dorion (1818-1891), le chef des Rouges. Il n'aimait pas du tout le concept de la Confédération de 1867 et entreprit une campagne contre ce régime, mais en vain. Malgré cela, il devint ministre de la Justice au sein du nouveau système politique, puis juge en chef du Québec. Il reçut le titre de *Sir*. Plus près de nous, le prénom a été porté par Aimé Geoffrion (1873-1945), avocat et constitutionnaliste, et par Aimé Major (1924-1996), acteur, chanteur, animateur de radio et de télévision.

Quant au prénom Amable, il fut illustré par des notables de la vie politique, Pierre-Amable de Bonne (1758-1816), Joseph-Amable Berthelot (1776-1860) et Louis-Amable Jetté (1836-1920), député à Ottawa, lieutenant-gouverneur du Québec et juge en chef. Amable Daunais (1817-1839) n'était pas un notable, mais un militant patriote qui mourut pendu. Celui-ci non plus n'aimait pas ce qu'il voyait autour de lui et se révolta. Son combat et sa mort ont fait de lui un héros que l'on célèbre tous les ans, le 24 mai, lors de la Journée nationale des patriotes. Il est à noter qu'Amédée Papineau, fils de Louis-Joseph Papineau et membre des Fils de la liberté, illustra fièrement ce prénom.

ALAIN

Un des champions des années 1950-1960.

Ce prénom nous vient du latin *Alanus*, nom donné à un peuple de nomades, les Alains, qui vivait alors à l'extrémité est de l'Empire romain, dans le Caucase d'aujourd'hui. Mais c'est à l'extrémité ouest de l'Europe, en Bretagne, qu'est apparu et qu'a grandi le prénom Alain.

Ce prénom fut introduit par les Normands dans les îles Britanniques, mais se répandit surtout en Écosse. Longtemps il s'est orthographié indifféremment « Allan » ou « Allen », mais c'est la forme « Alan » qui est maintenant la plus courante en anglais. Il était connu des irlando-catholiques et plus encore des protestants du Québec au XIXe siècle, mais il est demeuré discret parmi eux (54 mentions sur 12 700). Il fut porté par le chanteur canadien-anglais Alan Mills (1913-1977), grand connaisseur du folklore du Canada français, et par le juriste Alan B. Gold (1917-2005), juge en chef de la Cour du Québec, puis de la Cour supérieure. La forme Alleyn, qui eut cours aux XVe et XVIe siècles, se retrouve dans le patronyme du peintre québécois Edmund Alleyn (1931-2004).

En France, notamment en Bretagne où vécut un saint de ce nom au VIe siècle, Alain a été, nous dit le *Larousse*, « relativement courant au Moyen Âge », mais se fit « plus rare à partir du XVIe siècle ». Absent de la liste des 100 premiers prénoms au XIXe siècle, ce n'est qu'au XXe siècle qu'il s'affirma brillamment, se classant parmi les dix premiers de 1942 à 1964, dont quinze fois parmi les cinq premiers (de

1946 à 1960). Alain Peyrefitte (1925-1999) et Alain Juppé (né en 1945) l'ont illustré en politique; Alain Delon (né en 1935) et Alain Resnais (né en 1922), au cinéma; Alain Barrière (né en 1935), Alain Souchon (né en 1944) et Alain Bashung (1947-2009), dans la chanson. Deux grands penseurs le portent, le sociologue Alain Touraine (né en 1925) et le philosophe Alain Finkielkraut (né en 1949). Avant eux, il avait été porté par Alain-Fournier (1886-1914), l'auteur du *Grand Meaulnes*, et par le philosophe Alain (1868-1951) qui « à l'exemple de Socrate, a voulu être un maître à penser et un éducateur » (*Le Petit Robert des noms propres*).

Rare en France au XVIIe siècle, le prénom Alain l'était aussi en Nouvelle-France, où l'on ne relève que quatre mentions à son nom. Même situation au Québec au XIXe siècle, en tout cas à CDN. Ce n'est qu'à partir des années 1920 qu'il montra le bout de l'oreille, puis il commença à s'imposer dans les années 1940, mais c'est dans les décennies 1950 et 1960 qu'il atteignit ses meilleurs résultats (en 1963 et en 1964, plus de 4 % de représentation). En 2000, dans l'ensemble de la population, il se situait au 13e rang des prénoms masculins. Près de Laurier-Station, un village est connu depuis 1925 sous le nom de Val-Alain.

Ce prénom est illustré par Alain Stanké (né en 1934), éditeur et animateur de télé, et par Alain Dubuc et Alain Gravel, journalistes. Dans le monde de la musique, nous connaissons le pianiste Alain Lefèvre (né en 1962), l'harmoniciste Alain Lamontagne (né en 1952), et Alain Simard (né en 1950), président-fondateur du Festival international de jazz de Montréal, président des Francofolies et de Montréal en lumière – tous évoluant sous l'œil scrutateur du critique Alain Brunet. L'homme d'affaires Alain Bouchard est président et chef de la direction du groupe d'alimentation Couche-Tard.

Albert

Prénom important du dernier tiers du XIXe siècle,
il s'est maintenu au début du XXe.

Prénoms du voisinage : Adalbert, Albéric, Aubert.
Prénoms féminins : Alberta, Alberte, Albertine.

Ce prénom est d'origine germanique, comme ses cousins Adalbert, Aubert et Albéric. Le premier à l'avoir illustré, Albrecht von Bollstädt ou saint Albert le Grand (1193-1280), naquit à Augsbourg en Allemagne à la fin du XIIe siècle. Théologien et philosophe, dominicain de formation, professeur aux universités de Paris et de

Cologne, Rome le reconnut pour docteur de l'Église et Pie XI le béatifia en 1931. Ce prénom fut porté dans les familles gouvernantes des pays germanophones et de divers autres pays d'Europe. Pensons par exemple à Albert Ier (1875-1934), le roi des Belges, et à son homonyme Albert Ier (1848-1922), 11e prince de Monaco.

Avant eux, un autre prince Albert avait fait sa marque. Originaire de Thuringe, en Allemagne, et appartenant à la famille de Saxe-Cobourg Gotha, le prince Albert (1819-1861) épousa la reine Victoria en 1840 et devint prince consort. Dès lors, son prénom se répandit en Angleterre, plus encore que celui de Victoria chez les filles. Ce prénom était aussi connu au XIXe chez les anglo-protestants du Québec, parmi lesquels il figura parmi les 20 plus populaires de chaque décennie, de 1860 jusqu'à la fin du siècle, se situant généralement autour du 15e rang, avec plus de 2 % de représentation. Sa position était moins bonne chez les irlando-catholiques, inférieure à 1 % de représentation.

Albert était en usage dans toute l'Europe de l'Ouest, en Allemagne où l'illustra Albert Einstein (1879-1955), en Alsace où naquit le médecin missionnaire Albert Schweitzer (1875-1965), et en Suisse, le pays d'Albert Cohen (1895-1981) et d'Alberto Giacometti (1901-1966). En France, au XIXe siècle, il se situait globalement au 25e rang et fut illustré par le compositeur Albert Roussel (1869-1937), par le journaliste Albert Londres (1884-1932) et par le dernier président de la IIIe République, Albert Lebrun (1871-1950). Sur une si belle lancée, le prénom ne cessera de s'illustrer dans les lettres françaises. En témoignent Albert Camus, Albert Memmi, Albert Uderzo, Albert Jacquard.

En Nouvelle-France, le prénom Albert n'était guère connu (moins de 100 entrées au PRDH), et les prénoms féminins Alberte, Alberta et Albertine l'étaient encore moins. Au Québec, au XIXe siècle, ses débuts seront lents, et ce n'est qu'en 1860 qu'il fit une première apparition dans les palmarès. Mais ensuite son ascension sera rapide et il se classera toujours à CDN dans les cinq premiers, et même deux fois au 3e rang, en 1880 et en 1890. Le prénom Albertine connaîtra une évolution analogue, sans atteindre toutefois le même échelon. Albert fut donc l'un des prénoms majeurs de la seconde moitié du XIXe siècle, surtout du dernier tiers. Mais là s'arrêtera sa poussée. Dès les premières décennies du XXe siècle, il n'était plus qu'au 21e rang.

Au Québec, il fut illustré dans la vie publique par Albert Lacombe (1827-1916), le « père Lacombe », missionnaire oblat dans l'Ouest canadien, par Albert Malouin (1857-1936), juge à la Cour suprême, et par Albert Saint-Martin (1865-1947), militant ouvrier, organisateur en 1906 de la première manifestation du 1er mai à Montréal. Dans les arts et les lettres, nous connaissons le poète Albert Lozeau (1878-1924), le peintre Albert Dumouchel (1916-1971), les comédiens Albert

Duquesne (1891-1956) et Albert Millaire (né en 1935). Prêtre, historien et réalisateur de cinéma, Albert Tessier (1895-1976) fut l'un des pionniers du documentaire. Un important prix porte son nom et récompense chaque année un artisan du cinéma québécois.

Albert a aussi laissé sa marque sur le territoire, comme en témoignent les villages d'Albertville (1920) dans la Matapédia et de Saint-Albert-de-Warwick (1864) près de Victoriaville. On relève d'autres toponymes, dont le canton d'Albert près de Tadoussac et le mont Albert en Gaspésie, tous deux nommés en l'honneur du prince consort Albert[11]. Quant à la province de l'Alberta, baptisée ainsi en 1882, elle doit son nom à la princesse Louise Caroline Alberta, fille de la reine Victoria.

À Montréal, nous connaissons l'institut Albert-Prévost, du nom d'un neurologue québécois (1881-1926), et l'église dominicaine Saint-Albert-le-Grand, dans le quartier Côte-des-Neiges.

ALEXANDRE

Un classique présent tout au long du XIXe siècle,
revenu en force à la fin du XXe. Médaillé d'or en 1987, en 1993 et en 1994.
Prénoms du voisinage : ALEX, ALEXIS.
Prénoms féminins : ALEXANDRA, ALEXANDRIENNE, ALEXANDRINA, ALEXANDRINE.

Pour retrouver l'origine de ce prénom célèbre et répandu partout en Occident et même au-delà, il faut remonter à la Grèce de l'Antiquité et au nom Alexandros. Son sens étymologique – « l'homme qui repousse », « l'homme qui défend » – préfigurait en quelque sorte le premier homme à lui donner son éclat et à le fixer pour toujours dans la mémoire des siècles, Alexandre le Grand (ou Alexandre III, roi de Macédoine) qui, au IVe siècle avant notre ère, conquit un immense empire. Alexandrie, en Égypte, lui doit son nom et sa naissance. Porté si haut et de manière si fulgurante (Alexandre mourut à 33 ans), le prénom se répandit au Moyen-Orient (les musulmans l'appelleront Iskandar) et sur le pourtour méditerranéen. Parmi les premiers chrétiens, plusieurs saints et martyrs ont porté ce nom. À Rome, un premier Alexandre devint pape en l'an 106. Sept autres suivront entre les XIe et XVIIe siècles.

En même temps qu'il s'affirmait en Italie – pensons au compositeur Alessandro Scarlatti (1660-1725) ou au physicien Alessandro Volta (1745-1827) –, ce pré-

11. La ville de Prince Albert en Saskatchewan doit aussi son nom au prince consort.

nom, par ses origines géographiques, se répandit largement dans les pays de l'orthodoxie chrétienne. Symbole de conquête, de gloire et de puissance, il sera naturellement choisi par les familles royales de Grèce, de Bulgarie, de Serbie et de Yougoslavie. En Russie, le grand héros national du XIIIe siècle, le prince de Novgorod (saint de l'Église orthodoxe) fut surnommé Alexandre Nevski pour avoir repoussé les Suédois sur la Neva en 1240. Au XIXe siècle, trois tsars porteront ce nom, le premier monta sur le trône en 1801, le dernier mourut en 1894 (un pont de Paris célèbre sa mémoire). Alexandre Pouchkine (1799-1837) l'a illustré dans les lettres, Alexandre Borodine (1833-1887) et Alexandre Glazounov (1865-1936) dans la musique. Plus près de nous, l'homme politique Alexandre Kerenski (1881-1970) a combattu le tsarisme et l'écrivain Alexandre Soljenitsyne (1918-2008) a dénoncé le régime soviétique. En Russie, Sacha est un diminutif affectueux d'Alexandre. Ailleurs, notamment en France, nous connaissons l'homme de théâtre Sacha Guitry (1885-1957) et le guitariste et chanteur Sacha Distel (1933-2004).

Apparu au Proche-Orient, répandu dans les pays de la Méditerranée et de l'Europe de l'Est, connu et célébré en France où fut composée au XIIe siècle la légende du *Roman d'Alexandre* (avec ses vers de douze syllabes qu'on appelle pour cette raison « alexandrins ») et où l'illustrèrent au XIXe siècle les écrivains Alexandre Dumas, père et fils, le prénom se répandit aussi dans les pays du Nord. Pensons à l'Allemand Alexander von Humboldt (dont le nom a été donné à l'école allemande de Montréal) ou à la princesse danoise Alexandra, l'épouse d'Édouard VII.

Connu en Angleterre, le prénom Alexander l'était plus encore en Écosse, où trois rois portèrent ce nom entre les XIe et XIIIe siècles, et où il devint l'un des prénoms préférés – *a particular favourite in Scotland*, nous dit l'*Oxford*. Ce goût se manifestera de ce côté-ci de l'Atlantique. Au Québec, au XIXe siècle, Alexander se classa au 9e rang des prénoms en usage chez les anglo-protestants de Montréal (3,3 % de cette population). De grands Canadiens anglais natifs d'Écosse l'illustrèrent brillamment : John Alexander Macdonald (1815-1891) et Alexander Mackenzie (1822-1892), tous deux premiers ministres à Ottawa, ainsi qu'Alexander Graham Bell (1847-1922), l'inventeur du téléphone. Aux États-Unis, il fut illustré par le peintre et sculpteur Alexander Calder (1898-1976).

En Nouvelle-France, ce prénom n'était pas inconnu et se situait autour du 30e rang avec quelque 700 mentions. Au Québec, au XIXe siècle, il s'est classé 6 fois parmi les 25 premiers, avec des pointes parmi les 15 prénoms les plus populaires en 1830, en 1870 et en 1880. Il fut illustré par Alexandre Taché (1823-1894), archevêque de Saint-Boniface au Manitoba ; par Louis-Alexandre Taschereau (1867-1952), premier ministre du Québec de 1920 à 1936 ; par Sir Alexandre Lacoste (1842-1923), juge en chef du Québec ; et, plus près de nous, par l'homme d'affaires et philanthrope Joseph-Alexandre DeSève (1896-1968), le fondateur de Télé-Métropole. Gabrielle Roy a intitulé son troisième roman, paru en 1954, *Alexandre Chenevert*.

Après une longue période de déclin, puis de somnolence, Alexandre refit surface dans le dernier quart du XXe siècle, se hissa parmi les plus grands et conquit la première place, qu'il occupa en 1987, puis de nouveau en 1993 et en 1994. Il se classe actuellement au 11e rang des prénoms les plus populaires des dernières années. Si on lui ajoutait les effectifs du prénom Alex, il serait troisième (voir **Pouponnières, garderies et maternelles,** p. 176). D'ailleurs, on commence déjà à observer de nouvelles illustrations de ce prénom. Par exemple, le député péquiste Alexandre Cloutier (né en 1977) ; les hockeyeurs Alexandre Daigle (né en 1975) et Alexandre Burrows (né en 1981), le plongeur Alexandre Despatie (né en 1985) et le skieur acrobatique Alexandre Bilodeau (né en 1987). D'autres se préparent à les rejoindre.

Dans la toponymie du Québec, on relève le mont Alexandre (Gaspésie), ainsi nommé en souvenir d'un trappeur indien, et trois villages du nom de Saint-Alexandre, près d'Iberville, de Rivière-du-Loup et d'Amqui, les deux premiers datant du milieu du XIXe siècle. À Montréal, notons une rue Saint-Alexandre, trois rues Alexandre et deux rues Alexander. On ne trouve aucune rue Alexandre-le-Grand, mais dans mon quartier, avenue de Darlington, un dépanneur affiche fièrement le nom d'Alexandre le Grand. Son propriétaire, un immigrant venu de Grèce, n'avait pas oublié d'apporter avec lui la mémoire de son peuple.

ALEXIS

Prénom du début du XIXe siècle, revenu en force à la fin du XXe.
Prénoms du voisinage : ALEX, ALEXANDRE.
Prénoms féminins : ALEXIA, ALEXINA, ALEXINE.

Le prénom Alexis vient du grec, comme le prénom Alexandre dont il est un diminutif, et il a le même sens, « l'homme qui défend », « l'homme qui repousse ». Ces deux prénoms ont en commun le diminutif Alex, devenu aujourd'hui prénom autonome. En Italie, Alexis devient Alessio, et dans les pays de langue espagnole, Alejo.

Ce prénom a été très courant parmi les chrétiens d'Orient. À Constantinople, des empereurs l'ont porté entre la fin du XIe et le début du XIIIe siècle. Tout naturellement, il se répandit en Russie – Alekseï et son diminutif, Aliosha. Il fut illustré par un métropolite de Moscou qui vécut au XIVe siècle et qui devint un saint de l'Église orthodoxe, et il fut porté au XVIIe siècle par le tsar Alekseï Mikhaïlovitch, le père de Pierre le Grand. Plus près de notre époque, nous connaissons le dirigeant soviétique Alekseï Kossyguine (1904-1980) et le patriarche de Moscou Alekseï II (1929-2008). Et Maxime Gorki (1868-1936) fut le pseudonyme d'Alekseï Pechkov.

En France, après le Moyen Âge, ce prénom se fit discret et ne revint à la mode que beaucoup plus tard, dans le dernier quart du XXe siècle, particulièrement dans les années 1990. Il avait été illustré au XIXe siècle par Alexis de Tocqueville (1805-1859), l'auteur d'un essai célèbre sur les États-Unis, *De la démocratie en Amérique.*

En Nouvelle-France, le prénom Alexis se classa parmi les plus importants, soit 14e au tableau général du PRDH avec 2500 mentions. Ses équivalents féminins étaient alors totalement inconnus.

Au Québec, au XIXe siècle, du moins à CDN, il fut discret, particulièrement dans la seconde moitié du siècle. En revanche, le prénom féminin Alexina connut de beaux succès, notamment en 1870 et en 1880. Alexis réapparut vers la fin du XXe siècle, atteignit 1 % en 1997 et, sur cette lancée, figure aujourd'hui parmi les dix prénoms les plus populaires du début du XXIe siècle (voir **Pouponnières, garderies et maternelles,** p. 176).

Trois villages québécois portent ce nom depuis la fin du XIXe siècle : Saint-Alexis dans Lanaudière ; Saint-Alexis-de-Matapédia en Gaspésie ; et Saint-Alexis-des-Monts en Mauricie.

Il fut illustré en politique par le Dr Alexis Bouthillier (1870-1940), qui fut député et maire de Saint-Jean, et par Alexis Pierre Caron (1899-1966), député et maire de Hull (aujourd'hui Gatineau). Parmi les élus les plus récents, mentionnons Étienne-Alexis Boucher, député du comté de Johnson, et Alexis Wawanoloath, député d'Abitibi-Est de 2007 à 2008, second Amérindien à siéger à Québec. Dans les affaires, le prénom fut illustré par Alexis Nihon (1902-1980), qui laissa son nom à un important centre commercial de Montréal, et il est actuellement représenté dans les arts et les lettres par l'homme de théâtre Alexis Martin (né en 1964).

Ce prénom renvoie à deux personnages de notre imaginaire collectif : Alexis Lapointe, dit Alexis le Trotteur (1860-1924), un coureur infatigable, et Alexis Labranche, l'amoureux de notre Donalda nationale.

Le poupon et le goupillon

Le point de vue de l'Église quant au choix d'un prénom

Le droit canonique

« Il est à remarquer que d'ordinaire plusieurs noms sont donnés à l'enfant. Si parmi eux se trouve un nom de saint, les conditions exigées par l'Église sont remplies et le prêtre n'a pas à en ajouter d'autres. [...] Ne pas perdre de vue que certains noms peuvent se traduire de plusieurs façons.

« L'Église n'a jamais imposé une traduction uniforme et officielle des noms de baptême. [...] Il y a aussi les déformations, traductions régionales ou les diminutifs. L'Église ne les rejette pas : ils peuvent servir à enrichir la liste des noms des saints. »

Pourquoi pas le nom du saint de la paroisse ?

« Votre dévotion pour le Titulaire de la Paroisse vous portera aussi à invoquer son nom, jour et nuit, par forme d'aspiration. Votre confiance dans le nom de ce Saint vous engagera à le donner à quelqu'un de la famille, en sorte qu'avec le temps il n'y aura pas une maison, dans la Paroisse, qui n'ait au moins une personne portant ce nom vénérable et chéri. Cela, croyez-le, N.T.C.F., sera beaucoup plus agréable à Dieu et bien plus avantageux à vos âmes, que de chercher à donner à vos enfans [*sic*] des noms de Saints inconnus ; et à plus forte raison, si c'était des noms de fable ou de roman ; ce qui est contraire aux saintes règles de l'Église. »

(*Mandement de Mgr. l'Évêque de Montréal concernant la fête titulaire de chaque église paroissiale de son diocèse*, le 24 mai 1857.)

Oui, vous pouvez choisir un prénom de l'Ancien Testament

« L'on recevra au Baptême les noms des Saints et Saintes de l'Ancien Testament pourvû [*sic*] qu'on les accompagne d'un nom d'un Saint ou d'une Sainte du Nouveau Testament, qui précédera celuy de l'Ancien Testament. »

(*Rituel du diocèse de Québec publié par l'ordre de Monseigneur de Saint-Vallier, évêque de Québec*, Paris, Simon Langlois, 1703.)

Avis pratiques aux parents et aux parrains

« Choisissez seulement deux ou trois noms.

« Appelez toujours votre enfant par son premier prénom. C'est le seul nom d'ailleurs dont l'Église fasse mention au jour des funérailles comme au jour du baptême.

« Ne mutilez pas, ne défigurez pas les prénoms de vos enfants et ne permettez pas que d'autres le fassent. Ainsi ne dites pas Babet pour Élisabeth, Titine pour Justine, Lilie pour Rosalie, Tata pour Bertha, Nanna pour Anna.

« Il n'est pas possible de donner les noms de Marie et de Joseph comme premier prénom à tous les enfants. Si vous y tenez beaucoup, nous vous engageons à les prendre comme deuxième ou troisième prénom.

« Monseigneur Stang, évêque de Fall River, disait à ses prêtres : "Je ne trouve pas de termes assez énergiques pour blâmer la conduite de ceux qui dans un mauvais dessin [*sic*] se font un plaisir de chercher pour leurs enfants des noms payens et ce qui est pire encore des noms de monstres d'iniquité qui par leur vie honteuse se sont acquis une infâme notoriété. Que le prêtre se conforme au rituel qui défend de recevoir des noms obscènes, fabuleux, ridicules, payens ou impies. Si un père de famille ne veut donner à son enfant qu'un simple nom profane, ou le nom de quelque fameux politique et refuse tout nom de saint, de bienheureux, de vénérable, de serviteur ou servante de Dieu, le prêtre est obligé d'ajouter à voix basse, *submissa voce*, un nom vraiment chrétien."

« Que les enfants relisent souvent la vie de leur patron afin qu'ils puissent imiter ses vertus et qu'ils n'entendent pas de sa part le reproche qu'Alexandre le Grand adressait à l'un de ses soldats nommé aussi Alexandre : "Change de nom ou change de conduite." »

(*Les noms de baptême à l'usage des familles chrétiennes* par le père Géna, rédemptoriste, Québec, Imprimerie de l'Action sociale, 1908.)

Un nom de saint ?

(T. D. Bouchard, homme politique fort connu de la première moitié du XXe siècle, avait des idées bien tranchées sur la question de la séparation de l'État et de l'Église. Il raconte ici comment s'est fait le choix d'un prénom à donner à son fils.)

« Le quinze mars 1908, je demandai à mon ami Joseph Bissonnette et à son épouse de bien vouloir porter sur les fonts baptismaux mon fils qui venait de naître. Mon principal lieutenant politique et moi-même étions tous deux de grands admirateurs de feu Jean-Baptiste Blanchet, notre ancien député. D'accord avec mon épouse, je décidai de donner à notre nouveau-né le prénom de *Blanchet*. Quand je communiquai notre décision au futur parrain, celui-ci me fit observer que le curé s'objecterait peut-être à ce choix, car Blanchet, quoique ayant été un honorable citoyen, n'avait jamais été bien vu par notre clergé.

« Le lendemain de la naissance de mon fils, nous nous rendîmes à la cathédrale pour la cérémonie. Nous y fûmes accueillis par le révérend M. Senécal qui se montra d'abord très affable. Cependant, son front s'assombrit lorsque, après nous avoir demandé quels prénoms porterait l'enfant, le parrain répondit : "Joseph, Adelstan, Blanchet." Le curé me regarda d'un air désapprobateur :

— Oui, dis-je. Joseph, Adelstan, Blanchet.

— Blanchet, reprit M. Senécal, mais ce n'est pas un saint !

— Qu'en savez-vous, rétorqua le parrain. Il n'y avait personne de meilleur au monde. S'il y a un Ciel, il doit y être.

Après s'être rendu compte qu'il était inutile de discuter, le ministre du culte jugea prudent d'en rester là et procéda au baptême. […] »

(*Mémoires de T. D. Bouchard*, préface du révérend père Albert Milot, O. P., t. II, « Gravissant la colline », Montréal, Beauchemin, 1960, p. 174.)

ALFRED

Prénom marquant du XIXe siècle.
Prénoms féminins : ALFRÉDA, ALFRÉDINE.

L'origine de ce prénom se trouve en deux endroits du nord-ouest de l'Europe. En Westphalie d'abord, où vivait au IXe siècle un moine bénédictin, Altfrid (mort en 874), proche du roi de Germanie, et dont l'Église fit un saint. En Angleterre ensuite où, à la même époque, vécut un roi dénommé en vieil anglais Aelfraed (849-899), aussi connu sous le nom d'Alfred le Grand. Guerrier, législateur et ami des lettres, il encouragea l'instruction et traduisit de grands textes religieux. Célèbre pour avoir organisé la défense du royaume du Wessex contre les Vikings, c'est aussi un saint de l'Église catholique.

Le prénom ne disparut pas complètement après l'arrivée des Normands en 1066, mais il ne retrouva la faveur des Anglais qu'à partir du XVIIe siècle. Il fut porté par l'écrivain Alfred Tennyson (1809-1892), par le peintre impressionniste Alfred Sisley (1839-1899) et par le réalisateur de cinéma Alfred Hitchcock (1899-1980). Il était d'usage fréquent chez les anglo-protestants de Montréal, notamment à partir de 1840, se classant toujours autour du 15e rang.

Ce prénom fut répandu dans d'autres pays européens et illustré par l'industriel allemand Alfred Krupp (1812-1887), par le Suédois Alfred Nobel (1833-1896) et par les Autrichiens Alfred Adler (1870-1937), médecin, et Alfred Brendel (né en 1931), pianiste. En France, au XIXe siècle, où il se situait globalement au 30e rang, le prénom fut illustré par le capitaine Alfred Dreyfus (1859-1935) et le Prix Nobel de physique Alfred Kastler (1902-1984), par les écrivains Alfred de Vigny (1797-1863), Alfred de Musset (1810-1857) et Alfred Jarry (1873-1907), ainsi que par le pianiste Alfred Cortot (1877-1962) et par l'économiste et sociologue Alfred Sauvy (1898-1990). En déclin au XXe siècle, il disparaîtra vers 1940.

Alfred était absolument inconnu en Nouvelle-France (pas la moindre mention), mais, au Québec, il apparut dès le début du XIXe siècle et s'imposa avec force : de 1830 à 1880, il fut toujours parmi les dix prénoms les plus populaires ; il occupa même les 3e et 4e rangs en 1860 et 1870, représentant alors successivement plus de 3 % et plus de 2,5 % des prénoms masculins. Ainsi, ce prénom d'un vieux roi anglo-saxon, très prisé chez les anglo-protestants de Montréal, l'était davantage chez les Canadiens français, à la fois par le rang atteint et par la fréquence d'usage.

Par ailleurs, sa présence est faible dans notre toponymie. On ne dénote qu'un seul village Saint-Alfred, situé au sud-ouest de Beauceville, dont la dénomination évoque saint Alfred le Grand. Il est vrai qu'on retrouve le prénom dans d'autres toponymes, dont le plus connu reste l'ancienne municipalité de Port-Alfred, disparue depuis son incorporation à la nouvelle ville de La Baie en 1976.

En revanche, le prénom fut abondamment illustré dans l'histoire. En politique et dans les affaires, pensons à Joseph-Alfred Mousseau (1838-1886), premier ministre de 1882 à 1884, à Alfred Thibaudeau (1860-1926) et à Alfred Dubuc (1871-1947), qui fut maire de Chicoutimi, député fédéral et dirigeant de la Compagnie de pulpe de Chicoutimi (et dont le patronyme désigne une circonscription électorale du Saguenay–Lac-Saint-Jean). Dans le syndicalisme, il y eut Alfred Charpentier (1888-1982), qui fut de 1935 à 1946 président de la Confédération des travailleurs catholiques du Canada (CTCC), l'ancêtre de la CSN. Enfin, dans les arts et les lettres, il y eut le sculpteur Alfred Laliberté (1878-1953), le poète Alfred DesRochers (1901-1978) et le peintre Alfred Pellan (1906-1988). Le plus célèbre est peut-être Alfred Bessette (1845-1937), mieux connu sous son nom de religion, le frère André (voir **André,** p. 39).

ALPHONSE

Prénom marquant du milieu du XIXe siècle.
Prénoms du voisinage : ALONZO, LIGUORI, RODRIGUEZ.
Prénoms féminins : ALPHONSINA, ALPHONSINE.

Adalfuns, prénom germanique, est la souche du prénom Alphonse. Toutefois, ce n'est pas dans les pays du Nord, mais dans ceux du Sud qu'il s'est répandu, notamment dans la péninsule ibérique où l'avaient transplanté les Wisigoths. Du VIIIe au XVe siècle, plusieurs Alphonse – plus exactement des Alfonso et des Alonso – ont régné sur les divers petits royaumes de l'Espagne actuelle. Au XVIIe siècle, c'est sous le règne du roi Alphonse VI (Afonso en portugais) que les Portugais arrachèrent leur indépendance aux Espagnols. D'ailleurs, l'Espagne eut comme souverain Alphonse XII, de 1874 à 1885, puis Alphonse XIII, qui devint roi dès sa naissance en 1881 mais qui commença son règne personnel en 1902 et qui fut poussé à l'exil par les républicains en 1931. Ce prénom s'est aussi répandu en Italie, à la faveur des conquêtes qui, au XVe siècle, ont placé Naples et la Sicile sous la domination des Espagnols.

Au fil des siècles, le prénom s'est naturellement répandu parmi les populations des deux péninsules. Il fut porté par deux hommes qui devinrent des saints de l'Église catholique : l'Espagnol Alphonse Rodriguez (1533-1617), frère jésuite et humble portier de collège (comme notre frère André !), et l'évêque italien Alphonse de Liguori (1696-1787), le fondateur de l'ordre des Rédemptoristes, tous deux si connus au Québec que leurs patronymes, Rodriguez (en 1890 à CDN) et Liguori (en 1840 à CDN), deviendront des prénoms.

En France, on trouve certes Alphonse Jourdain et Alphonse de Poitiers, tous deux comtes de Toulouse, respectivement au XIIe et au XIIIe siècle, mais ce n'est qu'à compter de 1750, nous dit le *Larousse*, que ce prénom s'est répandu. Au XIXe siècle, où il se classa globalement au 25e rang, il fut illustré dans la littérature par Alphonse de Lamartine (1790-1869), par Alphonse Daudet (1840-1897) et par Alphonse Allais (1854-1905) ; et, dans un tout autre domaine, par le général Alphonse Juin, né en Algérie en 1888 et mort à Paris en 1967, qui devint maréchal de France en 1952.

Au Québec, à CDN, il apparaît discrètement au cours des années 1830, occupant le 23e rang. Mais, en 1840, il surgit d'un coup au 6e rang, et représente alors pas moins de 4 % des prénoms masculins, cinq fois plus qu'en 1830 ! Pendant les 20 années suivantes, il s'imposera parmi les dix prénoms les plus populaires (au 10e et au 8e rang), puis se maintiendra autour du 15e rang jusqu'à la fin du siècle.

Des hommes politiques l'ont illustré, aux deux extrémités de l'échelle sociale : un maire de Montréal, Alphonse Desjardins (1841-1912), qui fut aussi député, ministre et sénateur, ainsi qu'Alphonse-Télesphore Lépine (1855-1943), typographe et premier député ouvrier à Ottawa. Des hommes d'affaires aussi, comme le financier et conseiller législatif Alphonse Raymond (1884-1958), fondateur d'une fabrique de conserves, et Alphonse Desjardins (1854-1920), à ne pas confondre avec son homonyme, l'ancien maire de Montréal, qui créa en 1900 les premières caisses populaires à l'origine du Mouvement Desjardins. Plus près de nous, dans les années 1960, Mgr Alphonse-Marie Parent (1906-1970) présida la célèbre commission d'enquête sur l'enseignement et laissa son nom au « rapport Parent ».

Alphonse : l'un des dix prénoms-vedettes du milieu du siècle, qui se répandit pendant 60 ans. Pendant ce temps, le prénom Alphonsine connaissait aussi un beau parcours. Or, la position d'Alphonse ne devait rien à nos origines françaises : pour toute la Nouvelle-France, seulement 16 mentions ont été relevées par le PRDH. Rien non plus à l'exemple britannique, puisque le prénom, nous dit l'*Oxford*, n'était guère usité en Angleterre. Quant aux Anglais de Montréal, ils l'ignoreront tout au long du XIXe siècle : sur 7700 prénoms, je n'ai relevé qu'un seul Alphonse (et quatre Alonzo) ! Alors, d'où vient-il ? Sans doute des saints Alphonse Rodriguez et Alphonse de Liguori, que l'Église mit en évidence à plusieurs reprises au cours du

XIXe siècle. Elle béatifia Rodriguez en 1825, canonisa Liguori en 1839, en même temps que, au Québec, on baptisait de ce nom deux paroisses de Lanaudière : Saint-Alphonse-Rodriguez (1843) et Saint-Alphonse-de-Liguori (1855) (la première s'était d'abord appelée Bienheureux-Alphonse-Rodriguez). Quelques années plus tard, l'Église attribua à saint Alphonse de Liguori le titre de docteur de l'Église (1871) et elle canonisa saint Alphonse Rodriguez (1888). Au Québec, on ajouta deux paroisses Saint-Alphonse, l'une près de Granby en 1869, l'autre en Gaspésie en 1891, puis Saint-Alphonse-d'Youville à Montréal en 1910. Ces décrets de Rome et ces décisions de l'Église d'ici auront contribué à assurer l'essor du prénom Alphonse, d'autant plus qu'y auront sans doute veillé, du côté de Rodriguez, les jésuites revenus au Québec en 1842, et du côté de Liguori les rédemptoristes qui doivent la fondation de leur ordre à saint Alphonse de Liguori.

André

Très important prénom de la première moitié du XXe siècle.
Médaillé d'or des années 1930-1940.
Prénoms du voisinage : Alexandre, Léandre.
Prénoms féminins : Andréanne, Andrée, Marie-Andrée.

Dédé, son surnom affectueux, masque peut-être le sens originel du prénom André, tiré du grec *aner/andros*, signifiant « homme », au sens viril du terme, et qu'on retrouve dans les prénoms « Alex/andre » et « Lé/andre ». Le premier à illustrer André fut l'un des apôtres, le propre frère de saint Pierre, comme lui pêcheur de son métier. On dit qu'il fut envoyé en mission vers le Nord, où il aurait évangélisé une partie de l'actuelle Russie.

Les Russes en ont fait le saint patron de leur pays, et Pierre le Grand a donné son nom à l'ordre de chevalerie qu'il a fondé en 1698, l'Ordre de Saint-André, aboli en 1917. Ce prénom a toujours été répandu en Russie et fut illustré par les diplomates et hommes politiques Andreï Vychinski (1883-1954) et Andreï Gromyko (1909-1989), par le physicien Andreï Sakharov (1921-1989), célèbre dissident politique, et plus récemment par le hockeyeur Andreï Markov. L'écrivain Andreï Makine, né en Russie en 1957, vit maintenant en France et écrit en français. Dans la Pologne voisine, le prénom est illustré par le réalisateur de cinéma Andrzej Wajda, né en 1926, et en Biélorussie, il l'est par Andreï Kostitsyn, joueur de hockey né en 1985.

En Grèce, où saint André fut crucifié sur une croix en forme de X (qu'on appelle pour cette raison « croix de saint André »), il fut porté par Andreas Papandréou (1919-1996), premier ministre socialiste de 1981 à 1989, puis de 1993 à 1996. En Italie, il fut illustré par le ténor Andrea Bocelli (né en 1958) et par plusieurs saints, dont sant'Andrea Avellino (1521-1608), qui donna son nom à un village de l'Outaouais, Saint-André-Avellin.

Les Anglais ont dédié à saint André pas moins de 637 églises. Les Écossais en ont fait leur saint patron et ont mis sur leur drapeau une croix de saint André blanche sur fond bleu. (En Nouvelle-Écosse, la croix est bleue et le fond, blanc.) Ils ont aussi baptisé Saint Andrews une ville de la mer du Nord, centre universitaire et ancienne capitale ecclésiastique, aujourd'hui connue des golfeurs du monde entier pour son *Royal and Ancient Golf Club*, le premier de l'histoire, fondé en 1754. Ce sont les Écossais qui, de tous les Britanniques, ont été les plus attachés à ce prénom – *particularly common in Scotland*, selon l'*Oxford*. Aussi était-il assez fréquent au XIXe siècle chez les anglo-protestants du Québec, se classant au 18e rang et représentant 1,4 % de cette population. Il fut également usité, mais moins, par les irlando-catholiques.

Connu depuis le Moyen Âge en France, où il fut illustré au XVIIIe siècle par le poète André Chénier (1762-1794) et par le physicien André-Marie Ampère (1775-1836), c'est surtout au XIXe siècle, où il se classa au 20e rang, et plus précisément à compter de 1850 qu'il commença à se répandre. Il se maintint parmi les plus populaires dans les premières décennies du XXe siècle. Il fut illustré en politique par un dirigeant du Parti communiste, André Marty (1886-1956). Dans le domaine industriel, pensons à André Michelin (1853-1931) et à André Citroën (1878-1935). Dans les arts et les lettres, le peintre André Masson (1896-1987) et les écrivains André Gide (1868-1951), André Breton (1896-1966) et André Malraux (1901-1976) l'ont rendu célèbre. Les amateurs d'opérettes et de chansons françaises se rappellent le ténor basque André Dassary (1912-1987), et les cinéphiles connaissent le réalisateur André Téchiné (né en 1943) et l'acteur André Dussolier (né en 1946).

En Nouvelle-France, le prénom André s'est classé au 15e rang, avec quelque 2200 mentions au PRDH (mais le féminin Andrée était à peine connu). Parmi les sujets du roi de France nés en Nouvelle-France, on remarque André Grasset (1758-1792), dont la famille repartit en France après la prise du pouvoir par les Anglais. Là-bas, Grasset devint prêtre et fut tué pendant la Révolution. On le béatifia en 1926 et son nom fut donné au collège André-Grasset, fondé en 1927 à Montréal.

Au Québec, malgré un assez bon résultat en 1830 (avec une représentation de 0,8 %), ce prénom demeura modeste au XIXe siècle. Mais, au début du XXe siècle, il gagna en popularité (2 % en 1910), c'est-à-dire dans les années mêmes où le célèbre frère André inaugura la première chapelle sur le site de l'actuel oratoire (16 octobre 1904). Bientôt le prénom André allait occuper le devant de la scène. Pas moins de dix fois, entre 1932 et 1944, il se classa au 1er rang des prénoms, puis il se maintint parmi les plus populaires jusqu'aux années 1960. Si bien que, en 2000, dans l'ensemble de la population, il occupait le 3e échelon des prénoms masculins, après Michel et Pierre.

André a de solides assises dans notre toponymie. Outre Saint-André-Avellin, déjà cité, sept villages portent son nom, dont Saint-André dans le Kamouraska, fondé en 1791, qui est le plus ancien. Trois de ces villages doivent leur identité à la présence sur leur territoire d'une population d'origine écossaise, dont Saint-André-d'Acton en Montérégie et Saint-André-d'Argenteuil dans les Laurentides. Autant de coups de chapeau du Québec au saint patron de l'Écosse.

Ce prénom a reçu de nombreuses et brillantes illustrations. Dans la vie religieuse, le frère André (1845-1937) fut à la fois le plus humble et le plus notoire. D'ailleurs, sa célébrité est actuellement en recrudescence[12]. Dans la sphère politique, nous connaissons André Laurendeau (1912-1968), journaliste et écrivain, coprésident de la commission Laurendeau-Dunton (1963-1971) sur le bilinguisme et le biculturalisme au Canada, et André d'Allemagne (1929-2001), un des fondateurs, en 1960, du Rassemblement pour l'indépendance nationale (RIN). Mentionnons également André Ouellet (né en 1939) à Ottawa et André Boisclair (né en 1966) à Québec. Et, dans les estrades, les commentateurs André Arthur (né en 1943) à Québec et André Pratte (né en 1957) à Montréal.

Pendant que ces derniers débattaient, les créateurs continuaient de créer, par exemple André Mathieu (1929-1968) avec son *Concerto de Québec*, André Langevin (1927-2009) avec son roman *L'Élan d'Amérique*, André Montmorency (né en 1939) et André Brassard (né en 1946) au théâtre, André Melançon (né en 1944) et Marc-André Forcier (né en 1947) au cinéma. André Viger (1952-2006) remporta trois médailles aux Jeux paralympiques de Barcelone. Le fondateur de Vidéotron, André Chagnon (né en 1928), créa en 1988 une fondation caritative vouée à l'amélioration de la santé des enfants par la prévention de la pauvreté. Et André Fortin (1962-2000), le « Dédé » des Colocs, revivait en 2009 grâce au comédien Sébastien Ricard et au film de Jean-Philippe Duval, *Dédé à travers les brumes* (2009).

12. Au moment où j'écris ces lignes, au printemps 2010, le pape Benoît XVI annonce que le frère André sera canonisé le 17 octobre 2010.

ANTOINE

Un prénom de la première moitié du XIXe siècle.
Revenu en force dans les années 1980.
Prénoms du voisinage : ANTHONY, ANTONIN, ANTONIO, FÉLIX-ANTOINE, MARC-ANTOINE, TITOUAN.
Prénoms féminins : ANTOINETTE, ANTONINE, MARIE-ANTOINETTE.

Le *Larousse* dit de ce prénom qu'il a « un statut particulier ». Son origine remonte à la Rome impériale, au nom latin Antonius et à la personne de Marc Antoine, général qui vécut de l'an 83 à l'an 30 avant notre ère. Issu d'une famille importante et proche de Jules César, il s'illustra comme chef de guerre dans diverses batailles, lors de la conquête de la Gaule notamment. En politique, il forma avec Octave et Lépide le second triumvirat (43 av. J.-C.), à la suite de quoi les trois hommes se partagèrent l'empire. Maître des provinces de l'Est, Antoine y fit la rencontre de Cléopâtre, la reine d'Égypte. Ils s'aimèrent, gouvernèrent ensemble, partagèrent une même vision d'un empire gréco-romain, ce qui provoqua la colère d'Octave et la rupture du triumvirat. Vaincus par ce dernier, Antoine puis Cléopâtre se donneront la mort.

Le prénom se répandit parmi les premiers chrétiens. Il fut porté par Antoine le Grand (saint Antoine). Né en Égypte vers 251 et mort vers 356 (à plus de 100 ans), celui-ci vécut dans le désert et est à l'origine de l'érémitisme chrétien (ou la vie en ermite). Au cours des âges, sa vie inspira de nombreux créateurs, dont Flaubert qui lui consacra sa *Tentation de saint Antoine* (1874).

Plusieurs siècles plus tard, un autre saint Antoine fera sa marque dans l'Église. Né à Lisbonne en 1195 et baptisé Fernando, il prendra le nom d'Antoine – plus exactement Antonio d'Olivares – en entrant dans l'ordre des Franciscains. Il mena une vie de prédicateur, allant de ville en ville, et lors d'un séjour à Padoue il trouva la mort en 1231. Depuis lors, nous le connaissons sous le nom de saint Antoine de Padoue. Ami des pauvres, c'est lui que nos grands-mères invoquaient pour retrouver les objets perdus. Sa patrie de naissance, le Portugal, en a fait son saint patron. En 1946, sept siècles après sa mort, Rome lui renouvela sa dévotion en le proclamant docteur de l'Église.

Le prénom se diffusa partout dans la chrétienté et prit différentes formes. En Autriche et en Allemagne, il devient Anton, comme les compositeurs Bruckner (1824-1896) et Webern (1883-1945) ; chez les Catalans, Antoni, comme l'architecte Gaudi (1852-1926) et les peintres Clavé (1913-2005) et Tàpies (né en 1923) ; en Italie, Antonio, comme le luthier Stradivarius (1644-1737) et les compositeurs

Vivaldi (1678-1741) et Salieri (1750-1825). Au Portugal, le dictateur Salazar (1899-1970) se prénommait Antonio de Oliveira, du nom du saint patron du pays. Le compositeur tchèque Dvorak (1841-1904) se prénommait Antonin.

En Angleterre, ce prénom devint assez courant au XIIe siècle et il se maintint dans l'usage – *steadily in use*, dit l'*Oxford* –, avant de décliner au XVIIIe siècle et au début du XIXe. Il ne fut pas très courant parmi les anglo-protestants du Québec au XIXe siècle (6 sur 7700), guère plus parmi les irlando-catholiques (13 sur 5000). En anglais, ce prénom s'est écrit de deux façons : « Antony », comme chez Shakespeare, et « Anthony », plus courant depuis le XVIIe siècle. Il a aussi donné le diminutif Tony, illustré par Tony Blair, chef du Parti travailliste et premier ministre du Royaume-Uni de 1997 à 2007 (voir **Antonio et Anthony,** p. 44).

En France, ce prénom fut « très régulièrement attribué » à partir du XVe siècle, dit le *Larousse*. Porté par Antoine de Bourbon (1518-1562), roi de Navarre et père du futur Henri IV, il fut illustré dans les arts par le compositeur Marc-Antoine Charpentier (1635-1704), par le peintre Antoine Watteau (1685-1721) et par l'écrivain Antoine de Rivarol (1753-1801) ; dans les sciences par le pharmacien Antoine-Augustin Parmentier (1737-1813) et par le chimiste Antoine Lavoisier (1743-1794). Le célèbre révolutionnaire Saint-Just (1767-1794) se prénommait Louis Antoine Léon. Au XIXe siècle, jusqu'en 1850, il se classa parmi les dix premiers dans chaque décennie. Plus récemment, il fut illustré en politique par Antoine Pinay (1891-1994) et en littérature par Antoine de Saint-Exupéry (1900-1944). Un diminutif d'Antoine, qui vient du latin Antoninus, fut porté par l'écrivain Antonin Artaud (1896-1948). La forme Titouan, dérivée de Titoine, est apparue depuis les années 1990 – par exemple Titouan Lamazou (né en 1955), artiste et champion navigateur.

Antoine fut l'un des grands prénoms de la Nouvelle-France, sixième pour l'ensemble de la période avec quelque 7800 entrées. Mentionnons les jésuites Antoine Dalmas (1636-1693) et Antoine Daniel (1601-1648) – ce dernier fut l'un des huit « martyrs canadiens ». Dès cette époque, trois villages portaient ce nom : Saint-Antoine-de-Tilly (1702), Saint-Antoine-de-Lavaltrie (1716) et Saint-Antoine-sur-Richelieu (fondé en 1741 sous le nom de Saint-Antoine-de-Padoue). Au Québec, le prénom se démarqua au cours de la première moitié du XIXe siècle, mais fut plus discret par la suite. On baptisa Saint-Antoine le village de l'île aux Grues (1827), et Saint-Antonin un village près de Rivière-du-Loup (1856). Son cousin Antonio le dépassera et se classera en 1890 parmi les 25 plus populaires (voir **Antonio et Anthony,** p. 44).

Au XXe siècle, après une longue période de déclin et de grande discrétion, le prénom Antoine retrouva ses moyens dans le dernier quart du siècle, s'approchant des 2 % de représentation. Depuis l'an 2000, c'est le huitième prénom, devant

Anthony, son cousin qui lui avait fait un moment ombrage (voir **Pouponnières, garderies et maternelles,** p. 176). Ce renouveau lui a valu quelques nouvelles illustrations, mais d'autres sont à prévoir. Claude Jutra les a, en quelque sorte, tous précédés avec son film *Mon oncle Antoine* (1971).

Ce prénom classique fut porté par Jean-Antoine Panet (1751-1815), premier président de l'Assemblée législative du Bas-Canada, et par Antoine-Aimé Dorion (1818-1891), député, chef du Parti rouge, juge en chef du Québec. Dans les arts et les lettres, il fut illustré par le peintre Antoine Plamondon (1804-1895) et par l'écrivain Antoine Gérin-Lajoie (1824-1882), auteur de la chanson *Un Canadien errant*. Les Québécois connaissent aussi Antoine Labelle (1833-1891), le curé de Saint-Jérôme, le « roi du Nord », dont le nom fut donné en 1940 à un village près de Saint-Jérôme, Saint-Antoine-des-Laurentides. Pour le prénom Antoine, quel chemin parcouru depuis la lointaine Égypte de Marc Antoine jusqu'aux Laurentides du curé Labelle !

Antonio et Anthony

Antonio s'est fait connaître à la fin du XIXe siècle et Anthony, à la fin du XXe.
Prénoms du voisinage : Antoine, Tony.
Prénom féminin : Antonia.

Il y a des noms comme ça ! Leur diffusion est si étendue de par le vaste monde qu'un même prénom peut avoir plusieurs équivalents étrangers et voir soudain l'un d'eux débarquer chez lui, puis s'installer à ses côtés. Bien que l'un ne soit que la simple traduction de l'autre, dans l'esprit – et dans l'oreille – des gens les deux sont parfaitement distincts. Ils constituent alors un « duo linguistique ».

La chose est bien connue au Québec. Au XIXe siècle, on vit arriver le prénom William, qui prit place à côté de Guillaume, lui fit concurrence et finit par le dépasser. Plus tard, vers la fin du XIXe siècle, on vit Lorenzo en compagnie de Laurent, Rosario en compagnie de Rosaire, et, bien sûr, Antoine et Antonio (nous y reviendrons). Vers le milieu du XXe siècle, on vit surgir Patrick à côté de Patrice, et d'autres encore, Carl et Charles notamment, et, plus près de nous, François et Francis, David et Dave, Michel et Michael. En ce moment même se forment peut-être les grands duos de demain, André et Andrew, Mathieu et Matthew.

Dans tout ce tableau, Antoine occupe une place de choix, car il est le seul à avoir formé deux duos, à deux époques différentes, avec deux partenaires différents : à la fin du XIXe siècle avec l'italien Antonio, et plus récemment avec l'Anglo-

Saxon Anthony (et son diminutif Tony). Le premier s'est formé à partir de 1880 et dura une trentaine d'années, avant qu'Antonio disparaisse. Le second, à partir de 1980, et il dure encore.

Antonio et Anthony ont chacun leurs illustrations. Antonio a été illustré par un juge en chef de la Cour suprême, Antonio Lamer (1933-2007), par un député à Québec, Antonio Flamand (né en 1933), et par trois ministres qui ont siégé dans les mêmes gouvernements, Antonio Élie (1893-1968), Antonio Talbot (1900-1980) et Antonio Barrette (1899-1968), qui fut pendant quelques mois, en 1960, premier ministre du Québec. Par ailleurs, Anthony a été illustré par l'environnementaliste Tony Le Sauteur, par le chanteur Tony Roman (1942-2007) et par l'humoriste Anthony Kavanagh (né en 1969). Remarquons enfin qu'Antonio, qui a eu de l'importance au Québec, n'en a eu aucune en France – sinon dans la littérature, par les San-Antonio de Frédéric Dard –, alors qu'Anthony est très populaire des deux côtés de l'Atlantique depuis le début du XXIe siècle (voir **Pouponnières, garderies et maternelles,** p. 176).

Armand

Prénom du dernier tiers du XIXe siècle et du début du XXe.
Prénoms du voisinage : Armini, Herman, Hermann, Herment.
Prénoms féminins : Armanda, Armande, Armandine, Armantienne.

Pour retrouver l'origine de ce prénom, il faut remonter au nom germanique Hartman (« homme dur ») et à un prénom voisin, Hariman (« homme armé »). Le premier a donné notre Armand, le second, ses cousins Hermann (en allemand) et Herman (en anglais). L'espagnol Armando et l'italien Ermanno ont la même origine. Saint Armand, fêté le 23 décembre, était moine en Bavière et évêque dans le nord de l'Italie au XIIe siècle.

En Angleterre, où le prénom Armand fut apporté par les Normands, on rencontre les formes Armin (Armine au féminin) et Herman, mais elles sont rares. L'auteur de *Moby Dick*, Herman Melville (1819-1891), était Américain. Parmi les anglo-protestants du Québec au XIXe siècle, je n'ai relevé ni Armand ni Armin, et seulement quatre Herman.

En France, ce prénom a toujours été « d'une fréquence modeste », selon le *Larousse*. Il fut illustré au XVIIe siècle par Armand Jean du Plessis, le célèbre cardinal de Richelieu (1585-1642). (Une rivière au Québec porte son nom.) Au XIXe siècle, où il se situait autour du 60e rang, il fut illustré par le médecin parisien Armand Trousseau (1801-1867), par l'homme politique Armand Barbès (1809-1870) et par l'industriel de l'automobile Armand Peugeot (1849-1915). Armand Colin (1842-1900) fonda en 1870 une maison d'édition et Armand Fallières (1841-1931) fut président de la République au début du XXe siècle.

Très rare en Nouvelle-France (21 mentions), il était porté par le baron Louis-Armand de Lahontan (1666-1715), officier et écrivain, et par le baron Jean-Armand de Dieskau (1701-1767), militaire saxon au service du roi de France. Un évêque de Québec s'appelait Pierre-Herman Dosquet (1691-1777). Au Québec, à CDN, c'est dans le dernier tiers du XIXe siècle que le prénom Armand se fait remarquer; en 1870, il est parmi les 30 plus populaires, en 1880 parmi les 20, et en 1890 parmi les 10 premiers. Il atteignit le troisième échelon en 1900, avec plus de 3 % des prénoms. Il déclina ensuite et disparut vers le milieu du XXe siècle.

On le verra à peine dans notre toponymie : un seul village, Saint-Armand, en Estrie, fut fondé au milieu du XIXe siècle. Il fut illustré en politique par le député et dirigeant nationaliste Armand Lavergne (1880-1935) et par Armand Nadeau (1910-1982), maire de Sherbrooke de 1955 à 1970. Dans les arts, il fut illustré par le sculpteur Armand Vaillancourt (né en 1929) et dans les sciences, par Armand Frappier (1904-1991), médecin et microbiologiste qui a fondé l'institut de recherche qui porte aujourd'hui son nom. Enfin, dans le monde de l'industrie, on connaît le célèbre Joseph-Armand Bombardier (1908-1964), dont le nom brille aux quatre coins du monde.

ARTHUR

Prénom important de la seconde moitié du XIXe siècle.
Prénoms du voisinage : ARTURO, ARTUS, CHARLES-ARTHUR, JOSEPH-ARTHUR, PIERRE-ARTHUR.

Ce prénom a eu du succès au Québec, bien qu'aucun saint de ce nom n'ait jamais été reconnu par l'Église. Son origine se situe dans les pays du nord-ouest de l'Europe, autour de la Manche et de la mer d'Irlande. Là vécurent trois ducs de Bretagne prénommés Arthur Ier (1187-1203), Arthur II (1261-1312) et Arthur III (1393-1458). Bien avant eux, un Celte, le roi Arthur (qu'on appelait aussi Artus), régna au VIe siècle sur une partie de la Grande-Bretagne et combattit les envahisseurs saxons. Personnage historique, ce roi a inspiré la célèbre « légende arthurienne » (avec la quête du Graal, Merlin l'Enchanteur, les chevaliers de la Table ronde, etc.). Issue de la tradition orale, cette légende fut couchée par écrit au Moyen Âge, puis reprise et enrichie au fil des siècles par de nombreux auteurs de France et de Normandie qui la répandirent partout en Occident avec le fameux prénom d'Arthur, qui fut très populaire à cette époque.

Ayant presque disparu par la suite, il était à peu près inconnu en Nouvelle-France (trois mentions au PRDH). C'est seulement au XIXe siècle qu'il apparut dans nos parages, modestement au début, mais plus solidement à compter de 1850, quand il trouva place parmi les dix premiers et qu'il y demeura jusqu'à la fin du siècle, le plus souvent vers le sommet du palmarès, parfois jumelé à un autre prénom – Charles, Joseph ou Pierre. En déclin dès le début du XXe siècle, il disparut vers 1950.

Les Anglais aussi le redécouvrent au XIXe siècle – *it became very popular*, nous dit l'*Oxford* –, grâce notamment à l'immense popularité du duc de Wellington (né Arthur Wellesley en 1769), vainqueur à Waterloo. Répandu en Angleterre où il fut illustré par Sir Arthur Conan Doyle (1859-1930), créateur de Sherlock Holmes, il le sera partout où les Anglais se sont déployés. À Montréal, ce prénom sera, à partir de 1870, parmi les dix favoris. À la faveur de l'expansion coloniale britannique, on le verra apparaître sur les cartes du monde, depuis le lointain Port-Arthur en Mandchourie jusqu'au Port Arthur en Ontario (l'actuelle ville de Thunder Bay), en passant par l'Australie et le Texas. N'oublions pas la rue Prince-Arthur, connue des promeneurs du centre-ville de Montréal, nommée en l'honneur d'un des fils de la reine Victoria.

En même temps qu'il se déployait au Québec, le prénom Arthur se répandait en Europe, où l'illustrèrent sur la scène musicale l'Autrichien Arthur Schnabel (1882-1951), l'Italien Arturo Toscanini (1867-1957), le Polonais Arthur Rubinstein (1887-1982) et le Suisse Arthur Honegger (1892-1955). En France, au XIXe siècle, où il se situait modestement au 50e rang, il fut illustré par le poète Arthur Rimbaud (1854-1891).

Au Québec, il n'y a aucun village nommé Saint-Arthur, mais il y en a un au Nouveau-Brunswick. On connaît cependant au Saguenay le mont Arthur-LeBlanc, du nom d'un violoniste virtuose. Par ailleurs, on relève plusieurs illustrations de ce prénom au cours de notre histoire : l'écrivain Arthur Buies (1840-1901), le journaliste Arthur Dansereau (1844-1918), le politicien provincial Arthur Sauvé (1874-1944), le député et ministre fédéral Arthur Cardin (1876-1946), le fondateur de Marine Industries Limited (MIL) Joseph-Arthur Simard (1888-1963). Enfin, les Montréalais connaissent la station de radio CJAD, dont le nom est formé des initiales de l'homme d'affaires Joseph-Arthur Dupont, son fondateur.

Plus récemment, il était représenté par le cinéaste Arthur Lamothe, né dans le sud-ouest de la France en 1928 et arrivé au Québec en 1953. La version italienne de ce prénom fut illustrée chez nous par le boxeur d'origine italienne Arturo Gatti (1972-2009).

AUGUSTE

Prénom surtout du milieu du XIXe siècle.
Prénom du voisinage : AUGUSTIN.
Prénoms féminins : AUGUSTA, AUGUSTINE.

L'origine de ce nom se situe au sommet du pouvoir romain. L'empereur Octave (63-14 av. J.-C.), devenu le seul maître à Rome, se fit surnommer Augustus pour se donner une allure quasi divine. Les empereurs qui lui succéderont prendront aussi le nom d'Auguste, comme le feront plus tard Philippe Auguste en France ou Frédéric Auguste en Allemagne.

Du temps de Rome, le diminutif Augustinus donna Augustin, que deux saints ont illustré. Le premier et le plus universellement connu, évêque d'Hippone (aujourd'hui Annaba en Algérie) de 395 à 430 et auteur d'importants écrits spirituels (*Les Confessions, La Cité de Dieu*, etc.), est l'un des 33 docteurs de l'Église. L'autre saint Augustin (ou Augustin de Canterbury) s'illustra à la fin du VIe siècle en Angleterre, où le pape l'avait envoyé évangéliser le pays. Évêque, il fonda le siège épiscopal de Canterbury. Une paroisse anglophone de Montréal, fondée en 1916, porte son nom : Saint Augustine[13].

Compte tenu de sa haute lignée, le prénom Auguste devint universellement connu. Il fut porté par plusieurs souverains de Saxe et de Pologne aux XVIe, XVIIe et XVIIIe siècles. Il pénétra en Angleterre au XVIIIe siècle, à la faveur des alliances avec les familles royales allemandes, et il y était assez répandu au XIXe siècle, moins cependant que son vis-à-vis féminin Augusta. Toutefois, il demeura discret parmi les anglo-protestants du Québec (10 occurrences sur 7700 noms). S'il fit un peu mieux chez les irlando-catholiques (13 occurrences sur 5000), c'est grâce à la forme Augustin. En Amérique du Nord, le féminin Augusta a donné deux toponymes connus, le premier en Géorgie, en hommage à la mère de George III, le

13. En Angleterre, le prénom masculin Augustine a donné la variante Austin. Un village de l'Estrie porte ce nom.

second dans le Maine, en souvenir de la fille d'un général de la révolution américaine. Un même prénom, mais deux commémorations de sens opposé.

En France, où l'avait illustré le roi Philippe Auguste (1165-1223), ce n'est qu'au XIXe siècle qu'il se répandit. De 1820 à 1870, il figura parmi les dix premiers prénoms, toujours entre le 6e et le 10e rang. Il fut porté par le philosophe Auguste Comte (1798-1857), par le sculpteur Auguste Rodin (1840-1917) et par le peintre Pierre-Auguste Renoir (1841-1919). À la même époque, le prénom Augustin se faisait plus discret, autour du 30e échelon.

En Nouvelle-France, le prénom Augustin fut nettement plus usité, avec quelque 4700 mentions au PRDH, très loin devant Auguste avec sa petite quarantaine. Mais, au XIXe siècle, le rapport s'inversa au Québec et Auguste supplanta Augustin. Ses bonnes années se situèrent dans la première moitié du siècle, et il atteignit même le 15e rang en 1850 (1,2 % des prénoms). On se souvient d'Auguste-Réal Angers (1839-1919), qui fut lieutenant-gouverneur à la fin du siècle, et de Philippe-Auguste Choquette (1854-1948), député fédéral, juge à la Cour supérieure et sénateur. Par ailleurs, Augustin Cuvillier (1779-1849) fut député et orateur de l'Assemblée du Bas-Canada de 1841 à 1844, et Augustin-Norbert Morin (1803-1865) fut co-premier ministre du Canada-Uni avec Francis Hincks (1807-1885). Morin laissa son nom au village de Val-Morin dans les Laurentides. Plus près de nous, Augustin Frigon (1888-1952) fut le premier directeur de l'École polytechnique de Montréal et directeur général de Radio-Canada, et le Dr Augustin Roy fut président du Collège des médecins du Québec.

Auguste est absent de notre toponymie, mais Augustin est bien représenté avec quatre villages. Deux d'entre eux remontent à l'époque de la Nouvelle-France, l'un sur la Basse-Côte-Nord, l'autre près de Québec (Saint-Augustin-de-Desmaures) dont la paroisse fut fondée en 1679. À leur manière, ils nous rappellent l'importance du prénom Augustin chez nous aux XVIIe et XVIIIe siècles.

BENJAMIN

Prénom de la première moitié du XIXe siècle.
Retour remarqué dans le dernier quart du XXe siècle.
Prénom du voisinage : BÉNONI.

Pour retrouver l'origine de ce prénom, il faut remonter loin dans l'histoire de l'humanité, aux temps bibliques, 12 siècles avant notre ère. Le patriarche Jacob, fils d'Isaac et petit-fils d'Abraham, eut 12 garçons qui devinrent les chefs des 12 tribus d'Israël. Au dernier de ses fils – son préféré –, il donna le nom de Benjamin à la place de celui que sa mère lui avait donné avant de mourir en couches, Bénoni (de *ben/oni,* «fils de ma douleur»).

Ce prénom est porté dans les milieux juifs du monde entier, y compris à Montréal. Qui n'a pas entendu parler des prouesses sportives de Ben (Benjamin) Weider (1923-2008) et de son admiration pour l'empereur Napoléon? Et qui ne se rappelle pas le restaurant *Chez Ben* ou le marchand de journaux *Benjamin News*? Actuellement illustré par l'homme politique israélien Benjamin Nétanyahou (né en 1949), il fut aussi porté par des chrétiens, notamment par des protestants à partir du XVIe siècle. En Angleterre et dans les pays de langue anglaise, il fut illustré au XVIIe siècle par l'auteur dramatique Ben Jonson (1572-1637); au XVIIIe, par l'homme politique Benjamin Franklin (1706-1790); au XIXe, par le premier ministre anglais Benjamin Disraeli (1804-1881); et, plus près de nous, par le compositeur Benjamin Britten (1913-1976). Ce prénom était usité chez les anglo-protestants du Québec au XIXe siècle, mais beaucoup moins que d'autres prénoms bibliques comme David, Joseph ou Samuel. En France, il fut porté par l'homme politique et écrivain Benjamin Constant (1767-1830), issu d'une famille protestante de Suisse.

Le prénom Benjamin était connu en Nouvelle-France. Le PRDH relève 430 mentions en prénoms simples et presque autant en prénoms multiples, ce qui en faisait ici le premier des prénoms bibliques, devant Abraham, loin devant Moïse. Le prénom Bénoni était aussi usité à l'époque, mais sa fréquence d'usage ne dépassait pas le tiers de celle de Benjamin. Signalons que le prénom Bénoni était parfois attribué aux enfants de mères mortes en couches.

Au Québec, au XIXe siècle, Benjamin était présent, surtout dans la première moitié du siècle, mais il n'était plus au 1er rang des prénoms bibliques: Moïse et Élie l'avaient devancé. Il a été illustré en politique par Denis-Benjamin Viger (1774-1861) et par Denis-Benjamin Papineau (1789-1854); dans la magistrature, par Benjamin Globensky (1840-1888), juge de la Cour supérieure; dans les lettres, par l'historien et écrivain Benjamin Sulte (1841-1923). Son nom a été donné au village de Saint-Benjamin, en Beauce, à la fin du XIXe siècle.

Déjà moins courant à la fin du XIXe siècle (du moins à CDN), ce prénom a ensuite sombré dans l'oubli, jusqu'à ce qu'il resurgisse dans les années 1970 et s'assure d'une assez belle présence au cours des dernières décennies du XXe siècle et des premières années du XXIe (voir **Pouponnières, garderies et maternelles,** p. 176).

Benoît

Prénom assez courant dans la première moitié du XXe siècle, davantage dans la seconde moitié du même siècle.
Prénom du voisinage : Bénédicte.
Prénoms féminins : Benoîte, Bénédicte.

Ce prénom vient du latin *benedictus* qui signifie « béni » (plus exactement « béni de Dieu »). Fréquent chez les chrétiens en raison de sa signification mystique, il fut porté par de nombreux papes, 16 au total (le premier au VIe siècle). L'actuel Benoît XVI fut élu en avril 2005. Le précédent, Benoît XV, qui fut pape de 1914 à 1922 (on l'appelait « le pape de la Première Guerre mondiale »), fut proclamé saint patron de l'Europe en 1964. Son nom a été donné à un boulevard de la ville de Québec, si bien que Montréal et Québec ont chacune leur pape préféré, Pie IX à Montréal, Benoît XV à Québec.

Parmi les saints qui portèrent ce nom, deux se distinguent : le premier fut l'un des plus célèbres, l'autre, l'un des plus humbles. Benoît de Nurcie vécut en Italie au VIe siècle, où il fonda la célèbre abbaye du Mont-Cassin et l'ordre des Bénédictins, pour lequel il établit la « règle de saint Benoît ». Il était le frère jumeau de sainte Scholastique. Le second, Benoît Joseph Labre, naquit en France au XVIIIe siècle et vécut une vie de clochard, ce qui lui valut le titre de saint patron des mendiants. Deux saints, l'un sédentaire, l'autre itinérant, l'un fondateur d'une grande abbaye, l'autre sans domicile fixe, mais tous deux également présents dans la mémoire de l'Église.

Le prénom Benoît a essaimé d'abord dans les pays latins, en Italie et en Espagne, sous la forme de Benedetto ou de Benito, ce dernier illustré par le président mexicain Benito Juarez (1806-1872) et par le dictateur italien Benito Mussolini (1883-1945). Dans les pays du Nord, il s'est appelé Benedikt en Allemagne et Benedictus en Hollande. Le philosophe d'Amsterdam Baruch Spinoza (Baruch : « béni » en hébreu) est parfois connu sous le nom de Benedict.

Ce prénom fut importé en Angleterre par les Normands, où il prit les formes de Bennet (devenu aujourd'hui patronyme) et de Benedict. Ce fut un prénom courant pendant quelques siècles. On le rencontre parfois encore aujourd'hui, le plus souvent parmi les catholiques. Par contre, chez les anglophones du Québec au XIXe siècle, je n'en ai relevé aucun, ni chez les catholiques, ni chez les protestants, à l'exception d'un très solitaire Benney, sans doute un diminutif de Benedict.

Dans le monde anglo-saxon, le plus célèbre peut-être des Benedict n'était pas un Anglais mais un Américain, Benedict Arnold (1741-1801), général de l'armée révolutionnaire qui participa à l'attaque sur Québec en 1775. Mais le malheureux tourna sa veste et se rallia aux Anglais, les vaincus de cette guerre. C'est ainsi qu'il devint – et demeure aux yeux des Américains – l'archétype du traître. Son nom a été donné par nos historiens au chemin qu'il emprunta dans sa marche sans succès sur Québec. Une auberge de Saint-Georges-de-Beauce porte son nom.

En France, Benoît fut apprécié par les catholiques. Au XIXe siècle, il se situait au 42e échelon des prénoms les plus populaires. Après des décennies de silence, il réapparut au cours des années 1975-1985. Chez les filles, on rencontre aussi Benoîte et le rarissime Bénédicte.

En Nouvelle-France, ce prénom n'était pas inconnu, mais demeura discret, tandis que Benoîte et Bénédicte furent inexistants. Même discrétion au Québec au XIXe siècle. C'est au XXe siècle que Benoît se fera remarquer, d'abord à l'époque de l'élection de Benoît XV en 1914, puis beaucoup plus fortement à compter des années 1950. Il atteindra son sommet en 1964 (2 % de représentation). Dans l'ensemble de la population de l'an 2000, il se situait au 28e rang des prénoms masculins. Nous connaissons l'ex-ministre Benoît Pelletier (né en 1960), les comédiens Benoît Girard (né en 1932) et Benoît Brière (né en 1965), et l'écrivain et animateur de télé Benoît Dutrizac (né en 1961). Benoît Charest (né en 1964) composa la musique du film *Les triplettes de Belleville,* ce qui lui valut un César en 2004. Le dominicain Benoît Lacroix naquit en 1915.

Sur le plan toponymique, mentionnons Saint-Benoît-Labre, un village de la Beauce, et Saint-Benoît-Joseph-Labre, une ancienne paroisse près d'Amqui. Et aussi l'abbaye bénédictine Saint-Benoît-du-Lac, au bord du lac Memphrémagog, et le village de Saint-Benoît fondé en 1855 au nord de Montréal, voisin de Sainte-Scholastique fondé la même année (ces deux villages ont fusionné avec six autres pour former Mirabel en 1973), nous rappelant que ces deux grands saints du VIe siècle étaient frère et sœur.

BERNARD

Prénom qui se fait remarquer dans le deuxième tiers du XXe siècle.
Prénom du voisinage : BERNARDIN.
Prénoms féminins : BERNADETTE, BERNARDINE.

Bernard vient du nom germanique Bernhard (ou Berinhard), dont l'élément *ber* signifie « ours », comme dans Berlin, la « ville de l'ours », où l'on décerne des Ours d'or et d'argent au célèbre festival de cinéma, la Berlinale. Apparu en France dès le xe siècle, il fut accompagné au fil du temps par les prénoms Bernardin, Bernardine et Bernadette.

Le prénom Bernard fut illustré par un saint du xiie siècle, Bernard de Clairvaux (1091-1153), moine cistercien et fondateur de l'abbaye qui porte son nom, qui deviendra la maison mère d'un grand nombre de couvents et de monastères dans le monde, notamment le monastère des trappistes à Oka. Théologien, mais surtout homme d'action, conseiller des papes, allié et soutien du puissant ordre des Templiers, Bernard de Clairvaux devint « une des principales personnalités de l'Occident chrétien » (*Le Petit Robert des noms propres*). Il mourut en 1153, fut canonisé dès 1174, et plus tard proclamé docteur de l'Église.

Plus d'un siècle avant Bernard de Clairvaux vécut saint Bernard de Menthon, qui fonda plusieurs hospices dans les Alpes et consacra sa vie à subvenir aux besoins des voyageurs et des pèlerins. Tout naturellement, le Vatican en fit le patron des montagnards, des skieurs et des alpinistes. Son nom fut donné à des cols des Alpes et aux saint-bernards, ces chiens dressés pour secourir les voyageurs égarés dans les montagnes.

Ce tableau des saints serait incomplet sans le franciscain Bernardin de Sienne (1380-1444), « l'un des plus grands prédicateurs populaires de la fin du Moyen Âge » (*Le Petit Robert des noms propres*). Plus près de notre époque, au xixe siècle, vécut à Lourdes Bernadette Soubirous (1844-1879), qui aurait été témoin en 1858 d'apparitions de la Vierge Marie, ce qui lui vaudra d'être canonisée en 1933.

Les Normands introduisirent ce prénom en Angleterre, où il prit aussi les formes voisines de Barnet et Barnard. Courant dès le xiie siècle, sa popularité déclina après la Réforme, du moins parmi les protestants. Il fut illustré par l'écrivain George Bernard Shaw (1856-1950). Au Québec, au xixe siècle, le prénom Bernard était presque absent chez les protestants (0,1 %), mais fit un peu mieux chez les irlando-catholiques (0,8 %). Le diminutif Bernie est aujourd'hui porté par le promoteur sportif Bernard Ecclestone (né en 1930), bien connu des amateurs de Formule 1.

En France, où il se répandit tôt (avant le xe siècle, selon le *Larousse*), il fut « assez fréquent au Moyen Âge », mais s'estompa au long des siècles. Selon Dupâquier, il ne se classait plus au xixe siècle qu'au 50e rang, et le prénom Bernadette était alors encore à peine remarqué. Il reprendra toutefois de la vigueur au xxe siècle, se classant dans les 20 premiers pendant 35 ans, de 1927 à 1962, dont 23 fois parmi les dix premiers. Il a été illustré dans de nombreux domaines : en politique et en médecine par Bernard Kouchner (né en 1939), au théâtre et au cinéma par l'acteur Bernard Blier (1916-1989), en peinture par Bernard Buffet (1928-1999), en philosophie par Bernard-Henri Lévy (né en 1948), dans la chanson par Bernard Lavilliers (né en 1946), et dans les lettres par le célèbre Bernard Pivot (né en 1935) et ses non moins célèbres dictées.

En Nouvelle-France, le prénom Bernard était connu, mais discret (245 mentions au PRDH), et le prénom Bernadette, totalement inconnu. Au Québec, au XIXe siècle, la situation de ce prénom n'avait pas changé, mais Bernadette sortira du néant fort brillamment : dès les années 1870, à CDN, elle s'approcha de la barre du 1 %, qu'elle dépassa en 1880 et en 1890 (1,3 %). Pour célébrer ce prénom, les familles québécoises n'auront donc pas attendu la canonisation de Bernadette Soubirous en 1933 – ni même sa béatification en 1925.

Au XXe siècle, Bernard reprit du poil de la bête et atteignit 1 % pendant une trentaine d'années (1930-1960). Dans l'ensemble de la population de l'an 2000, Bernard était au 55e rang des prénoms masculins, mais Bernadette, qui perdit de sa vigueur dès les années 1910, était absente du tableau féminin.

Quatre villages témoignent de la présence de Bernard : un premier, datant du début du XIXe siècle, en Beauce, longtemps appelé Saint-Bernard-de-Dorchester ; un deuxième, du milieu du XIXe siècle, Saint-Bernard-de-Lacolle ; et deux autres du XXe siècle, l'un à l'île aux Coudres, l'autre près de Saint-Hyacinthe. Le prénom a été illustré dans les sports par Bernard « Boom Boom » Geoffrion (1931-2006), ancienne vedette des Canadiens de Montréal. En politique, il l'a été par Bernard Landry (né en 1937), premier ministre du Québec de 2001 à 2003. Et, pendant que celui-ci atteignait les sommets de la vie politique et que l'explorateur Bernard Voyer (né en 1953) partait à la conquête de l'Everest – faisant ainsi la joie de saint Bernard, le patron des alpinistes –, le journaliste Bernard Derome (né en 1944) pénétrait chaque soir dans nos foyers, pendant près de 30 ans, pour nous apporter les nouvelles de Radio-Canada.

BRUNO

Prénom qui eut une certaine importance dans les années 1950-1980.
Prénom du voisinage : BRUNY.

À cause de sa terminaison en « o », tout le monde croit qu'il s'agit d'un nom italien, y compris bon nombre des hommes qui le portent. De plus, il est très répandu en Italie. Dans les années 1980, Bruno était là-bas le 14e prénom. Ajoutons que les premiers pas qu'il fit chez nous, à la fin du XIXe siècle, coïncidèrent avec l'arrivée d'autres prénoms indiscutablement italiens – Roméo, Antonio, Rosario –, ce qui contribua à la confusion.

À la vérité, les deux saints qui ont établi ce nom dans la tradition chrétienne étaient tous deux d'origine germanique. Le premier, fils d'un empereur allemand et archevêque d'une ville allemande, vécut au Xe siècle. Le second, saint Bruno (1035-1101), natif de Cologne, fonda l'ordre des Chartreux. Par ailleurs, le duc Bruno de Saxe fonda au IXe siècle ce qui est devenu une ville importante, à laquelle il donna son nom, Brunswick (Braunschweig en allemand). Plus récemment, ce prénom a été illustré par le chef d'orchestre d'origine allemande Bruno Walter (1876-1962), par le psychologue d'origine autrichienne Bruno Bettelheim (1903-1990) et par l'acteur suisse Bruno Ganz (né en 1941), vedette du film *La Chute* (2004).

En France, Bruno ne s'est répandu qu'autour des années 1960, s'inscrivant parmi les vingt premiers de 1958 à 1972, dont cinq fois parmi les dix premiers. Dans les arts de la scène, il fut illustré par l'acteur Bruno Cremer (né en 1929) et par Bruno Coquatrix (1910-1979), auteur de chansons, imprésario et directeur de l'Olympia à Paris.

En Nouvelle-France, ce prénom fut très discret (17 mentions au PRDH), comme il le fut aussi au XIXe siècle à CDN. Il connaîtra ses meilleures années autour de 1960, et son meilleur résultat en 1963.

Bruno fut porté au XIXe siècle par le père oblat Joseph-Eugène-Bruno Guigues (1805-1874), natif de France et évêque d'Ottawa de 1847 à 1874. Il est actuellement illustré par l'écrivain Bruno Roy (1943-2010), par le baryton Bruno Laplante (né en 1938) et par le chanteur Bruno Pelletier (né en 1962). Les amateurs de technologies modernes connaissent bien le journaliste Bruno Guglielminetti, spécialiste de ces questions. Le dérivé Bruny a été illustré dans les sports par le champion sprinter Bruny Surin (né en 1967).

Dans la toponymie du Québec, nous connaissons Saint-Bruno-de-Montarville (Montérégie), fondé en 1842, ainsi que trois autres villages qui datent du dernier quart du XIXe siècle : Saint-Bruno-de-Kamouraska (1875) ; Saint-Bruno (1884), au sud d'Alma ; et Saint-Bruno-de-Guigues (1886), en Abitibi, qui rappelle la mémoire du premier évêque d'Ottawa.

Ce prénom a aussi laissé sa marque ailleurs en Amérique du Nord, comme en témoignent quelques villes aux États-Unis, dont New Brunswick (New Jersey), ainsi qu'une province canadienne, toutes désignées ainsi au cours du XVIIIe siècle en souvenir de la ville d'origine de la dynastie des Hanovre (Brunswick ou Braunschweig) qui accédèrent au trône d'Angleterre en 1714. Brunswick, on l'a vu, fut donc à l'origine la «ville de Bruno». Les Acadiens prénommés Bruno le savent-ils? Plus que toute autre personne, ils sont vraiment chez eux au Nouveau-Brunswick.

CHARLES

Prénom très visible tout au long du XIXe siècle, plus discret par la suite, mais réussissant une belle remontée dans le dernier quart du XXe siècle.
Prénoms du voisinage: CARL, CAROLUS, CHARLEMAGNE, CHARLES-ANTOINE, CHARLES-ÉDOUARD, CHARLES-ÉMILE, CHARLES-HENRI, JEAN-CHARLES, KARL, PIERRE KARL.
Prénoms féminins: CAROLE, CAROLINE, CHARLOTTE.

Le prénom Charles tire ses origines d'un nom germanique, Karl, repris tel quel en allemand, et dont la version latine, Carolus, nous a donné les prénoms féminins Carole et Caroline. Ces dernières sont donc les sœurs de Charles.

Celui qui a donné son lustre universel à ce prénom vécut de 742 à 814. Roi des Francs, il devint empereur d'Occident, et son empire s'étendit sur un grand nombre des pays de l'Union européenne d'aujourd'hui. Les Allemands l'appelaient *Karl der Grosse* (Charles le Grand) et les Français, Charlemagne (*Carolus Magnus* en latin). Porté si haut et de si brillante manière, le prénom Charles se répandit partout en Europe. Chez les Suédois, il devient Carl et, chez les Allemands, Karl (comme Karl Marx) ou Carl (comme Carl Philipp Emanuel Bach). Plus à l'est, c'est Karol le Polonais (Karol Wojtyla, le pape Jean-Paul II) ou Karel le Tchèque. Chez les Roumains, Carol, comme deux de leurs rois. Vers le sud, c'est Carlo chez les Italiens, Carlos chez les Espagnols, qui ont connu quelques rois de ce nom, dont l'actuel Juan Carlos Ier (né en 1938).

L'Angleterre a eu deux rois Charles au XVIIe siècle, tous deux de la famille des Stuart, si chers au cœur des Écossais. Selon l'*Oxford*, c'est surtout à partir du XIXe siècle que le prénom s'est répandu en Angleterre – pensons à Charles Darwin (1809-1882) ou à Charles Dickens (1812-1870) –, parfois sous le diminutif Charlie, rendu célèbre par Chaplin (1889-1977). Au XIXe siècle, les anglo-protestants du Québec en avaient fait un de leurs prénoms-vedettes. À chaque décennie, il figurait au palmarès des dix meilleurs, et il s'est classé, pour l'ensemble de la période, au 7e rang, représentant 4,8 % des prénoms. Il est actuellement porté par l'homme d'affaires Charles Bronfman (né en 1931) et par le philosophe et professeur Charles Taylor (né en 1931). Aux États-Unis, il rappelle le souvenir de l'aviateur

Charles Lindbergh (1902-1974), qui fut le premier à traverser l'Atlantique sans escale et en solitaire en 1927. Robert Charlebois a donné son nom à l'une de ses chansons, *Lindbergh* (paroles de Claude Péloquin).

En France, où il y eut plusieurs Charles parmi les têtes couronnées (le dernier, Charles X, régna de 1824 à 1830), ce prénom se répandit dès le XIIe siècle et son usage demeura constant au long des siècles, comme en témoigne le souvenir des écrivains Charles d'Orléans (1391-1465), Charles Perrault (1628-1703) et Charles de Montesquieu (1689-1755). Au XIXe siècle, il se classa parmi les dix premiers dans chaque décennie, et septième pour l'ensemble du siècle. Au XXe siècle, malgré son déclin, il fut assez populaire. Si généreusement répandu, il fut fort bien illustré au XIXe siècle par le compositeur Charles Gounod (1818-1893), par le poète Charles Baudelaire (1821-1867) et par l'écrivain Charles Péguy (1873-1914). Et, au XXe siècle, par les chanteurs Charles Trenet (1913-2001) et Charles Aznavour (né en 1924), et par le général Charles de Gaulle (1890-1970), chef de la Résistance de 1940 à 1944 et président de la Ve République de 1959 à 1969.

Répandu en France, ce prénom le sera aussi en Nouvelle-France où, selon le PRDH, il se classait au 7e rang avec quelque 7200 entrées (Charlotte et Marie-Charlotte réunies faisant presque aussi bien, avec 6400 entrées). L'ont illustré, à l'époque, les missionnaires jésuites Charles Lalemant (1587-1674), Charles Albanel (1616-1696) et Charles Garnier (1606-1649). Nous connaissons aussi Charles Huault de Montmagny (vers 1583-1653), gouverneur de 1636 à 1648, et le fondateur de Longueuil, Charles Le Moyne (1626-1685), dont le nom a été donné à un collège privé de la rive sud de Montréal. Le prénom Charles apparaît très tôt sur les cartes géographiques de la Nouvelle-France : près de Québec, il y a la rivière Saint-Charles (vers 1625) et la ville de Charlesbourg (vers 1666), deux toponymes inspirés par la figure de saint Charles Borromée (1538-1584) ; dans la vallée du Richelieu, le village de Saint-Charles ; et, sur l'île de Montréal, Pointe-Saint-Charles.

Au Québec, au XIXe siècle, du moins à CDN où on relève aussi les prénoms Carolus et Charlemagne, Charles se classa presque toujours parmi les dix premiers prénoms. Il fut illustré par un militaire loyaliste, Charles-Michel de Salaberry (1778-1829), par un prêtre catholique excommunié, Charles Chiniquy (1809-1899), par deux patriotes pendus, Charles Sanguinet (1802-1839) et Charles Hindelang (1810-1839), et par un premier ministre conservateur, Charles-Eugène Boucher de Boucherville (1822-1915). Un prénom « pluraliste », dirait-on de nos jours.

Au XXe siècle, après des décennies plus discrètes, le prénom effectua une belle remontée dans le dernier quart du siècle et figure en assez bonne place parmi les prénoms du début du XXIe siècle (voir **Pouponnières, garderies et maternelles,** p. 176). Il est représenté par Charles Dutoit (né en 1936) en musique, par Charles Binamé (né en 1949) au cinéma et par Charles Tisseyre (né en 1949) dans l'information scientifique. On se souvient aussi du journaliste sportif Charles « Charlie » Mayer (1901-1971), l'un des membres de la Ligue du vieux poêle. En 2000, dans l'ensemble de la population, il se situait au 53e rang des prénoms masculins. Pour sa part, le prénom Carl, apparu dans les années 1940 et qui s'est démarqué autour des années 1970, était au 68e rang. Pensons au comédien Carl Marotte (né en 1959) et à Pierre Karl Péladeau (né en 1961). Karl Lévêque (1937-1986) était un jésuite haïtien qui vécut à Montréal.

Comme au temps de la Nouvelle-France, Charles continua au XIXe siècle à marquer le territoire. Par exemple, on baptisa du nom de Charlemagne (1907) un village près de Montréal. Et neuf villages portent le nom de Saint-Charles, dont deux s'appellent Saint-Charles-Borromée. Deux autres villages de Saint-Charles doivent leur nom à ce saint italien qui vécut au XVIe siècle. Mais qui donc était ce chouchou de notre toponymie ? Neveu d'un pape, bras droit d'un autre, cardinal-archevêque de Milan et champion de la Contre-Réforme, il fit preuve d'un tel dévouement lors de la peste de Milan (1576) qu'il devint le « patron des pestiférés ». L'arrivée si précoce de ce prélat italien dans notre paysage toponymique s'explique par l'année de sa canonisation, 1610, soit deux ans seulement après la fondation de Québec. Peut-être annonçait-elle symboliquement la forte préoccupation des Québécois d'aujourd'hui pour les questions de santé ?

Christian

Un prénom de la seconde moitié du XXe siècle.
Prénoms du voisinage : Christophe, Christopher, Christos, Cristobal, Jean-Christophe.
Prénoms féminins : Christiane, Christine et Marie-Christine.

L'origine du nom Christian (et de Christiane et Christine) se trouve dans le mot latin *christianus*, « partisan, disciple du Christ », lui-même dérivé du grec *khristo*, « celui qui est oint ». La même source avait donné au Moyen Âge le prénom Chrestien (ou Chrétien). On peut rapprocher ces prénoms de Christophe, qui vient du grec Christophóros et qui signifie « celui qui porte le Christ ». Le célèbre saint Christophe de nos grands-mères, issu de la mythologie païenne, reste encore pour plusieurs celui qui nous protège des accidents dans nos déplacements et dans nos voyages.

Ce nom de Christian fut d'abord identifié au Danemark, pays qui eut 10 rois de ce nom, du XVe siècle jusqu'au XXe (le plus récent, Christian X, régna de 1912 à 1947). Plusieurs de ces rois régnèrent aussi sur la Norvège et la Suède et y laissèrent leurs traces : Oslo, par exemple, la capitale de la Norvège, s'est longtemps appelée Christiania (de 1624 à 1924) en l'honneur des souverains danois. Auteur de contes célèbres, Andersen (1805-1875) était danois et se prénommait Hans Christian. Par ailleurs, le chirurgien sud-africain qui réussit la première transplantation cardiaque en novembre 1967 s'appelait Christiaan Barnard (1922-2001).

Dans l'Angleterre voisine, Christian n'eut guère de succès, contrairement à ses sœurs et à Christopher. Ces différences se reflétèrent chez les anglophones du Québec au XIXe siècle, où Christopher, quoique discret, fit mieux que Christian (25 contre 3 sur 12 700). Christopher Plummer (né en 1929) est un comédien torontois.

En France, au XIXe siècle, ce prénom n'eut qu'une existence discrète. Mais, au XXe siècle, plus précisément dans le deuxième tiers de ce siècle, il s'imposa parmi les plus courants. Pendant plus d'un quart de siècle, de 1941 à 1967, il se classa parmi les 20 premiers, dont 16 fois parmi les 10 premiers, avec des pointes au 5e rang dans les années 1950. Il avait été précédé dans la voie du succès par Christiane, qui obtint sensiblement les mêmes résultats, et celle-ci fut suivie par Christine et Marie-Christine. Christophe fit mieux encore, se classant premier dans les années 1960.

En France, on connaît Christian Pineau (1904-1995), député et ministre de la IVe République, et Christian-Jaque (1904-1994), le réalisateur de cinéma. Mais le plus célèbre, ici et ailleurs dans le monde, est indiscutablement le grand couturier Christian Dior (1905-1957). Bien avant eux, le prénom Chrétien fut illustré par l'écrivain Chrétien de Troyes (1135-1183) et par l'homme politique Chrétien de Malesherbes (1721-1794)

En Nouvelle-France, les prénoms Christine et Christophe étaient connus, mais ni Christian ni Christiane ne l'étaient. Situation semblable au XIXe siècle. C'est au XXe siècle seulement que Christian se révéla d'assez belle manière, atteignant plus de 2 % de représentation dans les années 1970. Dans la population de l'an 2000, il se situait au 37e rang des prénoms masculins, alors que Christine et Christiane, qui atteignirent leur sommet respectif en 1964 et en 1954, occupaient les 53e et 72e rangs. Christophe et Jean-Christophe viendraient plus tard et plafonneraient nettement plus bas, pendant que Christopher s'approcherait du 1 % de représentation.

Les noms Christian et Christiane sont absents de la toponymie de nos villages, mais Christine y figure grâce aux villages de Sainte-Christine (1864), à l'est de Saint-Hyacinthe, et de Sainte-Christine-d'Auvergne (1893), dans Portneuf. On relève aussi le nom de Saint-Christophe-d'Arthabaska, fondé en 1846. Christian est actuellement porté dans les lettres par l'écrivain Christian Mistral (né en 1964), par l'essayiste Christian Dufour et par le journaliste Christian Rioux. L'humoriste Christian Vanasse appartient au groupe des Zapartistes. Ancien député à l'Assemblée nationale et délégué général du Québec à Bruxelles, Christos Sirros (né en 1948) illustre la forme grecque du prénom et Cristobal Huet (né en 1975), le gardien de but de la Ligue nationale de hockey, la forme espagnole.

Claude

Prénom du deuxième quart du xxe siècle. Médaillé d'or dans les années 1930.
Prénoms du voisinage : Claudien, Claudius, Jean-Claude.
Prénoms féminins : Claude, Claudette, Claudia, Claudie, Claudine, Marie-Claude.

Ce prénom mixte vient du latin Claudius pour le masculin et Claudia pour le féminin. Du temps de Rome, il fut illustré par l'empereur Claude Ier, qui régna au début de notre ère (41-54). Parmi les saints de ce nom, un moine, Claude de Besançon (v. 607-699), vécut à l'abbaye de Saint-Oyand dans le Jura français et donna son nom à l'actuelle ville de Saint-Claude. Parmi les prénoms voisins, on relève Claudius et Claudien, et chez les filles, Claudette, Claudia, Claudie et Claudine.

Ce prénom a eu peu de succès hors des pays latins. En Angleterre, on relève quelques Claudius, tandis que l'*Oxford* signale Claud et le féminin Claudia. Claude Rains (1889-1967) était un acteur de théâtre et de cinéma britannique. Au Canada anglais, le prénom a été illustré par Claude Taylor (né en 1925), qui fut président d'Air Canada et de l'Association internationale du transport aérien (AITA).

Dans les pays latins, Claude a pris la forme de Claudio, présente aussi bien en Italie que dans les pays de langue espagnole. Pensons au compositeur italien Claudio Monteverdi (1564-1643). De nos jours, ce prénom est représenté par le pianiste chilien Claudio Arrau (1903-1991) et par le chef d'orchestre Claudio Abbado (né en 1933), qui, après avoir dirigé l'orchestre philharmonique de Vienne, dirigea celui de Berlin de 1989 à 2002.

En France, rare jusqu'à la Renaissance, ce prénom fut par la suite «régulièrement employé, même s'il n'était pas fréquent», selon le *Larousse*. Au XIXe siècle, selon Dupâquier, il se classa au modeste 40e rang (Claudine fit mieux, au 20e rang), mais fut brillamment illustré par le physiologiste Claude Bernard (1813-1878), par le peintre Claude Monet (1840-1926) et par le compositeur Claude Debussy (1862-1918). Au XXe siècle, Claude atteignit les sommets, se classant dans les 20 premiers pendant 30 ans (de 1927 à 1958), dont plusieurs fois parmi les 10 premiers, avec des pointes au 3e rang juste avant la guerre. Il fut illustré dans les lettres par l'écrivain Claude Simon (1913-2005), qui reçut le prix Nobel de littérature en 1985, et par l'ethnologue Claude Lévi-Strauss (1908-2009); au cinéma, par le comédien Jean-Claude Brialy (1933-2007) et les réalisateurs Claude Lanzmann (né en 1925), ainsi que par Claude Berri (1934-2009) et Claude Lelouch (né en 1937). Les amateurs de chanson française se rappellent Claude Nougaro (1929-2004) et Claude François (1939-1978).

En Nouvelle-France, le prénom Claude se classa autour du 30e rang (772 mentions au PRDH), mais ses pendants féminins furent pour ainsi dire absents (deux Claudine, aucune Claudette). Au XIXe siècle, tous ces prénoms furent rarissimes, voire inexistants, du moins à CDN. Mais, au XXe siècle, Claude surgit chez les hommes dans l'entre-deux-guerres, au point d'occuper le 1er rang en 1934 et en 1935, dépassant les 4% de représentation. Chez les filles, de tous les prénoms féminins, Claudette se distingua à peu près dans les mêmes années, mais pas à la même hauteur. En l'an 2000, dans la population masculine, Claude se classait au 4e rang et Jean-Claude, au 70e. Regroupés, ils seraient au 3e échelon des prénoms les plus populaires, derrière Michel et Pierre. Chez les filles, Claudette se situait au 54e rang.

Ces prénoms sont peu présents dans la toponymie. Signalons tout de même un Saint-Claude (1890) en Estrie, nom choisi par l'évêque de Sherbrooke qui venait de lire une biographie de Claude de Besançon, ainsi que Rivière-à-Claude, sur le littoral nord de la Gaspésie.

En revanche, ils sont fort bien représentés sur la scène publique par Claude Robillard, directeur de l'urbanisme à la Ville de Montréal (dont le nom a été donné à un grand centre sportif), dans le monde des affaires par Claude Castonguay (né en 1929) et Claude Béland (né en 1932), en politique par Claude Ryan (1925-2004), Claude Morin (né en 1929), Claude Charron (né en 1946) et Claude Béchard (né en 1969). Mais c'est peut-être dans les arts et les lettres qu'il est le plus abondant, illustré par l'écrivain Claude Jasmin (né en 1930), par les comédiens Claude Meunier (né en 1951) et Claude Legault (né en 1963), et par le réalisateur Claude Jutra (1930-1986) – qui laissa son nom aux prix de l'industrie du cinéma québécois. Dans la chanson, trois grands l'ont illustré: Claude Léveillée (né en 1932), Claude Gauthier (né

Les prénoms au temps de Maria Chapdelaine et du père Gédéon

Dans ce livre, les prénoms sont présentés selon une coupe verticale, chacun étant raconté dans son itinéraire historique. Le tableau suivant, fait à partir du roman de Louis Hémon, *Maria Chapdelaine*, et des histoires colligées dans *Le père Gédéon* de Doris Lussier, propose plutôt une coupe horizontale et permet ainsi de voir les prénoms qui avaient cours à un moment donné de notre histoire : vers 1900 pour *Maria Chapdelaine*, un peu plus tard pour *Le père Gédéon*.

Maria Chapdelaine

Abélard Perron
Adélard Saint-Onge
Aglaé (masculin)
Charles-Eugène
Charles Lindsay
Cléophas Pesant
Conrad (Courade)
Conrad Néron
Edwige Légaré (masculin)
Égide Racicot
Égide Simard
Elzéar Surprenant
Ephrem Surprenant
Esdras Chapdelaine
Eutrope Gagnon
Ferdina Larouche
Ferdinand
François Paradis
Herménégilde
Hormidas Bérubé
Jean
Johnny Bouchard
Johnny Niquette
Lorenzo Surprenant
Napoléon Laliberté
Nazaire Gaudreau
Nazaire Larouche
Pacifique Simard
Pite Gaudreau
Roméo
Roméo Boily
Samuel Chapdelaine
Simon Martel
Télesphore Chapdelaine
Thadée Larouche
Thadée Pesant
Viateur Tremblay
Wilfrid Bouchard
Wilfrid Tremblay
Zotique
Le grand Lalancette
Da'Bé
Tit'Bé
Tit'Sèbe

Le père Gédéon

Absalon Giguère
Absalon Grondin
Absalon Veilleux
Adolphe Gagnon
Agenor Lachance
Agenor Vallières
Alcide Fontaine
Alcide Tardif
Alexandre Campeau
Alexandre Plouffe
Alphée Proteau
Alphée Turcotte
Alphé Roy
Alphonse
Anthime Paquette
Archille Pélanquin
Archille Proteau
Arsène Campeau
Arsène Philippon
Arthur Lisée
Bezette Grondin
Bezette Lapointe
Bill Martin
Caïus
Claphas (le père)
Cléophas Quirion
Conrad Roy

Cyrille Galipeau
Cyrinus Bureau
Cyrinus Gaulin
Cyrinus Veilleux
Delphis Bellegarde
Delphis Coulombe
Delphis Ouellette
Dilon Fortin
Dominique Plouffe
Édouard Lacroix
Elzéar Grondin
Elzéar Perreault
Engelbert Plouffe
Ephrem Hallé
Ernest Poulin
Ernest Roy
Euclide Fortin
Félix Labrecque
Ferdina Biron
Ferdina Hallé
Ferriol Royer
Fred Royer
Gabriel Boucher
Gédéon Plouffe
Georges
Grichet Lapointe
Grichet Latulippe
Hector
Herménégilde Ouellette
Hilaire Pochu
Ignace
Janvier Coderre
Jean-Claude Lisée
Jean-Paul
Jos Allaire
Josaphat
Joséphat Roy
Jos Picard
Juvénal Bolduc
Juvénal Lacroix
Lucien Coulombe
Manuel (le frère)
Mathias Tanguay
Maurice Laflamme
Narcisse Coulombe
Narcisse Labbé
Nésime Lacasse
Odilon Campeau
Odina Campeau
Odina Galipeau
Omer Dion
Ovide Plouffe
Pamphile Poulin
Pantaléon Veilleux
Pète-dans-le-trèfle
Phéméus Vallières
Philémon Grondin
Philémon Hallé
Philias Bolduc
Philias Marceau
Philippe Roy
Phirin Després
Phonse Vallée
Pit Phaneuf
Pomphile Bureau
Prosper Latulippe
Prosper Lussier
Prosper Magnan
Ratatin Bureau
Rhéo Poulin
Robert Cliche
Rosaire Cormier
Tanase Baillargeon
Télesphore Beaudoin
Télesphore Belleau
Télesphore Lagueux
Thodore Biron
Thomas
Thophile Campeau
Thophile Plouffe
Ti-Bé Poulin à Jos-David
Ti-Fi Couture
Ti-Louis à Ti-Bé à Jos-David
Ti-Louis Fanette
Ti-Louis Lapointe
Ti-Louis Poulin
Ti-Mé Plouffe
Ti-Mond Bureau
Ti-Rouge
Tommy Rosa
Trefflé Bellavance
Valère Vallières
Valmore Duquette
Vénérent Bourque
Vila Lisée
Wellie
Wilbrod Paquette
Zacharie Lacombe
Zéphir Campeau

en 1939) et Claude Dubois (né en 1947). Le *Frédéric* du premier et *Le grand six-pieds* du deuxième n'ont jamais eu à souffrir du *Blues du businessman* du troisième.

Par ailleurs, Jean-Claude est représenté par l'écrivain Jean-Claude Germain (né en 1939), par le cinéaste Jean-Claude Labrecque (né en 1938) et par le couturier Jean-Claude Poitras (né en 1949). Claude-Henri Grignon (1894-1976) est l'auteur d'*Un homme et son péché* (1933) et le « père » de Séraphin et de Donalda.

Cléophas et Mathias

Deux prénoms discrets du XIXe siècle. Le second est réapparu récemment.
Deux graphies : Mathias, Matthias.
Prénom du voisinage de Mathias : Mathieu.

Des prénoms à la terminaison en « as » qui avaient cours au Québec au XIXe siècle, deux proviennent du Nouveau Testament et de l'entourage immédiat de Jésus : Cléophas et Mathias (Matthias dans la Bible).

Au matin de Pâques, Jésus rencontra deux disciples qui ne le reconnurent pas immédiatement, ce sont les « disciples d'Emmaüs », du nom du village près duquel eut lieu cette rencontre. Cléophas était l'un d'eux. Est-ce pure coïncidence si l'étymologie de son nom grec, *cléo*phas, comporte l'idée de « nouvelle », de « rumeur », de « bruit », et même de « célébrité », comme si le destin de ce disciple était d'être celui qui apporterait aux autres la bonne nouvelle de la résurrection du Christ ?

Et Matthias fut l'apôtre qui remplaça Judas après sa mort. Matthias fait ainsi figure du premier grand membre coopté du christianisme. Cet homme choisi par les autres apôtres porte un nom qui, en hébreu (*Mattatyahu*), signifie « don de dieu ». Faut-il y voir l'idée que, derrière le choix des hommes, se trouve la volonté de Dieu ? *Vox populi, vox Dei*, déjà ?

Ces deux prénoms étaient peu répandus en France. Un quartier de Montpellier se nomme Saint-Cléophas, et le père de Gustave Flaubert se prénommait Achille Cléophas, mais c'est à peu près tout. Quant à Mathias, il était, dit le *Larousse*, « rarissime avant le XXe siècle ». Mais il était moins rare dans les pays de langue allemande, où il fut illustré par le peintre Matthias Grünewald (v. 1475-1528), et en Europe centrale, en Hongrie notamment, où régnèrent deux rois de ce nom (XVe et XVIIe siècle) et où une grande église de Budapest est dédiée à saint Mathias. Plus près de nous, Matyas Rakosi (1892-1971) domina la vie politique hongroise pendant les années de la guerre froide.

En Nouvelle-France, le prénom Mathias était rare (31 mentions au PRDH), et Cléophas rarissime, avec deux mentions. Mais, au XIXe siècle, au Québec, la situation évolua et la fréquence d'usage de Cléophas finit par être quatre fois plus grande que celle de Mathias. Dans les années 1850, Cléophas se classa 17e avec 1 % des prénoms. Récemment, Mathias s'est remis discrètement en piste.

Dans notre toponymie, ces prénoms désignent chacun deux villages : Saint-Cléophas dans Lanaudière et Saint-Cléophas dans la Matapédia ; Saint-Mathias-sur-Richelieu en Montérégie et Saint-Mathias-de-Bonneterre en Estrie. Cabano, dans le Bas-Saint-Laurent, s'est appelé jusqu'en 1923 Saint-Mathias-de-Cabano.

Ont illustré ces prénoms le journaliste et homme politique Cléophas Beausoleil (1845-1904), le sculpteur Cléophas Soucy (1879-1950) et le député à Québec et juge en chef de la province de Québec Joseph-Mathias Tellier (1861-1952). Plus récemment, le nom a été porté par Mathias Rioux (né en 1934), enseignant, syndicaliste, animateur de télé et ministre à Québec.

CYRILLE

Présent mais discret tout au long du XIXe siècle.

Prénoms du voisinage : CYR, CYRANO, CYRIAC, CYRIAQUE MÉTHODE.

Ce prénom vient du grec *kyrillos*, lui-même dérivé de *kurios*, « maître », « seigneur ». Les premiers chrétiens ont tout naturellement donné à ce nom un sens spirituel fort, le « maître » étant le Seigneur lui-même, celui que l'on invoque dans le *kyrie eleison* de la liturgie. Cyrille, le Grec, a donc le même sens que Dominique le Latin : à leur façon, ce sont des frères jumeaux. Un autre dérivé, *kyriakos*, a donné Cyriaque (ou Cyriac), rarissime au Québec, et Cyr, mieux connu comme patronyme, mais qui existe aussi comme prénom. Ce dernier a donné à son tour le prénom Cyrano, qui fut illustré au XVIIe siècle par l'écrivain Savinien de Cyrano de Bergerac (1619-1655) et, au XIXe siècle, par la pièce *Cyrano de Bergerac* d'Edmond Rostand.

Jadis, le prénom Cyrille s'est répandu parmi les premiers chrétiens à partir des rives orientales de la Méditerranée. Là vivaient les premiers saints qui marquèrent le prénom, notamment un évêque de Jérusalem (313 ou 315-386) et un patriarche d'Alexandrie (376 ou 380-444), également docteur de l'Église.

Ce prénom allait se répandre vers le nord, en Russie et dans les pays de tradition orthodoxe. Au IXe siècle, saint Cyrille de Salonique, un missionnaire parti de Grèce avec son frère Méthode, contribua de façon particulière à cette expansion. Pour leur travail d'évangélisation, ces derniers tâchèrent de donner une forme écrite aux langues parlées par les populations slaves, et la tradition attribue à saint Cyrille l'invention de l'alphabet dit cyrillique, notamment utilisé pour la langue russe. Le prénom Cyrille se répandit donc dans ces pays, comme en témoignent l'ancien chef d'orchestre russe Cyrille (Kyrill) Kondrachine (1914-1981) et l'actuel patriarche de Moscou et de toutes les Russies Sa Sainteté Cyrille II. Quant à Cyrille et à Méthode, les « apôtres des Slaves », ils ont été proclamés en 1980 saints patrons de l'Europe, au même titre que saint Benoît.

Cela dit, le prénom Cyrille ne s'est pas répandu avec la même vigueur dans les pays de l'ouest de l'Europe – où l'on trouve néanmoins les formes Kyrill en Allemagne et Cirillo en Italie. En Angleterre, selon l'*Oxford*, il n'apparut pas avant le XIXe siècle. Et, chez les anglo-protestants du Québec, pas avant 1880. Il fut illustré par Frank Cyril James (1903-1973), qui dirigea l'université McGill de 1939 à 1962. Dans le monde anglo-saxon, on distingue le prénom Cyril, d'origine grecque, du prénom Cyrus, d'origine persane (Kurach), qui vient de l'Ancien Testament et du roi Cyrus II le Grand (VIe siècle av. J.-C.), fondateur de l'empire perse des Achéménides, qui mit fin à la captivité des Juifs à Babylone. Ce prénom a été illustré aux États-Unis par l'homme d'affaires Cyrus Eaton (1883-1979) et par l'homme politique Cyrus Vance (1917-2002).

Historiquement, le prénom Cyrille n'eut guère de succès en France – et Cyriaque n'en eut aucun. Au XIXe siècle, il se classait très loin, plus bas que le 100e échelon des prénoms. Néanmoins, et bien que ces deux prénoms soient restés très discrets, le PRDH en releva une trentaine d'occurrences en Nouvelle-France.

Au Québec, au XIXe siècle, Cyriaque fut rarissime, mais Cyrille eut une certaine visibilité, notamment dans la première moitié du siècle (en 1830, à CDN, 0,8 %). Il fut illustré dans notre vie publique par Cyrille Fraser Delâge (1869-1957), député à Québec, puis haut dirigeant de notre système d'éducation, par Cyrille Vaillancourt (1892-1969), sénateur à Ottawa et président de la Fédération des caisses populaires Desjardins, et par le journaliste Cyrille Felteau (né en 1917). À compter de 1898, Cyrille a figuré en bonne place dans la toponymie de la capitale, puisqu'il désigna d'abord une étroite rue du faubourg Saint-Jean-Baptiste, puis, à partir de 1951, le long boulevard (Saint-Cyrille) qui relie Québec, Sainte-Foy et Sillery, et qui s'appelle, depuis 1992, boulevard René-Lévesque.

Le nom de Cyrille fut donné à des paroisses au XIXe siècle : en 1844 dans la région de L'Islet, en 1868 près de Drummondville, en 1885 à Normandin au Lac-Saint-Jean. Aujourd'hui, nous connaissons les villages de Saint-Cyrille-de-Lessard et de Saint-Cyrille-de-Wendover. Par ailleurs, et bien qu'il fût à peu près absent de l'usage de nos familles, le prénom Cyriac a réussi à se trouver une place dans notre toponymie, spécialement au Saguenay où deux lacs, une rivière, une rue et un hameau portent ce nom. Signalons que saint Méthode, qui était le frère de saint Cyrille, a donné son nom à deux villages, un près de Thetford Mines, l'autre au Lac-Saint-Jean, incorporé aujourd'hui à Saint-Félicien – et ce n'est pas un hasard si une paroisse voisine, à Normandin, s'appelle Saint-Cyrille.

DANIEL

Prénom très important dès après la Seconde Guerre mondiale.
Prénoms du voisinage : DAN, DANY.
Prénom féminin : DANIELLE.

Celui qui fut jeté dans la célèbre fosse aux lions et qui en sortit indemne, c'est lui, Daniel, le prophète juif, quatrième des grands prophètes de la Bible. Cela se produisit au VIe siècle avant notre ère, à Babylone, où les Juifs avaient été exilés et où certains jalousaient Daniel pour ses bons rapports avec le roi et pour sa capacité à interpréter les songes. D'autres saints de ce nom viendront par la suite, mais c'est d'abord celui de l'Ancien Testament que célèbre l'Église : ayant survécu à une mort certaine, n'est-il pas une préfiguration du Christ ?

Chez les Juifs, le prénom est demeuré courant, souvent sous la forme abrégée de Dan. En Angleterre, où les prénoms bibliques ont longtemps eu la faveur, Daniel fut usité jusqu'au milieu du XIXe siècle, nous dit l'*Oxford*. Il fut illustré par l'écrivain Daniel Defoe (1660-1731), le créateur de Robinson Crusoé qui, à sa manière, survécut aussi à une épreuve difficile. Parmi les anglo-protestants du Québec au XIXe siècle, je n'ai relevé ce prénom que 30 fois (0,4 %), assez loin derrière d'autres prénoms bibliques plus courants comme David, Joseph et Samuel.

Sa position était nettement meilleure (1,4 %) du côté des irlando-catholiques du Québec. Nous connaissons le médecin et journaliste Daniel Tracey (1794-1832), un immigrant irlandais qui s'engagea du côté des patriotes du Bas-Canada, mais mourut du choléra en 1832 (son monument à CDN arbore la plus longue épitaphe du cimetière). Son combat politique rappelle celui que menait à la même époque en Irlande Daniel O'Connell (1775-1847). « Il avait su donner à l'Irlande l'impulsion qui la conduirait à l'indépendance », dit de lui *Le Petit Robert des noms propres*.

En France, où les prénoms bibliques n'étaient pas courants, Daniel était à peine connu. Selon Dupâquier, au XIXe siècle, il se situait au lointain 90e rang, tandis que Danielle était inexistante. Mais, au XXe siècle, il eut de brillantes années à partir de 1930 et se classa parmi les prénoms les plus populaires à la fin de la Seconde Guerre mondiale. D'ailleurs, Daniel est le 10e prénom en France depuis 1940. Le comédien Daniel Gélin (1921-2002) en témoigna, comme aujourd'hui l'écrivain Daniel Pennac (né en 1944) et l'acteur Daniel Auteuil (né en 1950). Le militant gauchiste Daniel Cohn-Bendit (né en 1945), dit Dany le Rouge, n'était pas de nationalité française (il naquit en Allemagne), mais c'est en France qu'il s'est fait connaître comme l'un des chefs des manifestations de Mai 68.

En Nouvelle-France, Daniel n'était pas inconnu, mais resta discret (105 mentions au PRDH). Il fut porté en patronyme par le jésuite Antoine Daniel (1601-1648), l'un des martyrs canadiens. Son frère Charles (mort en 1661) laissa son nom au village de Port-Daniel, en Gaspésie. Ce prénom sera tout aussi discret à CDN au XIXe siècle – et Danielle, totalement absente.

Donc, rien n'annonçait la formidable poussée de ce prénom au lendemain de la Seconde Guerre mondiale, qui lui ferait dépasser la barre des 5 % en 1957. Dans la population de l'an 2000, Daniel était le cinquième prénom le plus répandu au Québec. Nous connaissons Daniel Turp (né en 1955) en politique; Daniel Pilon (né en 1940) et Daniel Langlois (né en 1957) au cinéma; Daniel Lemire (né en 1955) sur la scène de l'humour; Daniel Lavoie (né en 1949), Daniel Bélanger (né en 1962) et Daniel Boucher (né en 1971) dans la chanson. Sans oublier ceux qui illustrent si bien l'un ou l'autre des diminutifs de Daniel: Dan Bigras (né en 1957) derrière son micro, Dany Turcotte (né en 1965) à la télé, Dany Laferrière (né en 1953) sur toutes les scènes littéraires du monde francophone. Il est à noter qu'une quinzaine de toponymes rendent hommage à l'ancien premier ministre du Québec Daniel Johnson (1915-1968), dont un barrage érigé sur la rivière Manicouagan. Douce revanche pour celui que les caricaturistes avaient un moment surnommé *Danny Boy*.

David

Une présence discrète au XIXe siècle,
mais une belle vigueur dans les années 1970-1980.
Prénom du voisinage: Dave.

Tout le monde connaît l'histoire de David et Goliath, celle de l'homme qui vainquit un géant. C'est de cet homme et de son époque que nous vient le prénom David. Vieux de plus de 3000 ans, ce prénom biblique signifie en hébreu « le bien-aimé ». Mais que sait-on vraiment de ce prodigieux David ?

« L'un des plus attrayants personnages de l'histoire », rien de moins, nous dit le dictionnaire hagiographique des bénédictins de Ramsgate. Deuxième roi d'Israël, son règne, commencé vers l'an 1000 av. J.-C., dura près de 40 ans. Il chassa les Philistins, fit de Jérusalem la capitale de son royaume et réalisa l'unité du pays. L'étoile de David (*Magen David* en hébreu), ce symbole du judaïsme qu'on trouve notamment sur le drapeau d'Israël, était l'emblème de ce roi qui fut guerrier, musicien et poète. D'ailleurs, on lui doit de nombreux psaumes. Son prénom est évidemment courant dans les familles juives, comme l'illustrèrent l'économiste anglais David Ricardo (1772-1823), le violoniste russe David Oïstrakh (1908-1974) et le premier ministre David Ben Gourion (1886-1973), qui proclama l'indépendance d'Israël en 1948.

Attrayant pour les juifs, ce prénom le fut aussi pour les chrétiens. Dans le Nouveau Testament, David est une préfiguration de Jésus, et, au IXe siècle, l'Église l'inscrivit au martyrologe : le roi des Juifs devint alors un saint de l'Église catholique, connu et vénéré de toute la chrétienté. Sa notoriété dépassa le strict cadre religieux, si bien qu'au XVe siècle, des fabricants de cartes à jouer en firent l'un des quatre rois avec Alexandre le Grand, César et Charlemagne (David étant le roi de pique). Michel-Ange en a fait une célèbre sculpture de marbre au début du XVIe siècle, le fameux *David* de la Galleria dell'Accademia de Florence.

Ce prénom se répandit dans les îles Britanniques. Au pays de Galles vécut au VIe siècle un évêque, Dewi (David en gallois), qui fonda plusieurs monastères. Il fut canonisé en 1120 et devint le saint patron du pays, où plus de 50 églises portent son nom. David fut aussi en usage dans les familles dirigeantes et désigna deux princes de Galles, au XIIe et au XIIIe siècle. Tout naturellement, David devint un prénom-vedette des Gallois – *a favourite one*, dit l'*Oxford*. Au XXe siècle, il fut illustré par David Lloyd George (1863-1945), qui fut premier ministre pendant la Première Guerre mondiale (1916-1922). Aux États-Unis, le diminutif Davy fut rendu célèbre par Davy Crockett (1786-1836).

Le prénom eut aussi beaucoup de succès chez les Écossais (*it has always been common*, dit l'*Oxford*), qui eurent deux rois de ce nom. David Ier, au XIIe siècle, eut un règne heureux. Il fut également illustré par le philosophe David Hume (1711-1776) et par le missionnaire et explorateur David Livingstone (1813-1873). En Angleterre, où il demeura cependant plus discret, il inspira à Charles Dickens le titre d'un roman célèbre, *David Copperfield*, paru en 1849, et il fut illustré par l'écrivain D. H. Lawrence (1885-1930), qui se prénommait David Herbert. Après David Lean (1908-1991), le réalisateur de cinéma, c'est maintenant au tour du chanteur David Bowie (né en 1947) et du footballeur David Beckham (né en 1975) de l'illustrer aux quatre coins du monde.

Tout naturellement, le prénom David eut du succès chez les anglo-protestants du Québec. Premier des prénoms bibliques, présent durant tout le XIXe siècle, il se classa le plus souvent au 10e rang dans la première moitié du siècle (2,4 % des prénoms), mais plus près du 20e rang dans la seconde moitié (1,6 %). En revanche, sa présence parmi les irlando-catholiques était des plus discrètes. Il est aujourd'hui illustré au Canada anglais par David Suzuki (né en 1936), le champion de l'écologie, et par l'écrivain montréalais David Homel (né à Chicago en 1952).

Contrairement aux îles Britanniques, la France ne fut jamais une terre de diffusion pour le prénom David, puisque les prénoms bibliques, en général, y ont occupé une place moins grande que dans les pays protestants. Rarissime au XIXe siècle, c'est comme patronyme qu'il s'illustra, grâce au peintre de Napoléon, Jacques-Louis David (1748-1825). De nos jours, il est représenté par David Pujadas (né en 1964), journaliste et présentateur des nouvelles télévisées, par le disc-jockey David Guetta (né en 1967) et par le footballeur David Trezeguet (né en 1977), membre de l'équipe de France.

En Nouvelle-France, David se situait au 4e rang des prénoms bibliques, derrière Benjamin, Abraham et Isaac. Au Québec, au XIXe siècle, il se hissa au 2e rang de ces prénoms, derrière Moïse, mais resta toujours discret. Son meilleur résultat fut observé en 1830, au 13e échelon (1,2 % des prénoms). Il sortit de cette relative torpeur au XXe siècle et manifesta une belle vigueur dans les années 1970-1980, si bien que, en l'an 2000, il était au 33e rang dans l'ensemble de la population (et 3e parmi les noms de l'Ancien Testament, après Daniel et Jonathan). Si on ajoutait à ses effectifs ceux de Dave (96e au tableau général), il se classerait dans les 25 premiers. Notons qu'il continue de s'affirmer depuis l'an 2000 (voir **Pouponnières, garderies et maternelles,** p. 176).

Deux villages portent son nom, l'un près de Yamaska, Saint-David, fondé en 1831, l'autre au nord de Chicoutimi, Saint-David-de-Falardeau, qui date du XXe siècle. La nomenclature ecclésiastique rapporte trois paroisses de ce nom, à Lévis, à Pierrefonds et dans le Témiscouata.

C'est d'abord comme patronyme que David s'est illustré au Québec, porté par trois sénateurs de la même lignée, le père, le fils et le petit-fils : Laurent-Olivier David (1840-1926), avocat, journaliste et écrivain, Athanase David (1882-1953), député et ministre à Québec, et Paul David (1919-1999), médecin et fondateur de l'Institut de cardiologie de Montréal. C'est de cette famille que Val-David, dans les Laurentides, tient son nom, attribué officiellement en 1944. Le fils, ministre du gouvernement Taschereau, institua un concours littéraire, l'ancêtre d'un des 11 Prix du Québec, qui porte aujourd'hui son nom, le prix Athanase-David.

Comme prénom, David est représenté par l'ex-député et haut fonctionnaire David Payne (né en 1944), par l'ex-ministre David Cliche (né en 1952) et par les acteurs David La Haye (né en 1966) et David Boutin (né en 1969). Journaliste de la télé, Davide Gentile (né en 1970) illustre la version italienne de ce prénom. Dave avait été illustré par l'homme politique montréalais Dave Rochon (1896-1966) et par le boxeur Dave Castilloux (1916-1994). Il est actuellement porté par le boxeur Dave Hilton (né en 1963) et par le député de Saint-Jean Dave Turcotte, élu en 2008. Vivre au Québec, s'appeler Dave et se faire élire pour le Parti québécois, voilà un destin peu banal.

DENIS

Prénom du XXe siècle, en ascension depuis les années 1920, qui atteignit son sommet dans les années 1950.
Deux graphies : DENIS, DENYS.
Prénom féminin : DENISE.

Dans la mythologie grecque, Dionysos est le dieu du vin, de la vigne et de quelques autres bonnes choses encore. De lui nous vient le prénom Denis. Dans l'Antiquité, il fut illustré par Denys l'Ancien et par son fils Denys le Jeune, qui firent de Syracuse (Sicile) une grande puissance maritime, et par Denys d'Halicarnasse, historien et critique littéraire. Courant parmi les premiers chrétiens, il fut porté au Ier siècle par Denys l'Aréopagite, compagnon de saint Paul, et au IIIe siècle par le pape Denys Ier et par l'évêque d'Alexandrie Denys le Grand. Tous trois furent canonisés.

Le prénom Denis allait occuper une place de choix dans l'histoire de France. Le premier évêque de Paris, envoyé par le pape au IIIe siècle pour évangéliser la population, s'appelait Denis. Martyr, il fut canonisé et proclamé saint patron de la France. Sur sa tombe fut érigée une abbaye, où se trouve aujourd'hui la basilique Saint-Denis. Depuis le temps de Dagobert, au VIIIe siècle jusqu'à Louis XVIII, qui fut le dernier roi à y être enseveli en 1824, ce lieu fut la nécropole des rois de France ; presque tous les souverains français y ont leur tombeau. Saint-Denis inspira aux rois de France leur cri de ralliement guerrier : « Montjoie Saint-Denis ! »

En Angleterre, le prénom Denis qui, avec le temps, prit la forme de Dennis, fut en usage jusqu'au XVIIe siècle, nous dit l'*Oxford*, avant de faire un retour au XXe siècle. En même temps, il évolua phonétiquement vers une tout autre forme, « saint Denis » aboutissant à « Sydney » (ou Sidney), dont le nom a été donné à la ville de

Sydney, en Australie. Saint-Denis près de Paris, Sydney à l'autre bout du monde : deux villes éloignées l'une de l'autre, deux noms apparemment étrangers, mais partageant pourtant la même lointaine origine.

En France, le prénom fut en usage jusqu'au XVIIIe siècle. Mais, au XIXe siècle, il n'était plus qu'au lointain 75e rang et il dut attendre la seconde moitié du XXe siècle pour refaire surface (son meilleur résultat : 25e en 1965). Son pendant féminin, Denise, se démarqua avant lui et atteignit le 5e échelon des prénoms les plus populaires en 1925. Il fut illustré par le physicien Denis Papin (1647-1712), par le philosophe Denis Diderot (1713-1784) et par l'écrivain suisse de langue française Denis de Rougemont (1906-1985).

En Nouvelle-France, le prénom était assez connu (300 mentions au PRDH) et fut illustré en patronyme par la famille Juchereau de Saint-Denis. Il apparut sur nos cartes dès cette époque, à Saint-Denis (aujourd'hui Saint-Denis-sur-Richelieu), haut lieu de la mémoire patriotique, dont la fondation remonte à 1740. Au XIXe siècle, à CDN, Denis demeura discret, mais Denise fit mieux que lui. Il fut illustré en politique par Denis-Benjamin Viger (1774-1861), par Denis-Benjamin Papineau (1789-1854) et par son fils Denis-Émery (1819-1899). Dans les premières décennies du XIXe siècle, il continua de marquer la toponymie dans le Bas-du-Fleuve, où fut fondé Saint-Denis-de-Kamouraska, ainsi qu'à Montréal où fut ouverte en 1818 la rue Saint-Denis. Viendra s'ajouter en 1935 le village de Saint-Denis-de-Brompton (Estrie), près du hameau de Montjoie... Est-ce un hasard ?

À compter de 1920, le prénom Denis s'affirma, mais c'est dans les années 1950 qu'il s'imposa parmi les plus populaires (en 1954, près de 4 %). Il fut précédé dans son ascension par le prénom Denise qui s'éleva plus haut que lui et fut le premier prénom féminin dans les années 1930, et ce, quatre années de suite. En 2000, dans l'ensemble de la population, Denis et Denise étaient d'égale force : 10e chez les hommes, 11e chez les femmes.

Denis a été illustré en littérature par le poète Saint-Denys Garneau (1912-1943), en politique par Denis Lazure (1925-2008) et Denis Hardy (né en 1936), tous deux députés et ministres à Québec, ainsi que par Denis Coderre (né en 1963), député et ministre à Ottawa. Mais c'est surtout au cinéma et dans le monde du spectacle qu'il est le plus visible, illustré sur la scène de l'humour par Denis Drouin (1916-1978) et par les Denis Drolet ; au cinéma par Denys Arcand (né en 1941) et par Denis Villeneuve (né en 1967). Toutes ces vedettes ont leur place dans le cœur des Québécois, et certaines ont fait leur marque à l'étranger. Leur ancêtre Dionysos, le dieu du vin, qui était aussi dieu de la réjouissance et du théâtre, doit être bien fier d'eux. Levons-leur notre verre.

Dominique

Prénom discret au XIXe siècle, réapparu en force dans les années 1970.
Deux graphies : Dominic, Dominique.
Prénom du voisinage : Domina.
Prénoms féminins : Dométhilde, Dominique, Domitille.

Ce prénom tire son origine du latin *dominicus*, « du maître », « du seigneur », adjectif tiré de *dominus*, donc le maître du *domus*, le maître de la maison. Ces mots ont aussi donné le prénom mixte Domina et sont à la source des prénoms féminins Domitille et Dométhilde – ce dernier fut assez courant dans le Québec du XIXe siècle.

Le prénom Dominique, qui avait un sens spirituel précis aux yeux des premiers chrétiens (le « seigneur », c'était bien entendu le Christ lui-même), se répandit dans les pays de langue latine. Le castillan Domingo de Guzman (1170-1221), ou saint Dominique, fut le fondateur de l'ordre des Prêcheurs, qu'on appelle généralement l'ordre des Dominicains. Ceux-ci ne manquèrent pas de répandre le prénom, notamment parmi les convertis de leurs missions au Japon, au Vietnam, etc. Dominique est aussi apparu sur les cartes du monde grâce aux explorateurs et aux conquérants espagnols, comme en témoignaient, dans les Antilles, les îles de Santo Domingo (aujourd'hui Hispaniola, que se partagent Haïti et la République dominicaine) et de Domenica, ainsi baptisées par Christophe Colomb à la fin du XVe siècle.

En Italie, où il fut courant, le prénom prit la forme Domenico, illustrée par le peintre Domenico Veneziano (v. 1400-1461) et par les compositeurs Domenico Scarlatti (1685-1757) et Domenico Cimarosa (1749-1801). Plus près de notre époque vivait en Italie Domenico Savio (1842-1857), mort de la tuberculose à 15 ans. Béatifié en 1950, puis canonisé par Pie XII en 1954, il est le plus jeune saint non martyr de l'Église, laquelle naturellement en a fait un modèle pour la jeunesse. Chez nous, son nom, Dominique Savio, a été donné à une école, à quelques rues (à Québec, à Trois-Rivières, à Lévis), ainsi qu'à un orphelinat pour jeunes garçons, rue Sainte-Catherine à Montréal, démoli dans les années 1960 lors de la construction de la Place-des-Arts. L'auteur de la célèbre chanson *Volare* s'appelait Domenico Modugno (1928-1994) – *Nel blu dipinto di blu…*

En Angleterre, le prénom Dominic (ou Dominick) se rencontrait occasionnellement au Moyen Âge, à la suite de la canonisation de saint Dominique, mais il n'a jamais été courant. Depuis la rupture avec Rome, ce sont généralement des catholiques qui le portent.

En France, il fut en usage du Moyen Âge jusqu'au XVIIIe siècle, mais il n'était plus, au XIXe siècle, qu'au 100e rang (et moins répandu encore chez les femmes). Il reprit de la vigueur au XXe siècle, comme en témoignent de nos jours, sur la scène politique, Dominique Strauss-Kahn (né en 1949) et Dominique de Villepin (né en 1953). Un roman d'Eugène Fromentin, *Dominique*, parut en 1863.

En Nouvelle-France, ce prénom jouit d'une certaine présence, mais il demeura discret au Québec au XIXe siècle. Il fut illustré sur le plan religieux par Dominique Racine (1828-1888), premier évêque de Chicoutimi, et en politique par Pierre-Dominique Debartzch (1782-1846), Dominique Mondelet (1799-1863), avocat et essayiste, et Dominique Monet (1865-1923), député, ministre et juge à la Cour supérieure. Au début de la Révolution tranquille, le Dr Dominique Bédard (1922-2005) présida la Commission d'étude des hôpitaux psychiatriques (1961-1962).

Dans notre toponymie, deux villages portent sa marque: Saint-Dominique, près de Saint-Hyacinthe, fondé en 1833 et longtemps appelé Saint-Dominique-de-Bagot, et Saint-Dominique-du-Rosaire, en Abitibi, fondé au XXe siècle. Quelques paroisses, dont celle de la Grande Allée à Québec, ont été consacrées au fondateur de l'ordre des Dominicains, et une autre, à Asbestos, à Dominique Savio (mais elle a disparu en 1975). À Montréal, une rue parallèle au boulevard Saint-Laurent s'appelle Saint-Dominique, nom qui lui fut donné en 1801.

La discrétion de ce prénom au XIXe siècle se maintint dans la première moitié du XXe siècle, mais Dominique connaîtra de beaux succès dans les années 1960 et surtout 1970, chez les garçons, certes, mais aussi chez les filles. En 2000, dans l'ensemble de la population, il occupait le 47e rang chez les hommes et le 79e chez les femmes. Le prénom est illustré par le metteur en scène Dominic Champagne (né en 1963).

DONAT

Une certaine présence vers la fin du XIXe siècle et au début du XXe.
Prénoms du voisinage: ADÉODAT, DÉODAT, DIEUDONNÉ, DONATIEN, DOROTHÉE, DOSITHÉE, THÉODORE.
Prénom féminin: DONATIENNE, DOROTHÉE.

À Rome, il y avait bien évidemment des écoles et des écoliers, donc aussi des grammaires et des grammairiens. L'un de ces derniers, qui vécut au IVe siècle, s'appelait Aelius Donatus, et sa grammaire se répandit en Europe pendant si longtemps que son prénom, Donat, devint synonyme de « grammaire », de « rudiment », de « leçon faite à un enfant » (*Le Grand Robert*) – comme en anglais : *an introduction to, or the elements of, any art, science* (*Oxford English Dictionary*). Mais parions que ce n'est pas pour cette raison que ce prénom se fit connaître au Québec.

Donat nous vient du latin *donatus*, « donné par Dieu » ou « à Dieu », et son diminutif *donatianus* est à l'origine de nos Donatien et Donatienne. Tous trois ont le même sens que d'autres prénoms d'origine latine (Adéodat, Déodat, Dieudonné) ou grecque (Dorothée, Dosithée, Théodore). Chez les premiers chrétiens, on prénommait souvent Donat un enfant longtemps attendu. Parmi ceux qui l'ont illustré dans les premiers siècles, il y eut deux évêques, l'un d'Afrique, l'autre de Besançon : le premier fut excommunié comme schismatique (schisme auquel on a donné son nom, le « donatisme »), et l'autre… fut canonisé !

Ces prénoms se sont répandus dans les pays latins. En Italie – Donato, Donata, Donatella –, il fut illustré par un sculpteur célèbre du XVe siècle se prénommant Donato, mieux connu sous le nom de Donatello (1386-1466), « le plus grand sculpteur italien du Quattrocento », dit *Le Petit Robert des noms propres*. En France, où ces prénoms étaient rares, y compris au XIXe siècle, Donatien fut illustré par le marquis de Sade (1740-1814) et par le maréchal Rochambeau (1725-1807). Yves Saint-Laurent (1936-2008), le grand couturier, avait Donatien parmi ses prénoms.

Donat et Donatien étaient inconnus en Nouvelle-France (trois mentions pour l'un, aucune pour l'autre). Au Québec, c'est vers 1870 que Donat apparut, du moins à CDN, et il eut une certaine présence vers la fin du siècle (meilleure décennie : 1890, à près de 1 %) et au début du XXe, mais Donatien est demeuré presque invisible.

Dans notre toponymie, signalons deux villages fondés dans les années 1870 : Saint-Donat, sur les rives du lac Archambault (Laurentides), et Saint-Donat-de-Rimouski (Bas-Saint-Laurent). Dans notre vie publique, Donat fut illustré par le sénateur et homme d'affaires Donat Raymond (1880-1963), ancien propriétaire du Forum de Montréal et du club de hockey des Canadiens ; et Donatien, par le chef syndicaliste Donatien Corriveau, président de la CSN (1982-1983). Donato Paduano (né en 1948), boxeur montréalais d'origine italienne, fut intronisé au Panthéon des sports du Québec en 2000. L'histoire ne dit pas ce que ces messieurs pensaient de la célèbre grammaire qui a porté si brillamment et si longtemps leur nom !

EDGAR

Une présence discrète vers la fin du XIXe siècle et au début du XXe.
Deux graphies : EDGAR, EDGARD.
Prénoms du voisinage : EDMOND, ÉDOUARD, EDWIN.

Le prénom Edgar vient de l'Angleterre anglo-saxonne d'avant la conquête normande de 1066. Il fait partie d'un groupe de quatre prénoms masculins tirés de la racine *ead*, devenue *ed*, qui veut dire « riche », « heureux ». Édouard, Edmond, Edgar et Edwin, quatuor dont le leader incontesté en Angleterre, en Europe et au Québec était – et reste – Édouard. C'était le nom d'un roi d'Angleterre du Xe siècle – Edgar le Pacifique (943-975) –, dont la politique favorable à l'Église et aux bénédictins lui valut d'être vénéré comme un saint. Un roi d'Écosse du XIIe siècle se prénommait aussi Edgar. En Angleterre, ce prénom survécut à l'arrivée des Normands, mais s'estompa dès la fin du XIIIe siècle, pour ne réapparaître qu'au début du XIXe, à la faveur d'un roman de Walter Scott paru en 1819, *La fiancée de Lammermoor*, lequel inspira à Donizetti son opéra *Lucia di Lammermoor* (1835).

Modérément porté en Angleterre, ce prénom n'était pas inconnu des anglo-protestants du Québec au XIXe siècle (10 mentions sur 7700). Ces derniers lui préféraient toutefois Edwin (dans une proportion de deux pour un), prénom de même souche et qui était aussi le nom d'un roi du VIe siècle (saint Edwin, roi de Northumbrie). Plus récemment, il fut porté par l'homme d'affaires Edgar Bronfman. À Montréal, une école privée pour jeunes filles, fondée en 1909, s'appelle *Miss Edgar's & Miss Cramp's School*. Chez nos voisins du Sud, le nom fut illustré par Edgar Allan Poe (1809-1849) et par Edgar Hoover (1895-1972), chef du FBI. L'écrivain Edgar Rice Burroughs (1875-1950) imagina le personnage appelé Tarzan (*Tarzan of the Apes*, 1912).

En France, ce prénom resta très discret au XIXe siècle. Il n'en fut pas moins illustré dans les arts et les lettres par l'historien et militant anticlérical Edgar Quinet (1803-1875) et par le peintre Edgar Degas (1834-1917). Degas et Édouard Manet, deux grands peintres français de la seconde moitié du XIXe siècle, avaient donc des prénoms d'origine anglo-saxonne. Ce prénom s'est aussi illustré au XXe siècle, en politique grâce à Edgar Faure (1908-1988) et à Edgard Pisani (né en 1918), et dans les lettres grâce au sociologue Edgar Morin (né en 1921).

Le prénom Edgar était inconnu en Nouvelle-France (aucune mention au PRDH). Au Québec, au XIXe siècle, contrairement à Édouard et à Edmond, il est demeuré discret, néanmoins il fut plus populaire qu'Edwin. Ses meilleurs résultats : en 1880, 0,5 % ; en 1900, 0,6 %.

Il est inconnu de notre toponymie, sauf en Gaspésie, dans la région de New Richmond, où Saint-Edgar désigne une paroisse, un hameau, un mont et un pont couvert. Il fut illustré en politique par Henri-Edgar Lavigueur (1887-1947), maire de Québec de 1916 à 1920 et de 1930 à 1934; par Edgar Rochette (1890-1953), député, ministre et juge; et par Edgar Bournival (1907-1976), maire de Magog de 1957 à 1975. Dans les sports, il fut porté par Edgar Laprade (né en 1919), joueur des Rangers de New York de la Ligue nationale de hockey.

De nos jours, c'est dans les arts et les lettres qu'il est le plus «visible». Porté par Edgar Lespérance (1909-1964), le fondateur des Éditions de l'Homme qui a laissé son nom à un prix littéraire, il est actuellement illustré par Edgar Fruitier (né en 1930), comédien de profession et mélomane de passion. Par ailleurs, Jean Leloup a composé une chanson, *Edgar*, sur Edgar Allan Poe.

EDMOND

Prénom du XIXe siècle, surtout du milieu du siècle.
Prénoms du voisinage: EDGAR, EDMUND, ÉDOUARD, EDWIN.
Prénoms féminins: EDMONDE

Comme Édouard, Edmond (Eadmund) vient de l'Angleterre anglo-saxonne d'avant la conquête normande de 1066. Il a été porté par deux rois au Xe siècle et par deux saints, dont Edmond Rich (v. 1170-1240), archevêque de Canterbury, *one of the most virtuous and attractive figures of the English church*, selon la *Britannica*. Edmond Campion (1540-1581), un converti de l'anglicanisme devenu jésuite, fut martyrisé sous Élisabeth Ire et canonisé en 1970. Le prénom fut également porté par l'astronome anglais Edmond Halley (1656-1742), par l'écrivain et homme politique anglais Edmund Burke (1729-1797) et par le maréchal britannique Edmund Allenby (1861-1936), qui conquit Jérusalem en 1917. Le prénom s'est répandu en Irlande sous la forme gaélique d'Eamon et fut porté par Eamon de Valera (1882-1975), premier ministre, puis président de la République. Chez les anglo-protestants du Québec, au XIXe siècle, le prénom fut en usage (orthographié Edmund, mais parfois Edmond), mais huit fois moins que le prénom Edward. Il fut plus discret encore chez les irlando-catholiques.

En France, Edmond (et son jumeau Edme) était connu dès le Moyen Âge, mais c'est à l'époque classique, nous dit le *Larousse*, qu'il fut réellement porté. Au XIXe siècle, il se classait au très discret 50e rang, alors qu'Édouard était au 30e rang. Il fut représenté par les écrivains Edmond de Goncourt (1822-1896), Edmond About (1828-1885) et Edmond Rostand (1868-1918). Le maréchal Mac-Mahon (1808-1898), président de la République de 1873 à 1879, se prénommait Edme Patrice Maurice.

À peu près inconnu en Nouvelle-France (13 mentions au PRDH), le prénom apparaît au Québec à partir des années 1820. Pendant six décennies, de 1830 à 1880, il s'inscrira au tableau des 25 prénoms les plus populaires, dont trois fois autour du 15e rang. Il manifesta ainsi une présence presque aussi constante que celle de son cousin Édouard, mais en retrait par rapport à ce dernier, généralement mieux classé. Au XXe siècle, il subit un long déclin avant de disparaître.

Trois villages portent son nom : un premier près d'Amqui, qui s'est longtemps appelé Saint-Edmond-du-Lac-au-Saumon ; un autre au Lac-Saint-Jean, Saint-Edmond-les-Plaines ; et le dernier près de Drummondville, Saint-Edmond-de-Grantham. Par ailleurs, il fut illustré en politique par Edmund James Flynn (1847-1927), qui fut premier ministre de 1896 à 1897, puis juge à la Cour supérieure et à la Cour du banc du roi. Dans les arts et les lettres, par l'avocat et écrivain Edmond Lareau (1848-1900), par l'essayiste Edmond de Nevers (1862-1906) et par l'illustrateur Edmond Massicotte (1875-1929). Dans la presse, par Edmond Mallet (1842-1907), qui fit carrière chez les Franco-Américains, et par Edmund-William Blumhart (1844-1907), journaliste et propriétaire de journaux, fondateur de *La Presse*. Mélomane et musicologue, Edmond Archambault (1872-1947) faisait construire en 1930 son propre magasin d'instruments et d'accessoires musicaux au coin des rues Sainte-Catherine et Berri à Montréal, où il se trouve toujours. Plus près de nous, le géographe Louis-Edmond Hamelin (né en 1923) s'est consacré à l'étude de la nordicité.

ÉDOUARD

Prénom bien placé tout au long du XIXe siècle et au début du XXe.
De retour depuis la fin du XXe siècle.
Prénoms du voisinage : EDGAR, EDMOND, EDWIN.
Prénoms féminins : ÉDOUARDINA, ÉDOUARDINE.

Édouard doit son origine à l'Angleterre anglo-saxonne d'avant la conquête normande, où trois rois de ce nom ont occupé le trône entre le début du Xe siècle et le milieu du XIe. Le troisième, Édouard le Confesseur (1004-1066), qui régna un quart de siècle, fit construire une abbatiale à Westminster, à l'emplacement de l'actuelle abbaye, ce qui, entre autres mérites, lui valut d'être canonisé par Rome. Il jouit ainsi de la double notoriété d'être roi de son pays et saint de son Église, ce qui contribua au prestige du prénom.

On sait que l'arrivée des Normands en 1066 provoqua la disparition de la plupart des prénoms qui avaient cours antérieurement. Parmi les survivants, c'est Édouard qui se démarqua le plus nettement, à la fois par le rang atteint et par la constance au cours des siècles. Ce succès, déjà inscrit dans la période antérieure, fut conforté aux XIIIe et XIVe siècles par les règnes successifs de trois rois Édouard, de 1272 à 1377. Le plus marquant fut Édouard III. Naturellement, les succès de ce prénom en Angleterre annonçaient sa popularité chez les anglo-protestants du Québec, où il se classa, pour l'ensemble du XIXe siècle, au 10e rang, avec 2,6 % de représentation. Il fit mieux encore chez les irlando-catholiques, atteignant 4 %. Les diminutifs de ce prénom furent illustrés aux États-Unis par le comédien Eddie Cantor (1892-1964), par l'animateur de télé Ed Sullivan (1901-1974) et par l'homme politique Ted Kennedy (1932-2009).

Pendant qu'il s'imposait en Angleterre, ce prénom se répandait aussi à l'étranger. Édouard est en effet l'un des très rares prénoms issus du sol anglais qui se sont répandus hors du pays – *one of the very few*, dit l'*Oxford*. Ce fait a été illustré par les Norvégiens Edvard Grieg (1843-1907) et Edvard Munch (1863-1944), par l'Allemand Eduard Bernstein (1850-1932) et par le Tchèque Edvard Benes (1884-1948). En France, où il se classa au 30e rang au XIXe siècle, il fut illustré par le compositeur Édouard Lalo (1823-1892) et par le peintre Édouard Manet (1832-1883). En politique, il fut porté par Édouard Herriot (1872-1957) et par Édouard Daladier (1884-1970), et il l'est actuellement par Édouard Balladur (né en 1929), premier ministre de 1993 à 1995. Le général Édouard de Castelnau (1851-1944), héros de la Première Guerre mondiale, inspira le nom d'une rue et d'une station de métro à Montréal.

Ce prénom occupa une place modeste en Nouvelle-France (quelque 200 mentions au PRDH). Mais, au Québec, il apparut au début du XIXe siècle, se hissa au 11e rang en 1830, et jusqu'à la fin du siècle se maintint presque toujours parmi les 15 premiers. Il eut encore de bonnes années au début du XXe siècle, avant son déclin, puis sa disparition vers 1940. Mais, depuis la fin du XXe siècle, il reprend de la vigueur (voir **Pouponnières, garderies et maternelles,** p. 176). Il est à noter que, au XIXe siècle, son classement chez les francophones était exactement le même que celui d'Edward chez les anglo-protestants de Montréal : près du 10e rang, et toujours parmi les 15 premiers. Deux sociétés, deux prénoms, mais une même notoriété.

Ces villages qu'on n'oublie pas

Dans chacune des entrées, pour chacun des prénoms et pour ses dérivés, j'ai donné la place du prénom (ou des prénoms) dans la toponymie de nos villages. Dans plus de 85 % des entrées, j'ai trouvé un nom de village, parfois plusieurs. Dix-huit entrées font exception : Éric, Ernest, Gustave, Guy, Hector, Horace et Ovide, Hormisdas, Joël, Léopold, Napoléon, Olivier, Oscar, Raoul, Richard, Roger, Serge, Wilfrid, Yann et Yannick. Ce sont ou bien des noms venus tardivement dans nos familles et dans l'histoire du Québec, ou bien des noms pour lesquels il n'y a pas de saints (Napoléon, Oscar, etc.).

À l'opposé, voici les cinq prénoms qui comptent chacun plus de dix villages : Jean (dont Jean-Baptiste), Joseph, Paul, Pierre et François.

Naturellement, comme ce livre ne couvre pas tous nos prénoms, certains villages en sont absents. Voici donc une liste de ces villages présentés par régions administratives. Elle rassurera leurs habitants ; on ne les a pas oubliés. En outre, cela nous permettra d'étoffer notre tableau des prénoms. Il est à noter que plusieurs de ces noms de villages ont été relevés à CDN comme prénoms attribués au XIXe siècle.

Par ordre alphabétique

On trouvera ici les prénoms suivants :
Achillée – Adalbert –Adelphe – Agapit – Agricole – Alban – Ambroise – Anaclet – Anicet – Anselme – Apollinaire – Arsène – Athanase – Aubert – Barnabé – Barthélémy – Basile – Bonaventure – Boniface – Calixa – Calixte – Camille – Canut – Carmel – Casimir – Célestin – Césaire – Clément – Clet – Colomban – Côme – Conrad – Constant – Cuthbert – Cyprien – Damase – Damien – Didace – Dollard – Éleuthère – Éloi – Elphège – Épiphane – Eusèbe – Eustache – Évariste – Fabien – Faustin – Ferréol – Fidèle – Flavien – Fortunat – Fulgence – Germain – Gervais – Gilbert – Grégoire – Hilaire – Hilarion – Hippolyte – Hubert – Hyacinthe – Ignace – Irénée – Isidore – Janvier – Jérôme – Joachim – Jovite – Jude – Just – Juste – Justin – Lambert – Lazare – Léandre – Léonard – Liboire – Liguori – Lin – Ludger – Magloire – Majorique – Malachie – Malo – Médard – Méthode – Modeste – Nazaire – Nérée – Nicéphore – Norbert – Ours – Pacôme – Paulin – Philémon – Philibert – Pie – Placide – Polycarpe – Prosper – Raphaël – Rémi – Romuald – Sévère – Séverin – Sixte – Sulpice – Sylvère – Sylvestre – Tharcisius – Thuribe – Tite – Ubalde – Urbain – Valentin – Valère – Valérien – Vallier – Venant – Vianney – Viateur – Wenceslas – Zéphirin – Zotique.

Abitibi-Témiscamingue

Saint-Lambert (Abitibi-Ouest)

Bas-Saint-Laurent

Mont-Carmel (Kamouraska)
Saint-Agricole (La Matapédia)
Saint-Anaclet-de-Lessard (Rimouski-Neigette)

Saint-Arsène (Rivière-du-Loup)
Saint-Athanase (Témiscouata)
Saint-Clément (Les Basques)
Saint-Cyprien (Rivière-du-Loup)
Saint-Damase (La Matapédia)
Saint-Éleuthère (Témiscouata)
Saint-Éloi (Les Basques)
Saint-Épiphane (Rivière-du-Loup)
Saint-Eusèbe (Témiscouata)
Saint-Fabien (Rimouski-Neigette)
Saint-Fabien-sur-Mer (Rimouski-Neigette)
Saint-Germain (Kamouraska)
Saint-Hubert (Rivière-du-Loup)
Saint-Jérôme-de-Matane (Matane)
Saint-Juste-du-Lac (Témiscouata)
Saint-Léandre (Matane)
Saint-Médard (Les Basques)
Saint-Modeste (Rivière-du-Loup)
Saint-Raphaël-d'Albertville (La Matapédia)
Saint-Tharcisius (La Matapédia)
Saint-Valérien (Rimouski-Neigette)
Saint-Vianney (La Matapédia)

Centre-du-Québec

Norbertville (Arthabaska)
Saint-Bonaventure (Drummond)
Saint-Célestin (Nicolet-Yamaska)
Saint-Christophe-d'Arthabaska (Arthabaska)
Saint-Damase (Les Maskoutains)
Saint-Elphège (Nicolet-Yamaska)
Saint-Germain-de-Grantham (Drummond)
Saint-Joachim-de-Courval (Drummond)
Saint-Léonard-d'Aston (Nicolet-Yamaska)
Saint-Majorique-de-Grantham (Drummond)
Saint-Nicéphore (Drummond)
Saint-Norbert-d'Arthabaska (Arthabaska)
Saint-Pie-de-Guire (Drummond)
Saint-Raphaël-Partie-Sud (Nicolet-Yamaska)
Saint-Rémi-de-Tingwick (Arthabaska)
Saint-Sylvère (Bécancour)
Saint-Valère (Arthabaska)
Saint-Wenceslas (Nicolet-Yamaska)
Saint-Zéphirin-de-Courval (Nicolet-Yamaska)
Vianney (L'Érable)

Chaudière-Appalaches

Arthurville (Bellechasse)
Aubert-Gallion (Beauce-Sartigan)
Cap-Saint-Ignace (Montmagny)
Saint-Adalbert (L'Islet)
Saint-Agapit (Lotbinière)
Saint-Anselme (Bellechasse)
Saint-Apollinaire (Lotbinière)
Saint-Aubert (L'Islet)
Saint-Camille-de-Lillis (Les Etchemins)
Saint-Côme-de-Kennebec (Beauce-Sartigan)
Saint-Cyprien (Les Etchemins)
Saint-Damase (L'Islet)
Saint-Damien (Bellechasse)
Saint-Évariste-de-Forsyth (Beauce-Sartigan)
Saint-Fabien-de-Panet (Montmagny)
Saint-Flavien (Lotbinière)
Saint-Fortunat (Les Appalaches)
Saint-Gervais (Bellechasse)
Saint-Hilaire-de-Dorset (Beauce-Sartigan)
Saint-Isidore (La Nouvelle-Beauce)
Saint-Janvier-de-Joly (Lotbinière)
Saint-Just-de-Bretenières (Montmagny)
Saint-Lambert-de-Lauzon (La Nouvelle-Beauce)
Saint-Lazare (Bellechasse)
Saint-Magloire-de-Bellechasse (Les Etchemins)
Saint-Malachie (Bellechasse)

Saint-Nazaire-de-Dorchester (Bellechasse)
Saint-Nérée (Bellechasse)
Saint-Pacôme (L'Islet)
Saint-Philémon (Bellechasse)
Saint-Philibert (Beauce-Sartigan)
Saint-Prosper (Les Etchemins)
Saint-Raphaël (Bellechasse)
Saint-Romuald (Lévis)
Saint-Séverin (Robert-Cliche)
Saint-Sylvestre (Lotbinière)
Saint-Vallier (Bellechasse)

Côte-Nord

Baie-Saint-Ludger (Manicouagan)
Les Îlets-Jérémie (La Haute-Côte-Nord)

Estrie

Austin (Memphrémagog)
Omerville (Memphrémagog)
Piopolis (Le Granit)
Saint-Camille (Asbestos)
Saint-Grégoire-de-Greenley (Le Val-Saint-François)
Saint-Isidore d'Auckland (Le Haut-Saint-François)
Saint-Ludger (Le Granit)
Saint-Malo (Le Haut-Saint-François)
Saint-Venant-de-Hereford (Coaticook)

Gaspésie–Îles-de-la-Madeleine

Bonaventure (Bonaventure)
Léonard-de-Matapédia (Avignon)
L'Île-du-Havre-Aubert (Îles-de-la-Madeleine)
Saint-Conrad (Avignon)
Saint-Isidore-de-Gaspé (Le Rocher-Percé)

Lanaudière

Saint-Ambroise-de-Kildare (Joliette)
Saint-Barthélémy (D'Autray)
Saint-Calixte (Montcalm)
Saint-Côme (Matawinie)
Saint-Cuthbert (D'Autray)
Saint-Damien (Matawinie)
Saint-Didace (D'Autray)
Saint-Ignace-de-Loyola (D'Autray)
Saint-Liguori (Montcalm)
Saint-Lin (Montcalm)
Saint-Norbert (D'Autray)
Saint-Sulpice (L'Assomption)
Saint-Viateur (D'Autray)
Sault-Saint-Lin (Montcalm)

Laurentides

Saint-Canut (Mirabel)
Saint-Colomban (La Rivière-du-Nord)
Saint-Eustache (Deux-Montagnes)
Saint-Faustin (Les Laurentides)
Saint-Hippolyte (La Rivière-du-Nord)
Saint-Jérôme (La Rivière-du-Nord)
Saint-Jovite (Les Laurentides)
Saint-Placide (Deux-Montagnes)

Mauricie

Saint-Adelphe (Mékinac)
Saint-Barnabé (Maskinongé)
Saint-Boniface (Maskinongé)
Saint-Justin (Maskinongé)
Saint-Paulin (Maskinongé)
Saint-Prosper (Francheville)
Saint-Sévère (Maskinongé)
Saint-Séverin (Mékinac)
Saint-Tite (Mékinac)

Montérégie

Athelstan (Le Haut-Saint-Laurent)
Calixa-Lavallée (Lajemmerais)

Mont-Saint-Grégoire
(Le Haut-Richelieu)
Mont-Saint-Hilaire
(La Vallée-du-Richelieu)
Saint-Anicet (Le Haut-Saint-Laurent)
Saint-Athanase (Le Haut-Richelieu)
Saint-Barnabé-Sud (Les Maskoutains)
Saint-Basile-le-Grand
(La Vallée-du-Richelieu)
Saint-Césaire (Rouville)
Saint-Clet (Vaudreuil-Soulanges)
Saint-Constant (Roussillon)
Saint-Cyprien-de-Napierville
(Les Jardins-de-Napierville)
Saint-Grégoire-le-Grand
(Le Haut-Richelieu)
Saint-Hubert (Champlain)
Saint-Hyacinthe (Les Maskoutains)
Saint-Hyacinthe-le-Confesseur
(Les Maskoutains)
Saint-Ignace-de-Stanbridge
(Brome-Missisquoi)
Saint-Isidore (Roussillon)
Saint-Joachim-de-Shefford
(La Haute-Yamaska)
Saint-Jude (Les Maskoutains)
Saint-Lambert (Longueuil)
Saint-Lazare (Vaudreuil-Soulanges)
Saint-Liboire (Les Maskoutains)
Saint-Malachie
(Le Haut-Saint-Laurent)
Saint-Nazaire-d'Acton (Acton)
Saint-Ours (Le Bas-Richelieu)
Saint-Pie (Les Maskoutains)
Saint-Polycarpe (Vaudreuil-Soulanges)
Saint-Rémi (Les Jardins-de-Napierville)
Saint-Urbain-Premier
(Beauharnois-Salaberry)
Saint-Valentin (Le Haut-Richelieu)
Saint-Valérien-de-Milton
(Les Maskoutains)
Saint-Zotique (Vaudreuil-Soulanges)

Montréal

Dollard-des-Ormeaux (Montréal)
Saint-Léonard (Montréal)

Nord-du-Québec

Baie-James (Jamésie)

Outaouais

Saint-Sixte (Papineau)

Capitale-Nationale

Saint-Achillée (La Côte-de-Beaupré)
Saint-Alban (Portneuf)
Saint-Basile (Portneuf)
Saint-Basile-Sud (Portneuf)
Saint-Casimir (Portneuf)
Saint-Ferréol-les-Neiges
(La Côte-de-Beaupré)
Saint-Gilbert (Portneuf)
Saint-Hilarion (Charlevoix)
Saint-Irénée (Charlevoix-Est)
Saint-Joachim (La Côte-de-Beaupré)
Saint-Léonard-de-Portneuf (Portneuf)
Saint-Thuribe (Portneuf)
Saint-Tite-des-Caps (La Côte-de-Beaupré)
Saint-Ubalde (Portneuf)
Saint-Urbain (Charlevoix)

Saguenay–Lac-Saint-Jean

Saint-Ambroise (Le Fjord-du-Saguenay)
Saint-Fulgence (Le Fjord-du-Saguenay)
Saint-Ludger-de-Milot (Lac-Saint-Jean)
Saint-Méthode (Le Domaine-du-Roy)
Saint-Nazaire (Lac-Saint-Jean-Est)

Le prénom Édouard a été illustré au Québec par le journaliste et homme politique Joseph-Édouard Cauchon (1816-1885), par Mgr Édouard-Charles Fabre (1827-1896), premier archevêque de Montréal en 1886, par l'universitaire Édouard Montpetit (1881-1954) et par le sportif Édouard « Newsy » Lalonde (1887-1970), joueur de crosse et de hockey. Édouard-Zotique Massicotte (1867-1947) était un historien et un archiviste de Montréal.

Le prénom Édouard a aussi laissé sa marque sur le territoire québécois, où l'on compte cinq villages baptisés Saint-Édouard, dont les trois plus anciens se situent près de Napierville (fondé en 1829), en Beauce (1858) et près de Lotbinière (vers 1860). À Montréal, on relève un parc Saint-Édouard, une rue Saint-Edward, et deux paroisses, l'une rue de Saint-Vallier, fondée en 1895, l'autre à Pointe-Claire, fondée en 1969 et dédiée à *St. Edward the Confessor*, celui-là même qui fut au XIe siècle à l'origine du prénom. Un retour aux sources, en quelque sorte.

ÉLIE

Discret au cours du XIXe siècle, légèrement plus visible dans la première moitié.
Prénom du voisinage : ÉLISÉE.

Ce prénom nous vient de l'Ancien Testament et du mot hébreu *Eliyah* (ou *Eliyaou*), qui veut dire « Yahvé est mon Dieu ». Élie, prophète d'Israël qui vécut au IXe siècle av. J.-C., fut « l'un des personnages les plus populaires de la Bible », selon le *Dictionnaire culturel de la Bible*. Sa vie ne devait pas être banale. En tout cas, sa fin ne le fut pas : Élie s'éleva au ciel sur un char de feu. Une « ascension » qui fit de lui une préfiguration de Jésus. Il avait un disciple du nom d'Élisée, prénom également connu au Québec, mais plus rare.

Courant dans les familles juives, comme en témoignent à notre époque les Prix Nobel Elie Wiesel (né en 1928) et Elias Canetti (1905-1994), et, en Israël, le célèbre espion Eli Cohen (1924-1965), le prénom est aussi porté chez les chrétiens. En Italie, il devient Elio et en Russie, Ilya. Le metteur en scène américain Elia Kazan (1909-2003) naquit en Turquie d'un père grec. En Angleterre, où Élie prit diverses formes – Elias, Eliot, Elijah –, il ne fut pas aussi courant que d'autres prénoms bibliques. En tout cas, parmi les anglo-protestants du XIXe siècle au Québec, il fut rarissime (un Elias, trois Eliot et un Eli).

En France, au XIXe siècle, il se situait au-delà du 50e rang et fut illustré par l'ethnologue Élie Reclus (1827-1904) et par son neveu, l'historien de l'art Élie Faure (1873-1937). Élie Reclus était le frère du géographe Élisée Reclus (1830-1905).

En Nouvelle-France, Élie fut le cinquième prénom biblique, assez loin derrière Benjamin. Au Québec, au XIXe siècle, il était le troisième de ces prénoms, après Moïse et David. Soulignons que, sauf Moïse, les prénoms bibliques les plus courants au Québec au XIXe siècle sont aussi connus comme patronymes.

Dans notre vie politique, le prénom fut illustré par les conseillers législatifs Jean-Élie Gingras (1804-1891) et Georges-Élie Amyot (1856-1930), et par le sénateur Élie Beauregard (1884-1954). Plus récemment, il fut porté par Élie Fallu (né en 1932), député, ministre à Québec et maire de Sainte-Thérèse de 1987 à 2005. En patronyme, il fut illustré par l'homme d'affaires Joseph Élie et par l'écrivain Robert Élie (1915-1973). Élisée fut illustré par les conseillers législatifs Élisée Dionne (1828-1892) et Élisée Thériault (1884-1958).

Deux villages portent sa marque, Saint-Élie-de-Caxton (Mauricie), fondé en 1865, et Saint-Élie-d'Orford (Estrie), qui date de la fin du XIXe siècle. Si on les connaît aujourd'hui, c'est beaucoup grâce aux poèmes d'Alfred DesRochers (1901-1978) et aux contes de Fred Pellerin (né en 1976). En redonnant vie aux personnages et aux paysages de leur coin de pays, ces artistes nous rendent une partie de notre imaginaire collectif.

Elzéar

Présent, mais discret, tout au long du XIXe siècle.
Prénom du voisinage : Lazare.

Voilà un prénom qu'on n'entend plus beaucoup dans nos cours d'école et qui aujourd'hui fait vieux jeu. Pour en retrouver l'origine, il faut aller en Provence, près d'Apt, au château d'Ansouis. Là vivait au XIIIe siècle une famille de la noblesse locale dans laquelle un des fils, né en 1285 et se prénommant Elzéar, hérita un jour d'un comté en Italie et se mit au service du roi de Naples et de ses enfants, dont il devint le précepteur. Il épousa Delphine de Signe, avec qui il vécut une vie de charité et de chasteté chrétiennes. Mort en 1323, il fut canonisé en 1369, et nous le connaissons sous le nom de saint Elzéar de Sabran.

Cela dit, le prénom Elzéar a une origine beaucoup plus lointaine, qui remonte aux temps bibliques et au prénom Élazar (Éléazar). Plusieurs personnages l'ont porté à diverses époques. Il y eut un Éléazar, fils d'Aaron et neveu de Moïse ; un lieutenant du roi David ; un frère de Judas Maccabée, qui fut martyrisé sous Antiochos IV Épiphane en raison de sa foi juive. C'est ce prénom qui, par évolution phonétique, donna notre Elzéar (ainsi que Lazare, rarissime), tout en se maintenant tel quel dans les milieux juifs d'Europe et, au XVIIe siècle, dans les milieux puritains de l'Angleterre. Plus près de nous, on remarque un Eleazar de Carvalho (1912-1996), compositeur et chef d'orchestre brésilien. Le prénom Éliézer vient de la même source et fut illustré par Éliézer Ben Yehoudah (1858-1922), grand responsable de la renaissance de l'hébreu moderne en Israël.

Le prénom Elzéar a toujours été rarissime en France, sauf peut-être en Provence. C'est à peine si la chronique du XVIIe siècle nous apprend l'existence d'un Elzéar de Sade parmi les ancêtres du célèbre marquis. Dans ses recherches sur le XIXe siècle, Dupâquier n'a trouvé que d'infimes traces de ce prénom, tandis que le *Larousse* n'en fait nulle mention.

On ne s'étonnera donc pas qu'il ait été presque invisible à l'époque de la Nouvelle-France (huit mentions seulement au PRDH). Mais il fut présent tout au long du XIXe siècle au Québec, représentant, bon an, mal an, 0,5 % des prénoms. Sa meilleure décennie : 1840, au 15e rang, avec 1 % de représentation.

Dans notre toponymie, nous connaissons trois villages baptisés Saint-Elzéar : un en Beauce (fondé en 1855), un dans le Témiscouata (1931) et un autre en Gaspésie (1924). Une paroisse de ce nom, établie sur l'île Jésus en 1901, est aujourd'hui un quartier de Laval.

Tout vieux jeu qu'il nous apparaisse aujourd'hui, ce prénom fut illustré par des personnages qui furent des pionniers à leur époque. Premier élu de Dorchester au Parlement de Québec en 1792 : Gabriel-Elzéar Taschereau (1745-1809). Premier maire de Québec en 1833 : Elzéar Bédard (1799-1849). Premier cardinal canadien de l'Église catholique en 1886 : Elzéar-Alexandre Taschereau (1820-1898), archevêque de Québec. Premier Canadien français juge en chef de la Cour suprême en 1902 : Henri-Elzéar Taschereau (1836-1911). Premier évêque du diocèse de Regina en 1911 : Olivier-Elzéar Mathieu (1853-1929).

Le prénom fut aussi illustré par le capitaine Joseph-Elzéar Bernier (1852-1934), un des grands explorateurs de l'Arctique. Un brise-glace de la Garde côtière canadienne, le *J. E. Bernier*, a été baptisé ainsi en son honneur.

ÉMILE

Prénom marquant de la fin du XIXe siècle et du début du XXe.
Un certain retour à la fin du XXe siècle.
Prénoms du voisinage: CHARLES-ÉMILE, ÉMILIEN, GEORGES-ÉMILE, PAUL-ÉMILE.
Prénoms féminins: ÉMÉLIA, ÉMÉLIE, ÉMÉLINA, ÉMILIA, ÉMILIANNA, ÉMILIE, ÉMILIENNE, EMMELINE.

Pour trouver l'origine de ce nom, il faut remonter à l'époque romaine et au latin Aemilius (Aemilia pour les filles). Ces noms avaient aussi des dérivés dont nous avons tiré Émilien, Émilienne et Émilion (connu de tous les amateurs de vins de Bordeaux). À Rome, il y eut bien un empereur Émilien au IIIe siècle, mais son règne fut éphémère. Les marques laissées par ces prénoms sur les cartes géographiques furent toutefois plus durables. Par exemple, la *via Aemilia* (ou voie émilienne), route romaine construite au Ier siècle av. J.-C., laissa son nom à la province d'Émilie, au nord de l'Italie. Répandus autour de la Méditerranée dès les premiers siècles de la chrétienté, ces prénoms furent portés par plusieurs saints, dont un saint Émile martyrisé à Carthage (Tunisie actuelle) au IIIe siècle, et un saint Émilien qui vécut en Espagne au VIIe siècle. Avant eux, il y eut Émilie de Lyon, morte martyre en 177.

La *via Aemilia* menait vers le nord, mais pas assez loin, semble-t-il, car ni Émile ni Émilien ne sont connus en Angleterre. Ils sont absents de l'*Oxford*, mais Emily s'y trouve parmi les prénoms féminins. Ces prénoms n'étaient pas beaucoup plus connus chez les anglo-protestants du Québec au XIXe siècle: je n'ai trouvé qu'un Emil et qu'un Charles Aemilius parmi les 7700 noms relevés au cimetière protestant.

En France, ce prénom «fort peu employé avant le XVIIe siècle», nous dit le *Larousse*, fut «surtout apprécié à partir du XVIIIe siècle». Pensons à Jean-Jacques Rousseau et à son fameux *Émile ou De l'éducation*, publié en 1762. Cela dit, le prénom était devenu assez courant au XIXe siècle (autour du 15e rang) et au début du XXe. Il fut illustré, dans les lettres, par Émile Littré (1801-1881), Émile Zola (1840-1902) et Émile Durkheim (1858-1917). En politique, il fut porté par Émile Combes (1835-1921), président du Conseil au début du XXe siècle, et par Émile Loubet (1838-1929), président de la République de 1899 à 1906, qui ont tous deux fortement contribué à définir la laïcité telle qu'on l'entend en France.

Ailleurs en Europe, nous connaissons Émile Verhaeren (1855-1916), écrivain flamand de langue française, Emil Cioran (1911-1995), philosophe et écrivain roumain d'expression française, Emil Zatopek (1922-2000), coureur de fond tchécoslovaque détenteur de quatre titres olympiques (un en 1948 et trois en 1952 à Helsinki), Emil Nolde (1867-1956), peintre allemand, et Emil Jannings (1884-1950), comédien allemand, vedette du film *L'Ange bleu* (1930).

Par ailleurs, l'ingénieur Emil Berliner (1851-1929), né à Hanovre et ayant émigré aux États-Unis, qui inventa le gramophone, vint s'installer à Montréal vers 1900. L'entreprise qu'il fonda à Saint-Henri, la Berliner Gram-o-phone, devint la RCA Victor. Le parc Émile-Berliner à Saint-Henri a été nommé en son honneur.

Inconnu en Nouvelle-France (le PRDH ne relève que deux Émile, et aucun Émilien), Émile n'entra dans les usages au Québec qu'à partir du milieu du XIXe siècle. Quinzième en 1860 et septième en 1880, il se hissa au 4e rang en 1890 avec plus de 3 % des prénoms. Il poursuivit sur cette lancée au début du XXe siècle et se maintint au sommet grâce au composé Paul-Émile. Ses quatre décennies de succès chevauchent donc les deux siècles. Après des décennies de déclin et des années de silence, Émile connaît un certain regain de vitalité depuis les dernières années du XXe siècle (voir **Pouponnières, garderies et maternelles,** p. 176).

Il fut illustré dans nos lettres par le poète Émile Nelligan (1879-1941), dont le nom a été donné à une fondation et à un important prix littéraire. Il fut porté par l'abbé Charles-Émile Gadbois (1906-1981), fondateur de La Bonne Chanson, une société d'édition et de diffusion de la chanson française et canadienne ; par le comédien Émile Genest (1921-2003) ; et par le hockeyeur Émile « Butch » Bouchard (né en 1919). Émile Ollivier (1940-2002) était un écrivain montréalais d'origine haïtienne. Il fut également illustré en prénoms composés par le cardinal Paul-Émile Léger (1904-1991), par le peintre Paul-Émile Borduas (1905-1960) et par l'homme politique Georges-Émile Lapalme (1907-1985). Émilien Lafrance (1911-1977) fut député et ministre à Québec.

Saint-Émile est incorporée à la nouvelle ville de Québec depuis 2002. L'origine de ce toponyme remonte au début du XXe siècle. Quelques paroisses portent toujours ce nom, ainsi que plusieurs rues et parcs à Montréal et ailleurs. Signalons qu'Émile Nelligan est présent dans la toponymie de plusieurs villes du Québec. Pour sa part, Émilie a été à l'origine du nom de deux villages, mais le plus ancien, Sainte-Emmélie-de-Lotbinière, s'appelle Leclercville depuis 2000. Seul demeure aujourd'hui Sainte-Émélie-de-l'Énergie (l'ancienne paroisse de Sainte-Emmélie-de-l'Énergie), village fondé en 1884 au nord-ouest de Saint-Jean-de-Matha. Au Lac-Saint-Jean, l'ancien village de Saint-Émilien, fondé en 1926, s'appelle Desbiens depuis 1960.

ÉPHREM

Prénom discret du XIXe siècle.

L'origine de ce prénom remonte à l'Ancien Testament et au prénom Éphraïm, qui était le nom d'un des fils de Joseph et d'une des 12 tribus d'Israël.

Connu depuis l'Antiquité et usité par les divers peuples de la région, ce prénom allait se retrouver dans l'usage des premiers chrétiens. Un saint qui vécut à Nisibie (aujourd'hui Nusaybin en Turquie), sa ville natale, et plus tard à Édesse (aujourd'hui Urfa en Turquie), est vénéré sous le nom de saint Éphrem le Syrien (306-373), ou Éphrem le Syriaque. On le surnomme « la lyre du Saint-Esprit » en raison des hymnes religieux qu'il composa. Rome le reconnut pour docteur de l'Église en 1920, l'année où la Syrie est apparue comme entité politique distincte. Est-ce un hasard ? Naturellement, ce saint occupe une grande place dans le culte des chrétiens de Syrie et du Proche-Orient en général. À Paris, dans le Ve arrondissement, l'église de Saint-Éphrem-le-Syriaque lui est dédiée.

Le prénom Éphraïm est demeuré courant dans les familles juives, soit sous sa forme d'origine – un président d'Israël des années 1970 s'appelait Éphraïm Katzir –, soit sous une autre forme, comme en témoignent le violoniste russe Efrem Zimbalist (1890-1985) et son fils Efrem Zimbalist fils, acteur américain né en 1918.

Le prénom fut également porté dans des familles chrétiennes. En Angleterre, celui qui donna son nom à une encyclopédie qui « fut rapidement célèbre » (*Le Robert des noms propres*), s'appelait Ephraim Chambers (1680-1740). En Allemagne, l'écrivain Lessing (1729-1781) se prénommait Gotthold Ephraim. Plus près de notre époque, le Guatemala a connu, de 1982 à 1983, un dictateur militaire appelé José Efrain Rios Montt (né en 1926).

En France, où le nom s'écrit Éphrem, il a toujours été « rarissime », selon le *Larousse* qui lui consacre néanmoins un article. Dans son étude sur les prénoms en France au XIXe siècle, Dupâquier n'a relevé qu'une poignée d'Éphrem.

En Nouvelle-France, il fut pour ainsi dire inexistant (huit mentions au PRDH). Au Québec, au XIXe siècle, il est demeuré des plus discrets et se situait au 6e rang des prénoms issus de l'Ancien Testament, après Moïse, David, Élie, Benjamin et Israël.

Il fut porté par Éphrem Huette, maire de Saint-Bruno-de-Montarville de 1903 à 1906, et par l'avocat et homme politique Joseph-Éphraïm Bédard (1887-1940), député du comté de Québec de 1927 à 1934. Cela dit, si ce prénom sorti de l'usage depuis longtemps demeure « familier » à nos oreilles, c'est grâce au personnage d'Éphrem Laperle créé par l'humoriste Marcel Gamache pour le feuilleton télévisé *Symphorien,* diffusé de 1970 à 1977, dans lequel Éphrem (interprété par Fernand Gignac) était le frère de Symphorien (Gilles Latulippe).

Éphrem s'est trouvé une place dans notre toponymie grâce à deux villages fondés au milieu du XIXe siècle, l'un en Beauce (Saint-Éphrem) et l'autre en Montérégie (Saint-Éphrem-d'Upton). En outre, deux paroisses lui ont été dédiées, l'une à Stanstead, l'autre dans la municipalité de Baie-James, à 40 kilomètres au nord de La Sarre. Plus récemment, dans les années 1970, des catholiques de rite syriaque ont fondé à Laval une paroisse du nom de Saint-Éphrem. Ainsi, un prénom né en Orient, que l'on croyait disparu, retrouve vie parmi nous grâce à l'immigration venue d'Orient.

ÉRIC

Prénom important de la seconde moitié du XXe siècle.
Un médaillé d'or des années 1970.
Deux graphies : ÉRIC, ÉRIK.

Ce prénom d'origine germanique vient plus précisément de Scandinavie. Il s'écrit Eirik en Norvège, et Erik (ou Eric) ailleurs. Son sens étymologique de « maître absolu » fut abondamment illustré dans l'histoire de ces pays qui ont connu une trentaine de souverains de ce nom, entre les IVe et XIXe siècles. Éric IX, qui régna au milieu du XIIe siècle, fut reconnu saint patron de la Suède catholique. Au Xe siècle, Erik le Rouge (v. 940-v. 1010), de son vrai nom Eirik Thorvaldson, qui n'était pas roi mais marin et explorateur, fonda le premier établissement d'Européens au Groenland.

Le prénom Éric était si fortement identifié à la Scandinavie que les autres pays, même germaniques, tardèrent à se l'approprier. En Allemagne, où il prit la forme d'Erich (Erika au féminin), il fut illustré au cours de la Première Guerre mondiale par le général Erich Ludendorff (1865-1937) et, pendant la Seconde Guerre mondiale, par l'aviateur Erich Hartmann (1922-1993), un as de la Luftwaffe. L'écrivain Erich Maria Remarque (1898-1970), qui avait connu la guerre des tranchées, en tira un célèbre roman pacifiste, *À l'ouest rien de nouveau,* paru en 1929 et porté à l'écran en 1930. Pour sa part, l'acteur autrichien Erich von Stroheim (1885-1957) préféra « jouer » à la guerre, personnifiant au cinéma des « têtes de Boches », notamment dans *La grande illusion* de Jean Renoir en 1937. Plus près de nous,

Erich Honecker (1912-1994) dirigea la République démocratique allemande (RDA) de 1971 à 1989, retranché derrière le mur de Berlin.

Le prénom Éric avait été amené en Angleterre par les Danois au VIIIe siècle, mais ne s'y maintint pas. Il ne réapparut qu'assez tard au XIXe siècle. Il fut l'un des prénoms de naissance de l'écrivain anglais George Orwell (1903-1950) et il est illustré de nos jours par le musicien Eric Clapton (né en 1945). Chez les anglo-protestants du Québec au XIXe siècle, on ne le vit qu'à partir de 1880, avec à peine 0,1 % des prénoms. Il est actuellement représenté chez les anglophones par l'homme d'affaires Eric Molson et par l'avocat Eric Maldoff, qui fut président d'Alliance Québec. Natif de Montréal, Eric Kierans (1914-2004) fut ministre à Québec, puis à Ottawa.

En France, Éric était à peine visible dans le grand tableau des prénoms du XIXe siècle. Ce n'est que dans la seconde moitié du XXe siècle qu'il se fera remarquer : présent parmi les 20 premiers de 1958 à 1976, dont 15 fois parmi les 10 premiers, il atteignit le 3e rang – son meilleur résultat – au début des années 1960. Il est représenté dans les arts et les lettres par le compositeur Erik Satie (1866-1925) et par les écrivains Erik Orsenna (né en 1947) et Éric-Emmanuel Schmitt (né en 1960). Dans les sports, ce prénom est illustré par le navigateur Éric Tabarly (1931-1998) et par le rugbyman Éric Cantona (né en 1966). Le réalisateur Éric Rohmer (1920-2010), admirateur des prénoms féminins, nous a donné des films comme *Pauline à la plage*, *Ma nuit chez Maude* et *Le genou de Claire*.

En Nouvelle-France, on connaissait à peine le prénom Éric (deux petites mentions au PRDH). La situation était la même à CDN au XIXe siècle : pas un seul n'a été relevé. Il fut tout de même porté par l'homme politique Jean-Baptiste-Éric Dorion (1826-1866) qui, avec d'autres, fonda le village de L'Avenir en 1862. Peut-être Dorion annonçait-il ainsi des jours meilleurs pour son prénom.

Inconnu au XIXe siècle et jusque dans les années 1950, Éric jaillira si fortement à partir de 1960 qu'il atteindra le 1er rang et le conservera pendant neuf longues années, de 1972 à 1980 (son meilleur résultat : en 1969, 7 %), si bien qu'en l'an 2000 il se classait septième dans l'ensemble de la population. Ce prénom s'est fait connaître par l'historien Éric Bédard et par le chanteur Éric Lapointe (né en 1969), et dans les sports, par le boxeur Éric Lucas (né en 1971), par le joueur de baseball Éric Gagné (né en 1976) et par le patineur Éric Bédard (né en 1976), médaillé d'or à Nagano (1998) et à Salt Lake City (2002), d'argent à Turin (2006), de bronze à Nagano (1998). Lucas, Gagné, Bédard : puissance, précision, vitesse.

ERNEST

Prénom important du dernier tiers du XIXe siècle.
Prénom féminin : ERNESTINE.

C'est en Allemagne qu'on trouve l'origine de ce prénom qui vient du vieil allemand Ernust, devenu Ernst, lequel a donné notre Ernest. Et c'est en Allemagne que vécut au XIIe siècle le seul saint de ce nom, l'abbé Ernest de Zwiefalten, dont le culte, célébré localement, n'a toutefois pas été reconnu par l'Église. Dans les pays germaniques, quelques souverains, au XVIIe puis au XIXe siècle, portèrent le nom d'Ernest – ou d'Ernest Auguste. Signalons, en raison de leurs liens avec la famille royale britannique, Ernest Ier (1784-1844), duc de Saxe-Cobourg, qui était à la fois l'oncle et le beau-père de la reine Victoria ; Ernest II (1818-1893), également duc de Saxe-Cobourg, beau-frère de la reine ; Ernest Auguste (1771-1851), roi de Hanovre, fils du roi d'Angleterre George III ; et Ernest Louis (1868-1937), grand-duc de Hesse, petit-fils de la reine Victoria. Ernest s'est répandu dans les pays de langue allemande comme prénom (l'écrivain Ernst Jünger [1895-1998], le réalisateur de cinéma Ernst Lubitsch [1892-1947]) ou comme patronyme (l'écrivain Paul Ernst [1866-1933], le peintre Max Ernst [1891-1976]).

Comme quelques autres prénoms courants en Allemagne, Ernest commença à s'implanter en Angleterre au XVIIIe siècle, à la faveur des liens tissés entre les familles royales des deux pays, et il connut un certain succès dans la seconde moitié du XIXe siècle – succès moindre, toutefois, que celui de Georges ou même de Frédéric. Il fut illustré par l'homme politique anglais Sir Ernest Bevin (1881-1951) et par le chef d'orchestre canadien Sir Ernest MacMillan (1893-1973). Chez les anglo-protestants du Québec, le prénom se démarqua à compter de 1850, se classant pendant les décennies 1870, 1880 et 1890 autour du 15e rang. Chez nos voisins américains, il fut illustré par l'écrivain Ernest Hemingway (1899-1961) et par l'acteur Ernest Borgnine (né en 1917). Che Guevara (1928-1967), né en Argentine, se prénommait Ernesto.

En France, ce prénom a commencé à être en usage au XIXe siècle et il se situait globalement, nous dit le *Larousse*, au modeste 40e rang. Il fut représenté dans les lettres par Ernest Renan (1823-1892), par Ernest Lavisse (1842-1922) et par Ernest Psichari (1883-1914). Le chef d'orchestre Ernest Ansermet (1883-1969) était Suisse.

Totalement inconnu en Nouvelle-France (aucune entrée au PRDH) comme au Québec dans les premières décennies du XIXe siècle, il surgit tout d'un coup en

1850 (17e) et s'affirma au cours des trois dernières décennies du siècle – il fut deux fois 9e et une fois 10e. Son meilleur résultat : en 1890, avec 2,25 % des prénoms. Au XXe siècle, il ne cessa de décliner et disparut au cours des années 1940.

Ernest est absent des noms de nos villages, mais, en Gaspésie, on remarque la réserve écologique Ernest-Lepage, dans la Cascapédia, nommée en l'honneur d'un abbé botaniste québécois, et le mont Ernest-Laforce, près du mont Albert, qui rappelle le souvenir d'un grand colonisateur des années 1930, qui participa à la fondation de plus de 200 paroisses rurales. Outre ces deux noms, Ernest fut illustré à Québec par le journaliste Ernest Pacaud (1850-1904), fondateur et directeur du *Soleil*, et par Joseph-Ernest Grégoire (1886-1980), maire de Québec et député à l'Assemblée législative. À Montréal, il fut porté par Léo-Ernest Ouimet (1877-1972), pionnier du cinéma et créateur en 1906 du Ouimetoscope, le premier cinéma de la ville, et par l'architecte Ernest Cormier (1885-1980), qui dessina les plans de l'Université de Montréal. Ernest Lapointe (1876-1941) était député et ministre à Ottawa, alors qu'Ernest Pallascio-Morin (1909-1998) était journaliste et écrivain.

Étienne et Stéphane

Le premier est plus ancien au Québec, mais le second fut un médaillé d'or des années 1960.
Deux graphies : Stéphan, Stéphane.
Prénoms du voisinage : Stephen, Steve, Steven.
Prénom féminin : Stéphanie.

Pourquoi parler d'Étienne et de Stéphane dans une même entrée ? Parce qu'ils ont la même origine (le latin *stephanus*, du grec *stephanos*, qui signifie « couronné ») et qu'ils partagent les mêmes justifications canoniques : les saints patrons d'Étienne (le martyr du Ier siècle, le pape du IIIe) furent aussi les saints patrons de Stéphane.

En France et dans les pays francophones, ils sont deux – sans compter un parent proche, Estèphe, que tous les amateurs de vins de Bordeaux connaissent bien. Mais, en Espagne, il n'y en a qu'un, Esteban, comme en Hongrie, Istvan, comme en Pologne et dans les pays germaniques, Stefan, illustré par le roi Stefan Batory (connu en français sous le nom d'Étienne Ier Báthory [1533-1586]) et par l'écrivain autrichien Stefan Zweig (1881-1942). En Angleterre, le prénom existe sous trois formes : Stephen, Steven et Steve (le plus récent). Chez les anglo-protestants du Québec au XIXe siècle, où le prénom était connu mais peu usité, tous avaient la forme Stephen. C'est cette forme que porte l'actuel premier ministre du Canada, Stephen Harper (né en 1959). Quant à l'ancien premier ministre Louis Stephen Saint-Laurent (1882-1973), il avait été baptisé Louis-Étienne.

En français, Étienne est apparu bien avant Stéphane – dès le Xe siècle, selon le *Larousse*. Au XIXe siècle en France, Étienne se situait au très visible 17e rang, alors que Stéphane était encore à peine connu, à 2 % du poids d'Étienne. Il avait été illustré au XVIe siècle par l'écrivain Étienne de La Boétie (1530-1563). Le poète français de la fin du XIXe siècle, Stéphane Mallarmé (1842-1898), se prénommait en fait Étienne. De toute évidence, il avait compris que ces deux prénoms, apparemment distincts, avaient la même origine et le même sens.

Cette situation s'est reflétée de ce côté-ci de l'Atlantique. En Nouvelle-France, le prénom Stéphane était pratiquement inconnu (une seule mention au PRDH), tandis qu'Étienne trônait au 13e rang (3100 mentions), connaissant de belles illustrations : Étienne Brûlé (v. 1591-v. 1633), explorateur et interprète en langue huronne ; Étienne Montgolfier (1712-1791), supérieur des sulpiciens de Montréal. Dès 1692 apparaissait sur nos cartes Saint-Étienne-de-Beaumont (aujourd'hui Beaumont), près de Lévis. En outre, un hameau et sept paroisses prendront le nom de Saint-Étienne. Et quatre autres lieux s'ajouteront vers le milieu du XIXe siècle : près de Trois-Rivières, en Estrie, dans la région de Chaudière et près de Beauharnois.

Au Québec, au XIXe siècle, même portrait, du moins à CDN : Stéphane est inconnu ; seul Étienne est présent, mais il se fait discret dans la seconde moitié du siècle (son meilleur score : en 1820, 20e, avec 1 % de représentation). Il n'en fut pas moins brillamment illustré dans l'enseignement par Étienne Champagneur (1808-1892), clerc de Saint-Viateur et fondateur du collège de Joliette (une rue de Montréal rappelle son souvenir) ; dans le journalisme politique par Étienne Parent (1802-1874) ; dans le sport par Étienne Desmarteau (1873-1905), premier Québécois à gagner une médaille (l'or, au lancer du poids) aux Jeux olympiques de Saint-Louis en 1904. Une rue, un parc et un centre sportif de Montréal rappellent sa mémoire. L'architecte Eugène-Étienne Taché (1836-1912) dessina en 1883 les plans de l'édifice du Parlement de Québec et fit graver au-dessus de la porte centrale ce qui deviendra la devise du Québec : « Je me souviens. »

Mais c'est à l'histoire du Canada et de son organisation politique que le prénom Étienne doit ses plus grandes illustrations : Étienne-Paschal Taché (1795-1865), deux fois premier ministre du Canada-Uni, et George-Étienne Cartier (1814-1873), l'un des Pères de la Confédération de 1867.

Dans la seconde moitié du xxe siècle, le prénom Étienne a retrouvé un peu de sa splendeur ancienne et il se maintient depuis le début du xxie siècle (voir **Pouponnières, garderies et maternelles,** p. 176), alors que Stéphane a surgi au grand jour et est même devenu pendant cinq ans le prénom masculin le plus populaire, de 1966 à 1970, avec, à son sommet, 10 % de représentation. Si bien qu'en 2000, il occupait le 16e rang dans l'ensemble de la population. Si on y ajoutait tous les Steve, son diminutif anglophone qui atteignit 3 %, ce prénom serait au 4e rang, derrière Michel, Pierre et André – très loin devant Étienne, au 86e rang. Nous connaissons Stéphan Bureau (né en 1964) dans les médias, Stéphane Rousseau (né en 1966) sur scène, Stéphane Dion (né en 1955) en politique. N'oublions pas Stéphane Venne (né en 1941), l'auteur-compositeur à qui l'on doit les chansons *Le début d'un temps nouveau, Le temps est bon* et *Demain nous appartient,* ni Stefie Shock (né en 1969), qui s'appelle en fait Stéphane Caron. Quant aux variantes, elles sont représentées par les chanteurs Steve Fiset (né en 1946) et Stephen Faulkner (né en 1954) et par Steven Guilbeault (né en 1970) un leader du mouvement environnementaliste.

Eugène

Une présence constante au xixe siècle,
qui se maintint dans les premières années du xxe.
Prénoms du voisinage : Charles-Eugène, Paul-Eugène, Pierre-Eugène.
Prénoms féminins : Eugénia, Eugénie.

L'origine de ce prénom remonte au grec ancien *eugenios,* « de bonne naissance », et à sa traduction latine *eugenius.* Il sera porté sur les rives de la Méditerranée, chez les premiers chrétiens notamment, parmi lesquels on compte bon nombre de saints et de martyrs de ce nom – sans oublier sainte Eugénie de Rome, qui vécut au iiie siècle. Un pape du viie siècle, saint Eugène Ier, contribua à répandre ce nom dans les pays latins. Trois autres papes choisiront ce nom aux ixe, xiie et xve siècles. Plus près de nous, le cardinal italien Eugenio Pacelli (1876-1958) devint pape en 1939 sous le nom de Pie XII.

Peu usité en Angleterre, ce prénom fut plus populaire dans les pays germaniques et en Russie. Dans ce dernier pays, il inspira à Pouchkine son roman *Eugène Onéguine,* puis à Tchaïkovski son opéra. Evguéni Evtouchenko est un poète né en 1933.

En Europe occidentale, deux noms ressortent qui ont contribué à le diffuser. D'abord le prince Eugène de Savoie-Carignan (1663-1736), grand soldat, Français de naissance qui, s'étant mis au service de l'empereur d'Autriche, remporta de brillantes victoires, contre les Turcs notamment – « l'un des plus grands hommes de guerre de l'histoire », dit *Le Robert*, et la *Britannica* n'est pas moins élogieuse. Puis, au XIXe siècle, du côté des femmes, l'impératrice Eugénie (née Eugenia en Espagne en 1826, morte en 1920), l'épouse de Napoléon III, qui joua un rôle important auprès de son époux de 1855 à 1870.

En France, nous dit le *Larousse*, Eugène se situait, pour l'ensemble du XIXe siècle, autour du 10e rang, s'inscrivant au tableau des dix premiers pendant trois décennies (1850, 1860, 1880). De son côté, Eugénie occupa sensiblement le même rang à partir de 1870. L'ont illustré à l'époque le peintre Eugène Delacroix (1798-1863) et les écrivains Eugène Fromentin (1820-1876), Eugène Sue (1804-1857) et Eugène Labiche (1815-1888). L'auteur des paroles de *L'Internationale* en 1871 s'appelait Eugène Pottier (1816-1887). Nous connaissons aussi l'auteur dramatique français d'origine roumaine Eugène Ionesco (1912-1994).

En Nouvelle-France, le prénom Eugène était presque inconnu, avec 28 mentions seulement. Au Québec, après un classement honorable dès les premières décennies du XIXe siècle, Eugène se hissera autour du 12e rang à partir de 1850 et se maintiendra à ce niveau jusqu'à la fin du siècle. Son déclin commencera au début du XXe siècle et le conduira à la disparition vers 1940. Son bon classement au XIXe siècle contraste avec sa piètre performance chez les anglo-protestants du Québec : sur quelque 12 700 noms, je n'ai relevé que 11 Eugene – et aucun Gene. Au XXe siècle, chez nos voisins du Sud, il fut illustré par l'écrivain Eugene O'Neill (1888-1953), Prix Nobel de littérature en 1936.

Le prénom fut illustré en religion par Mgr Joseph-Eugène-Bruno Guigues (1805-1874), premier évêque catholique d'Ottawa et fondateur en 1848 du Collège de Bytown, ancêtre de l'Université d'Ottawa ; et par Mgr Paul-Eugène Roy (1859-1926), archevêque de Québec et fondateur de *L'Action sociale*. En politique, il fut porté par Charles-Eugène Boucher de Boucherville (1822-1915), premier ministre du Québec de 1874 à 1878 ; et par Eugène Fiset (1874-1951), lieutenant-gouverneur de 1939 à 1950. Eugène Rouillard (1851-1926), journaliste et haut fonctionnaire de Québec, devint un spécialiste de notre toponymie, et l'architecte Eugène Payette (1875-1959) réalisa la bibliothèque Saint-Sulpice et l'ancienne bibliothèque centrale de Montréal, rue Sherbrooke (aujourd'hui l'édifice Gaston-Miron).

Eugène a aussi sa place dans notre toponymie, avec cinq villages dans cinq régions différentes, dont Saint-Eugène-de-Guigues, au nord de Ville-Marie (Témiscamingue), qui, avec son voisin Saint-Bruno-de-Guigues, célèbre la mémoire du premier évêque catholique d'Ottawa. Quant à Eugénie, elle ne désigne qu'une paroisse de la municipalité de Saint-Hyacinthe, Sainte-Eugénie.

FÉLIX

Une présence discrète tout au long du XIXe siècle.
Retour remarqué vers la fin du XXe siècle.
Prénoms du voisinage : FÉLICIEN, FÉLIX-ANTOINE.
Prénoms féminins : FÉLICIA, FÉLICIE, FÉLICITÉ, FÉLIXINE.

Les Américains ont leurs oscars, mais personne là-bas ne semble savoir qui était ce certain Oscar qui a donné son nom aux célèbres statuettes. Les Québécois, eux, ont leurs Félix, et chacun sait d'où vient le nom de ces trophées : de Félix Leclerc. Une notoriété qui est un véritable *p'tit bonheur* pour ses admirateurs.

À l'origine, à Rome, Felix était un nom de personne. C'était aussi un adjectif qui signifiait « fertile », « fécond », « heureux ». L'empereur Sylla (138-78 av. J.-C.), en se faisant nommer « dictateur perpétuel », s'était attribué le titre de Félix pour bien faire comprendre à ses sujets qu'il avait la faveur des dieux.

Ce prénom s'est répandu parmi les premiers chrétiens pour sa valeur mystique, le bonheur découlant de la foi en un Dieu unique. Quatre papes de ce nom ont régné du IIIe au VIe siècle, et plusieurs Félix furent canonisés, dont trois papes. Un moine qui vécut au XIIe siècle, Félix de Valois (1127-1212), est vénéré comme saint par les catholiques.

Le prénom Félix s'est répandu naturellement dans les pays latins, où il devient Felis, Feliz ou Felice – Felicia au féminin –, mais aussi ailleurs, comme en témoigne le célèbre compositeur allemand Felix Mendelssohn (1808-1847). Il eut cours en Angleterre au Moyen Âge – ainsi que Felicia chez les filles, prénom qu'on a parfois confondu là-bas avec Phyllis. Mais les Anglais l'oublièrent par la suite, si bien qu'au XIXe siècle il était totalement inconnu des anglo-protestants du Québec – mais non des irlando-catholiques, qui lui firent une petite place. Parions qu'aujourd'hui, dans les pays anglophones, le plus connu s'appelle *Felix the Cat*, ce personnage de films d'animation créé à la fin des années 1910 – « le plus célèbre des chats », selon la *St. James Encyclopedia of Popular Culture*.

En France, il semble avoir été peu courant avant le XIXe siècle. Il se situait alors, selon le *Larousse*, au modeste 38e rang des prénoms masculins. Il fut porté par le photographe Félix Nadar (1820-1910), par le peintre et graveur d'origine suisse

Félix Vallotton (1865-1925), par Félix Faure (1841-1899), président de la République de 1895 à sa mort, et par le chanoine Félix Kir (1876-1968), député et maire de Dijon, celui-là même qui donna son nom à un célèbre apéritif (vin blanc et cassis). Issus des colonies, mentionnons Félix Éboué (1884-1944), né en Guyane mais administrateur colonial en Afrique du temps de la Première Guerre mondiale, puis gouverneur général de l'Afrique équatoriale française durant la Seconde Guerre mondiale ; et Félix Houphouët-Boigny (1905-1993), « père de l'indépendance » et président de la Côte d'Ivoire de 1960 à sa mort.

Le prénom Félix avait un diminutif latin, Felicianus, qui nous a donné Félicien. Ce prénom fut illustré au XIXe siècle par le peintre et dessinateur Félicien Rops (1833-1898) et par l'écrivain Félicien Marceau (né en 1913), tous deux d'origine belge.

En Nouvelle-France, Félix occupa une place modeste (185 mentions au PRDH, assez loin derrière le féminin Félicité qui en avait 800). Au Québec, il a été présent tout au long du XIXe siècle, mais il demeura discret, ses meilleures années se situant dans la première moitié du siècle. Vers la fin du XXe siècle apparut le prénom Félix-Antoine, illustré par l'écrivain Félix-Antoine Savard (1896-1982), l'auteur de *Menaud, maître-draveur*. En politique, nous connaissons Félix-Gabriel Marchand (1832-1900), premier ministre du Québec de 1897 à sa mort ; et, dans la chanson, le poète Félix Leclerc (1914-1988). Il est à noter que le prénom Félix connut un fort regain de popularité dans les dernières années du XXe siècle et au cours des premières années du XXIe, période pour laquelle il se situe au 6e rang (voir **Pouponnières, garderies et maternelles,** p. 176).

Trois villages du Québec portent ce nom : Saint-Félix-de-Dalquier, en Abitibi, fondé en 1932 en prenant le nom d'une paroisse fondée en 1921 ; Saint-Félix-d'Otis, au Saguenay, fondé en 1892 ; et Saint-Félix-de-Valois, dans Lanaudière, fondé en 1840, qui porte le nom d'un moine qui fut le compagnon de saint Jean de Matha. Les deux moines fondèrent en 1194 l'ordre des Trinitaires, et aujourd'hui Saint-Félix-de-Valois et Saint-Jean-de-Matha sont des villages voisins. Au Lac-Saint-Jean, le nom de Saint-Félicien est apparu vers 1875 (désignant d'abord un bureau de poste, puis le village en 1882).

Félix-Antoine Savard a laissé son nom à un sommet du parc national des Hautes-Gorges-de-la-Rivière-Malbaie, dans l'arrière-pays de Charlevoix, sa région natale, ainsi qu'à plusieurs lieux (rues, parcs, avenues, etc.) de nos villes et villages. Félix Leclerc aussi a donné son nom à diverses entités du Québec, dont pas moins de 26 rues. Depuis 1997, l'autoroute 40, qui relie Montréal et Québec, porte son nom. Aux extrémités de cette autoroute, on trouve Vaudreuil et l'île d'Orléans, deux endroits qui ont compté dans la vie de l'artiste. « Moi, mes souliers ont beaucoup voyagé », chantait Félix. Sans doute était-il prédestiné à laisser son nom à une importante voie de communication.

FERDINAND

Prénom discret du milieu du XIXe siècle,
dépassé par le prénom Fernand au XXe siècle.
Prénom du voisinage : Fernand.
Prénom féminin : Fernande.

Le prénom Ferdinand, par ses origines germaniques, son essor en Espagne et sa diffusion en Italie, rappelle l'itinéraire du prénom Alphonse, mais il s'en distingue sur un point intéressant.

Ce prénom tire son origine du vieil allemand Fridunand (Ferdenandus en latin), mais c'est dans le sud de l'Europe qu'il prit son essor, plus précisément dans la péninsule ibérique, où il prit la forme contractée Fernando. Il fut porté par plusieurs souverains espagnols et portugais du XIe au XIXe siècle. Ferdinand III, qui vécut au XIIIe siècle, contribua à unifier l'Espagne en même temps qu'il en chassait les Maures. Rome le canonisa en 1671, et on le connaît aujourd'hui sous le nom de saint Ferdinand.

Au XVe siècle, Ferdinand d'Aragon dit le Catholique (1452-1516) et son épouse, la non moins catholique Isabelle de Castille, lancèrent l'Espagne à la conquête de territoires d'outre-mer, ouvrant ainsi de vastes horizons aux prénoms de leur pays. Durant la même période, l'influence espagnole dans le sud de l'Italie, à Naples et en Sicile, contribua à répandre le prénom dans la péninsule italienne, où il prit la forme de Ferdinando, Ferrante ou Ferrandino. Le prénom s'est répandu aussi au Portugal, où il fut illustré par le navigateur Ferdinand de Magellan (1480-1521) – Fernão en portugais.

Mais, à la différence d'Alphonse, Ferdinand connaîtra, grâce aux liens tissés au XVIe siècle entre les familles royales d'Espagne et d'Autriche, une belle carrière dans ses terres d'origine. Jusqu'à la fin de leur règne, au début du XXe siècle, les Habsbourg garderont leur faveur pour ce prénom : l'archiduc d'Autriche, dont l'assassinat à Sarajevo en 1914 déclencha la Première Guerre mondiale, s'appelait François-Ferdinand (Franz Ferdinand). Cette aura monarchique favorisa la diffusion du prénom dans les pays de langue allemande, où l'illustrèrent le socialiste Ferdinand Lassalle (1825-1864) et le sociologue Ferdinand Tönnies (1855-1936), ainsi que le constructeur de dirigeables Ferdinand von Zeppelin (1838-1917) et l'ingénieur Ferdinand Porsche (1875-1951), concepteur de la Volkswagen.

En Angleterre, au Moyen Âge, nous dit l'*Oxford*, on rencontrait le prénom dérivé Ferrand, puis, aux XVIe et XVIIe siècles, le prénom italianisé Ferdinando. Cette veine semble s'être épuisée par la suite. Le prénom était-il trop fortement identifié aux puissances catholiques, l'Espagne et l'Autriche ? Au Québec, en tout cas, pour le XIXe siècle, je n'ai relevé que deux Ferdinand parmi les quelque 7700 anglophones du cimetière protestant.

En France, selon le *Larousse*, le prénom n'entra dans l'usage qu'à compter du XIXe siècle, mais il demeura « peu répandu », près du 60e rang. (Son dérivé Fernand était plus rare encore.) Il n'en fut pas moins illustré par Ferdinand de Lesseps (1805-1894), qui fit construire les canaux de Suez et de Panama ; par Ferdinand Foch (1851-1929), le généralissime des forces alliées en 1918 ; et, dans les lettres, par le linguiste Ferdinand Brunot (1860-1938), par l'historien Ferdinand Lot (1866-1952) et par l'écrivain Louis-Ferdinand Céline (1894-1961). Par ailleurs, le prénom Fernand fut illustré par le peintre Fernand Léger (1881-1955) et par l'humoriste Fernand Raynaud (1926-1973). L'acteur Fernandel s'appelait Fernand Contandin (1903-1971).

Presque inconnu en Nouvelle-France (14 mentions seulement, aucune pour Fernand), Ferdinand réussit tout de même à se faire remarquer au Québec vers le milieu du XIXe siècle, mais sans grand éclat. Il occupait le 27e échelon en 1840, le 22e en 1850, le 21e en 1860. Au début du XXe siècle, Fernand, son petit frère jusqu'alors inconnu, prit le relais et atteignit son sommet à la fin des années 1920. Dans la population de l'an 2000, Fernand se situait au 75e rang des prénoms masculins. Dans la toponymie du Québec, le nom de Ferdinand n'a été donné qu'à un seul village, Saint-Ferdinand, entre Victoriaville et Thetford Mines. Quant au nom de Fernand, il n'a été donné à aucun village, mais, dans les Chic-Chocs, à 40 kilomètres de Cap-Chat, on trouve le mont Fernand-Seguin, du nom du célèbre biochimiste et commentateur scientifique (1922-1988).

Le prénom Ferdinand a été porté par Ferdinand Roy (1873-1948), juge, bâtonnier du Québec, professeur à l'Université Laval, par Ferdinand Biondi (1909-1998), animateur de radio. Pour sa part, Fernand a été porté par Fernand Rinfret (1883-1939), maire de Montréal de 1932 à 1934, par le peintre Fernand Leduc (né en 1916), par le sociologue Fernand Dumont (1927-1997) et par le syndicaliste Fernand Daoust (né en 1926). Ce tour d'horizon serait bien incomplet sans faire une fleur à Fernand Gignac (1934-2006), grande vedette de la chanson populaire. « Donnez-moi des roses… »

FRANCIS

Prénom de la seconde moitié du XXe siècle.
Prénoms du voisinage : FRANCISQUE, FRANÇOIS, FRANK.

François, Francis et les autres de la même famille, Franz, Frantizek, viennent tous du même Francesco italien, dont le nom fut donné à saint François d'Assise au XIIe siècle (voir **François,** p. 102). François est apparu en français dès cette époque.

Francis, lui, est apparu plus tard, au XVIe siècle (c'est ainsi que les Anglais ont traduit Francesco). Il ne tarda pas à se faire connaître et fut illustré dès cette époque par le navigateur Sir Francis Drake (1540-1596) et par le philosophe et homme politique Francis Bacon (1561-1626). Après une longue période de discrétion, le prénom refit surface au XIXe siècle, souvent sous la forme de Frank. Le prénom Franklin, illustré par le président Roosevelt, appartient à la même lignée. Chez les anglophones du Québec au XIXe siècle, tout en faisant bonne figure parmi les protestants (1 % de représentation), Francis fut un des prénoms les plus courants chez les catholiques (4 %). Son diminutif Frank a été illustré par Frank Selke (1893-1985), directeur général des Canadiens de Montréal, et par Frank Scott (1899-1985), professeur de droit à McGill.

Ce prénom, qui avait fait le voyage de Londres au XVIe siècle, repassa la Manche à la fin du XVIIIe siècle et se fit connaître au pays des « François ». Il s'y adapta tout naturellement grâce à ses origines latines et à son allure méridionale, et il reçut au long du siècle de belles illustrations, par exemple en littérature avec Francis Jammes (1868-1938), en peinture avec Francis Picabia (1879-1953), en musique avec Francis Poulenc (1899-1963). Parmi les intellectuels engagés, mentionnons Francis Jeanson (1922-2009), philosophe et militant anticolonialiste.

En France, le prénom se maintint au XXe siècle. Il est illustré à notre époque par Francis Veber (né en 1937), le réalisateur du *Dîner de cons* (1998), et par le chanteur Francis Cabrel (né en 1953). Précédemment, il fut porté par Francis Lemarque (1917-2002), le chantre de *Marjolaine*, du *Petit cordonnier* et d'*Un gamin de Paris.* Signalons qu'en France le prénom Francis a un dérivé propre, Francisque, beaucoup plus rare, qui fut porté par un ambassadeur français qui servit à Ottawa de 1948 à 1950, Francisque Gay (1885-1963).

Il n'y eut pas de Francis en Nouvelle-France (une seule petite mention au PRDH). On commença toutefois à le voir apparaître au cours du XIXe siècle, mais, à CDN, il ne représentait que le huitième de tous les François. Au XXe siècle, surtout dans la seconde moitié, il gagna en popularité, ce qui lui assura le 44e rang dans la population masculine en 2000. Au cours des dernières décennies, il a été illustré – ou l'est encore – par Francis Mankiewicz (1944-1993), réalisateur des *Bons débarras* (1980), par Francis Simard (né en 1947), le militant du FLQ qui voulait « en finir avec Octobre », et par l'acteur et animateur de télé Francis Reddy (né en 1958).

FRANÇOIS

Présent tout au long du XIXe siècle, surtout dans la première moitié.
Retour en force dans les années 1950-1970.
Prénoms du voisinage : FRANCIS, FRANCO, FRANÇOIS, JEAN-FRANÇOIS.
Prénoms féminins : FRANCE, FRANCINE, FRANÇOISE, MARIE-FRANÇOISE.

Voici un grand classique des prénoms français. Il a même été synonyme de « Français ». Ne disait-on pas, jadis, « parler bon françois », « en bon françois », « s'habiller à la françoise » ? Mais, tout français qu'il soit, c'est en Italie qu'on trouve ses origines, du nom latin *Franciscus*. Le premier à faire connaître ce prénom, Francesco d'Assisi, saint François d'Assise (1181 ou 1182-1226), fonda l'ordre religieux des Franciscains. Il fut canonisé deux ans à peine après sa mort, tant était grande l'admiration qu'on lui portait. Curieusement, François n'était pas son vrai nom (il fut baptisé Giovanni, Jean en Halien), mais plutôt son surnom, celui que lui donna à vingt ans son père, voyant quel amour son fils portait à la France et à tout ce qui était français. « Francesco » : « mon petit Français », disait-il en somme[14].

D'Italie, le prénom se répandit en Europe, à la faveur notamment des pérégrinations des franciscains. D'Espagne, le pays de François-Xavier (Francisco de Javier [1506-1552], le missionnaire jésuite), partiront nombre de conquérants et d'émigrants vers le Nouveau Monde, ouvrant ainsi au prénom de nouveaux horizons. Dans les pays de l'Empire austro-hongrois, l'illustreront l'Autrichien Franz Schubert (1797-1828), le Hongrois Franz Liszt (1811-1886), le Tchèque Franz Kafka (1883-1924), et l'avant-dernier empereur Franz Josef, François-Joseph (1830-1916). En Angleterre où, emprunté à l'Italie, il apparut au XVIe siècle, François devint Francis (voir **Francis,** p. 101).

À partir du XVe siècle, ce prénom deviendra l'un des plus fréquents en France, illustré dans les domaines les plus nobles et les plus divers. Deux rois le porte-

14. Voir Julien Green, *Frère François*, Paris, Éditions du Seuil, 1983.

ront, dont François Ier, qui envoya Jacques Cartier prendre possession des terres où vit aujourd'hui le peuple québécois. Il y eut des écrivains tels que François Villon (1431-1463), François Rabelais (v. 1494-1553) et François de la Rochefoucauld (1613-1680). Nous connaissons aussi le musicien François Couperin (1668-1733), l'historien et homme politique François Guizot (1787-1874), dont une rue de Montréal rappelle le souvenir. Au XIXe siècle, François confirma sa place parmi les plus grands prénoms de France, occupant le 3e rang pour l'ensemble du siècle, selon le *Larousse*. Il fut illustré par l'écrivain François Mauriac (1885-1970) et par l'homme politique François Mitterrand (1916-1996). Au XXe siècle, il maintint sa présence, à un rang moindre toutefois.

Répandu en France depuis le XVe siècle, ce prénom se classa tout naturellement parmi les plus fréquents en Nouvelle-France: quatrième si l'on s'en tient au prénom simple de François (13 000 entrées), mais troisième si on ajoute les prénoms composés Jean-François (2000 entrées) et François-Xavier (1800 entrées). Un prénom si brillamment illustré en France le fut aussi parmi les notables de la colonie, dont François Dollier de Casson (1636-1701), supérieur des Sulpiciens de Montréal de 1678 à 1701, François de Montmorency-Laval (1623-1708), évêque de Québec de 1674 à 1688, et François-Xavier de Charlevoix (1682-1761), jésuite et historien – tous gens d'Église qui marquèrent l'histoire et le territoire (la rue De Casson à Trois-Rivières, la ville de Laval, la région de Charlevoix, etc.).

Au Québec, François, aidé de François-Xavier, fut l'un des champions de la première moitié du XIXe siècle, se classant toujours parmi les cinq prénoms les plus populaires, et même deux fois au 2e rang, après Joseph (du moins à CDN). Si son étoile commença à pâlir dans la seconde moitié du siècle, il conserva tout de même un rang honorable jusqu'aux années 1880, toujours dans les 20 premiers. Puis, au XXe siècle, après cinq décennies plus tranquilles, François se remit en mouvement, atteignant son sommet en 1960 avec 3 % de représentation. Jean-François prit ensuite le relais pendant quelques années. Dans la population de l'an 2000, François se situait au 8e rang des prénoms masculins et Jean-François, au 30e rang.

François s'est inscrit dans la toponymie dès l'époque de la Nouvelle-France: un lac, une rivière et six villages portaient déjà son nom avant 1760, dont trois s'appelaient Saint-François-de-Sales, du nom d'un évêque de Genève qui fut missionnaire chez les calvinistes. Naturellement, il continua à être utilisé dans la toponymie au XIXe siècle. Si bien que, au total, le Québec compte aujourd'hui 11 villages de ce nom, dont deux Saint-François-Xavier, l'un en Estrie, l'autre près de Rivière-du-Loup, et un Saint-François-d'Assise en Gaspésie.

François a été – et est toujours – généreusement illustré dans tous les domaines : au tennis, François Godbout (né en 1936) ; en littérature, François Ricard (né en 1947) et François Avard (né en 1968) ; au théâtre, François Papineau (né en 1966) ; chez les humoristes, François Massicotte (né en 1966) et François Morency (né en 1966) ; en politique, François Legault (né en 1957) et François Rebello (né en 1970), qui furent précédés à l'Assemblée nationale par François Aquin (né en 1929), premier de tous nos députés, en 1967, à saluer le « Vive le Québec libre ! » du général de Gaulle et à s'engager dans cette voie. D'autres ont illustré des composés du prénom François, dont François-Albert Angers (1909-2003), Henri-François Gautrin (né en 1943) et Jean-François Lisée (né en 1958). Le journaliste et animateur culturel Franco Nuovo (né en 1953) représente une variante italienne du prénom.

Déjà au XIXe siècle, le prénom François s'était illustré dans les lettres avec François-Xavier Garneau (1809-1866), notre « historien national » ; dans la politique, avec François Langelier (1838-1915), maire de Québec, député, ministre, juge, puis lieutenant-gouverneur du Québec de 1911 à sa mort. Enfin, nous connaissons les patriotes François Nicolas (1795-1839), François-Marie-Thomas Chevalier de Lorimier (1803-1839) et François-Xavier Hamelin (1817-1839), qui moururent sur l'échafaud à Montréal en 1839. Villon, le poète du XVe siècle, François de son prénom, savait-il, en composant sa *Ballade des pendus*, qu'un jour viendrait où trois de ses lointains homonymes, qu'on humilierait sur la place publique, deviendraient l'honneur de leur patrie ?

FRÉDÉRIC

Discrètement présent au XIXe siècle,
il revint en force dans le dernier tiers du XXe siècle.
Prénoms du voisinage : ALBÉRIC, ALDÉRIC, ALDRIC, ÉMERIC, LUDOVIC, MÉDÉRIC, ULDÉRIC, ULRIC.
Prénom féminin : FRÉDÉRIQUE.

Universellement connu en Occident, Frédéric appartient à une famille de prénoms d'origine germanique se terminant en « ic » et en « éric » Certains membres étaient bien connus au Québec au XIXe siècle : Frédéric lui-même, qui comptait pour le tiers du groupe (selon le relevé à CDN) ; Ulric, pour le quart ; et Aldéric, pour le sixième. Venaient ensuite Uldéric, Médéric et Albéric. Enfin, trois noms relevés une seule fois : Aldric, Émeric et Ludovic. On remarquera l'absence d'Éric au XIXe siècle, qui n'apparaîtra chez nous que beaucoup plus tard (voir **Éric,** p. 90).

Mais, à tout seigneur tout honneur, parlons ici de Frédéric, le seul du groupe qui est demeuré présent au XXe siècle. Celui-ci tire sa source du germanique Frithuric, qui a donné aussi l'allemand Friedrich, le danois Frederik, l'italien et l'espagnol Federico. Il fut porté par un évêque d'Utrecht du IXe siècle, le saint Frédéric qu'on connaît. Plusieurs rois et empereurs l'ont illustré au cours des siècles, du plus ancien, l'empereur Frédéric Ier Barberousse (v. 1123-1190), aux plus récents, le Kaiser Frédéric III (1797-1888) et le roi du Danemark Frédéric IX (1899-1972). Il fut très en vogue chez les souverains scandinaves – un roi de Suède, six de Norvège et neuf du Danemark ont porté ce nom. Dans les pays latins, il fut porté en Espagne par le poète Federico Garcia Lorca (1899-1936) et, en Italie, par le réalisateur de cinéma Federico Fellini (1920-1993).

Dans les pays de langue allemande, ce nom fut porté par des souverains, tantôt sous le seul nom de Friedrich, tantôt sous un nom composé, Friedrich August en Saxe, Friedrich Wilhelm en Prusse. Le plus célèbre est Frédéric II le Grand (1712-1786), Friedrich der Grosse, le « roi-philosophe » monté sur le trône en 1740, qui fit de la Prusse une puissance européenne. Ce prénom fut illustré en musique par Georg Friedrich Haendel (1685-1759), dans les lettres par Friedrich von Schiller (1759-1805), et en philosophie par Georg Wilhelm Friedrich Hegel (1770-1831), Friedrich Engels (1820-1895) et Friedrich Nietzsche (1844-1900). Plus près de nous, Fritz Lang (1890-1976), le réalisateur de cinéma, représenta le diminutif de Frédéric – ce « Fritz » qui était, pour les Français et les Anglais lors des guerres mondiales, le synonyme d'« Allemand ».

Le prénom Frédéric fut introduit en Angleterre par les Normands, mais n'y prit pas racine. C'est beaucoup plus tard, au XVIIIe siècle, amené cette fois par les Allemands dans la foulée de l'accession des Hanovre au trône britannique, et plus encore à l'époque victorienne, que Frederick (ainsi orthographié en anglais) se répandit parmi les Anglais, devenant un nom des plus courants – *one of the commonest,* dit l'*Oxford*. Ici même, chez les anglo-protestants, il se classa parmi les 20 premiers jusqu'en 1850, puis parmi les 10 premiers, atteignant même le 7e rang en 1890, son meilleur classement. Et, parce qu'il est entré dans le monde britannique par la voix royale, et dans les années mêmes où l'Angleterre s'établissait en Amérique, son nom apparut sur les cartes géographiques à différents endroits de la côte de l'Atlantique, Fredericksburg en Virginie (1727), Frederick au Maryland (1745), Fredericton au Nouveau-Brunswick (ville baptisée ainsi en 1785 par les réfugiés loyalistes en hommage au second fils de George III, le prince Frederick). Un des premiers gouverneurs du Canada après la prise du pouvoir par les Anglais fut un haut gradé de l'armée britannique, Frederick Haldimand (1718-1791).

Même parcours en France : connu au Moyen Âge, puis disparu ensuite, Frédéric ne réapparut qu'à la fin du XVIIIe siècle et se classa, au XIXe siècle, au 35e rang. Position modeste, certes, mais néanmoins meilleure que celle des Aldéric, Uldéric et Médéric, presque tous inconnus en France. Par contre, au XXe siècle, dans les années 1960-1970, le prénom Frédéric atteindra 4 % de représentation. Il fut illustré au XIXe siècle par l'écrivain Frédéric Mistral (1830-1914), par le sculpteur Frédéric Auguste Bartholdi (1834-1904), qui réalisa *La Liberté éclairant le monde* (1888), la célèbre statue de la Liberté de New York, et par Frédéric Ozanam (1813-1853), cofondateur de la société de Saint-Vincent-de-Paul (1833). Nous connaissons aussi le physicien et militant politique Frédéric Joliot-Curie (1900-1958), l'écrivain Frédéric Dard (1921-2000), que tous les amateurs de San-Antonio admirent, et l'actuel ministre de la Culture et de la Communication Frédéric Mitterrand (né en 1947), neveu de l'ancien président François Mitterrand.

Frédéric n'était pas totalement inconnu en Nouvelle-France (100 mentions au PRDH), contrairement aux autres membres de sa famille. Il fut même présent dans notre toponymie : un fort construit en 1727 par Beauharnois sur les bords du lac Champlain s'appelait Saint-Frédéric, en hommage au ministre de la Marine d'alors, le comte Jean Frédéric Phélypeaux de Maurepas (1701-1781).

Au Québec, le prénom fut présent tout au long du XIXe siècle, mais demeura discret, sans commune mesure avec sa popularité des années 1960-1970. Il atteignit la 39e place au classement général de l'an 2000. Pour sa part, Frédérique apparut un peu plus tard, mais resta plus discrète. Frédéric est actuellement illustré par l'artiste et réalisateur de cinéma d'origine alsacienne Frédéric Back (né en 1924), arrivé au Québec en 1948, qui a reçu deux fois l'Oscar du meilleur film d'animation, l'un pour *Crac !* en 1982, et l'autre, pour *L'homme qui plantait des arbres* en 1987. Deux journalistes de Radio-Canada portent aussi ce prénom, Frédéric Nicoloff et Frédéric Arnould. Ce prénom fut illustré par le comédien Frédéric Barry (1887-1964), mieux connu sous le nom de Fred Barry (une rue de Laval et une salle de théâtre de Montréal nous rappellent son souvenir) et par Frédéric Dorion (1898-1981), juge en chef de la Cour supérieure. Parmi les autres prénoms de la famille, mentionnons Albéric Bourgeois (1876-1962), journaliste et caricaturiste, auteur de la chronique *En roulant ma boule* ; Joseph-Aldéric Ouimet (1848-1916), homme politique et magistrat de la Cour d'appel ; Médéric Lanctôt (1837-1877), journaliste et homme politique ; Médéric Martin (1869-1946), maire de Montréal de

1914 à 1924 et de 1926 à 1928; Joseph-Ulric Tessier (1817-1892), député, ministre, maire de Québec; et Ulric Barthe (1853-1921), journaliste et écrivain.

En toponymie, ces prénoms sont demeurés très discrets, ne désignant que deux villages: Saint-Frédéric en Beauce et Saint-Ulric en Gaspésie. Par contre, à Montréal, à Québec et ailleurs, on trouve des rues en souvenir de Frédéric Chopin (1810-1849). De nos jours, le prénom Frédéric évoque instantanément le titre d'une chanson de Claude Léveillée. Hommage au poète qui a su faire du Frédéric anonyme d'une chanson le plus connu des Frédéric québécois. « Je me fous du monde entier/Quand Frédéric me rappelle/Les amours de nos vingt ans... »

Gabriel

Prénom important du dernier quart du XXe siècle.
Prénom du voisinage: Gaby.
Prénoms féminins: Gabriella, Gabrielle, Gaby.

Ce nom nous vient de l'Ancien Testament et d'un mot hébreu qui veut dire « homme de Dieu » ou « force de Dieu ». C'est le nom de l'un des trois archanges, celui qui annonça à Marie la naissance de Jésus et à Zacharie celle de Jean le Baptiste. C'est pourquoi on l'appelle le « messager de la bonne nouvelle ».

Quelques saints portent ce nom, dont le missionnaire jésuite Gabriel Lalemant (1610-1649), l'un des huit martyrs canadiens. Connu dans tous les pays chrétiens, Gabriel s'appelle Gavriil en Russie et en Grèce, Gabriele en Italie (comme l'écrivain Gabriele D'Annunzio [1863-1938]), Gabor en Hongrie. Ce dernier est illustré en patronyme par l'actrice américaine Zsa Zsa Gabor (née en 1917).

En Angleterre, il ne fut jamais courant, selon l'*Oxford*, de sorte qu'il fut inexistant au XIXe siècle chez les anglo-protestants et chez les irlando-catholiques du Québec. En France où, selon le *Larousse*, il est « toujours demeuré à un rang modeste », il fut illustré par le compositeur Gabriel Fauré (1845-1924), par le philosophe Gabriel Marcel (1889-1973) et par le journaliste et dirigeant communiste Gabriel Péri (1902-1941), fusillé par les Allemands.

Chez nous, ce prénom fut populaire du temps de la Nouvelle-France, se classant 22e avec 1500 mentions. Dès cette époque, il s'installa dans la toponymie de Montréal grâce à la maison Saint-Gabriel, où la congrégation Notre-Dame accueillit les « filles du Roy » à compter de 1668, et à la rue Saint-Gabriel, ouverte vers 1680. Le nom fut illustré par deux sulpiciens, Gabriel Souart (1610-1691) et

Gabriel de Queylus (1612-1677). Quant au jésuite Gabriel Lalemant, il laissa son nom à des rues et à des parcs, mais aussi à des paroisses et à un village, Saint-Gabriel-Lalemant, fondé en 1938 près de La Pocatière.

Au XIXe siècle, c'est plutôt à l'archange qu'on pensait en donnant ce nom à des paroisses et à des villages, dont Saint-Gabriel-de-Brandon vers 1840. Dans l'usage des familles, toutefois, ce prénom n'eut alors qu'un rôle modeste, ce qui peut surprendre, surtout quand on connaît sa popularité depuis 1975, popularité qui lui permet toujours de se maintenir dans le peloton de tête des prénoms du XXIe siècle (voir **Pouponnières, garderies et maternelles,** p. 176). Il est à noter que les grandes années de Gabriel correspondent aux années glorieuses de Peter Gabriel (né en 1950) sur la scène mondiale de la musique.

Au Québec, nous connaissons en politique Gabriel-Elzéar Taschereau (1745-1809), député de 1792 à 1796, Félix-Gabriel Marchand (1832-1900), premier ministre de 1897 à sa mort, et Gabriel Loubier (né en 1932), député, ministre et chef de l'Union nationale. Nous connaissons aussi l'avocat criminaliste Gabriel Lapointe (1929-1999), l'animateur de radio et de télé Gabi Drouin (1930-2008), et les comédiens Gabriel Gascon (né en 1927) et Gabriel Arcand (né en 1949).

Dans notre imaginaire collectif, le nom de Gabriel renvoie aussi à deux personnages, l'un réel, l'autre littéraire, qui, pour avoir vécu à l'extérieur de nos frontières, n'en appartiennent pas moins aux pages les plus fortes de notre histoire. Il s'agit de Gabriel Dumont (1837-1906), compagnon de Louis Riel, le chef militaire de la révolte des Métis, qui mena ses troupes à la bataille de Batoche en 1885 ; et de Gabriel Melanson, l'un des déportés de Grand-Pré en 1755, l'amoureux qu'Évangéline retrouva juste avant qu'il meure, après avoir passé sa vie à le chercher aux quatre coins de l'Amérique. Gabriel Dumont et son message de courage, Gabriel Melanson et son message d'espoir. Comme leur saint patron, deux messagers de la bonne nouvelle.

Gaétan

Prénom du deuxième tiers du xxe siècle.
Deux graphies : Gaétan, Gaëtan.
Prénom du voisinage : Cajetan.
Prénom féminin : Gaétane.

Certains de nos prénoms étaient à l'origine des noms de lieux géographiques, souvent des noms de ville. On en connaît quelques-uns, aperçus ailleurs dans ce livre : Xavier, Liguori, Majella ; ou la trinité romaine, Roma, Romain, Roméo. Il y en a d'autres aussi : Carmel, qui vient de Palestine ; Cyprien, de Chypre ; Odessa, de Crimée.

Gaétan (qui, traditionnellement, s'écrivait Gaëtan) est l'un de ces prénoms. Il vient de Caieta (Gaète en français), petite ville de la côte occidentale italienne, située entre Rome et Naples. Caieta a donné l'adjectif *caietanus*, puis *cajetanus*, qui a donné à son tour Gaétan – et Cajetan, son frère siamois. Un saint de ce nom naquit en Italie vers 1480. Devenu prêtre, il se consacra aux pauvres et aux malades, puis il fonda l'ordre des Théatins. Mort en 1547 et canonisé en 1671, il est saint Gaétan de Thiene, protecteur des travailleurs et des chômeurs.

On trouve ce prénom dans les pays plus au nord, où il s'appelle Cajetan ou Kajetan. Mais, assez naturellement, on le trouve surtout dans les pays latins. En Italie, sa terre d'origine où il est « courant » (*Larousse*), il fut illustré par le compositeur Gaetano Donizetti (1797-1848), créateur de *Lucia di Lammermoor*, et par le sociologue de l'élitisme, Gaetano Mosca (1858-1941). Des paroisses en Italie portent ce nom, notamment San Gaetano à Florence, et ailleurs dans le monde où des immigrés italiens l'ont amené avec eux : à Chicago, à Denver, à Buenos Aires où il porte le nom espagnol de San Cayetano.

En France, selon le *Larousse*, il ne semble pas avoir été utilisé avant le xixe siècle et demeura longtemps très discret. Plus récemment, dans les années 1980, il sortit de cette discrétion et devint « très apprécié », tout comme d'autres prénoms de même consonance, Dorian, Florian… Il fut illustré par l'économiste Gaëtan Pirou (1886-1946) et par l'homme de lettres Gaëtan Picon (1915-1976). L'homme politique Gaëtan Rondeau (1873-1971) laissa un vif souvenir dans la ville de Nantes, où il servit comme maire avant et pendant la guerre.

En Nouvelle-France, on ne relève aucun Gaétan et une poignée seulement de Cajetan. Même absence au Québec au xixe siècle, du moins à CDN. Ce n'est qu'au xxe siècle qu'il apparut dans les usages de nos familles, plus précisément à partir des années 1920 et 1930, et il atteignit un peu plus de 1 % de représentation dans les années 1950. Dans l'ensemble de la population en 2000, il se situait au 66e rang des prénoms masculins. Le féminin Gaétane, apparu dans les mêmes années, eut moins de succès et n'apparaît donc pas au tableau des 100 premiers prénoms. L'ascension de Gaétan s'étant produite au cours de la dépression des années 1930, on ne saura jamais quelle part de son succès ce prénom doit à saint Gaétan, le patron des sans-emploi.

Gaétan est absent de la toponymie de nos villages, mais Cajetan y a sa petite place, grâce à un hameau dans l'Outaouais et à un village dans la région de Bellechasse, Saint-Cajetan-d'Armagh, fondé en 1882 (aujourd'hui Armagh). Montréal compte une paroisse du nom de Saint-Gaétan et la MRC de Memphrémagog, une du nom de Saint-Cajetan.

Gaétan a été illustré par le boxeur Gaétan Hart (né en 1953), qui inspira à Pierre Falardeau le film *Le steak*, et par le patineur de vitesse Gaétan Boucher (né en 1958), quadruple médaillé olympique en 1980 et en 1984 (un aréna à Saint-Hubert et un anneau de glace à Québec portent son nom). Sur la scène publique, Gaétan est actuellement porté par Gaétan Barrette, le président de la Fédération des médecins spécialistes du Québec. Dans les affaires, il a été illustré par Gaétan Frigon (né en 1940), ancien PDG de Loto-Québec et de la SAQ. Chez les journalistes, on se souvient de Gaétan Girouard (1965-1999) et de Gaétan Montreuil, qui lut le manifeste du FLQ au *Téléjournal* de Radio-Canada en octobre 1970.

GÉDÉON

Un prénom du XIXe siècle qui demeura discret.

N'eût été un sympathique et coloré personnage de notre folklore littéraire et médiatique, ce prénom serait aujourd'hui sans doute oublié. Pour en connaître l'origine, il faut remonter aux temps bibliques, près de 1200 ans avant notre ère. Il y avait à l'époque des gens haut placés, des « juges », qui étaient le plus souvent des chefs de guerre. Gédéon était un de ceux-là – comme Samson et Samuel que nous connaissons mieux. Il fut choisi par Dieu pour libérer les Hébreux des armées et des idoles des Madianites, les ennemis du moment. Ce qu'il fit de belle manière, non pas par la force du nombre, mais au moyen d'une opération commando menée nuitamment, non sans avoir d'abord détruit les idoles de l'ennemi, témoignant ainsi de sa foi en un « Dieu unique ». Après ce brillant combat demeuré présent dans la mémoire des Juifs, Gédéon vécut de nombreuses années et eut de si nombreuses femmes qu'il laissa, pour le pleurer, pas moins de 70 fils. Il est inscrit au martyrologe chrétien depuis le IXe siècle.

Ce nom s'est perpétué aussi bien chez les Juifs en Europe, comme en témoignent les musiciens Gideon Klein (1919-1945) et Gidon Kremer (né en 1947), qu'en Israël même, où il fut illustré par Gideon Hausner (1915-1990), procureur général lors du procès Eichmann à Jérusalem. Comme bien des prénoms bibliques, il fut en usage chez les puritains d'Angleterre et des États-Unis. Dans ce dernier pays, il fut illustré par Gideon Welles (1802-1878), secrétaire de la marine pendant la guerre de Sécession. Une organisation protestante américaine fondée en 1899, qui se consacre à la diffusion de la Bible, s'appelle *Gideons International*, du nom de ce saint briseur d'idoles païennes. Si vous trouvez une bible dans votre chambre d'hôtel, sachez que c'est probablement un membre de cette société qui l'a placée là pour vous.

Le prénom fut aussi en usage chez les huguenots de France, illustré par Gédéon Tallemant des Réaux (1619-1692), mémorialiste né à La Rochelle et frère d'un académicien. Mais, en général, il fut très peu courant en France, comme la plupart des prénoms issus de l'Ancien Testament, et ne le fut pas plus en Nouvelle-France (sept mentions au PRDH). Un ingénieur et arpenteur du roi, Gédéon de Catalogne (1662-1729), vécut en Nouvelle-France à la fin du XVIIe siècle ; d'origine protestante, il avait pris la précaution de se convertir. Au Québec, au XIXe siècle, Gédéon demeura discret dans l'usage des familles, du moins à CDN, mais deux villages portent tout de même son nom : Saint-Gédéon au Lac-Saint-Jean (1870) et Saint-Gédéon dans la Beauce (1862). Le premier doit son nom à la suggestion de Gédéon Ouimet (1823-1905), qui allait devenir premier ministre du Québec de 1873 à 1874 ; le second, à la décision de l'archevêque de Québec, le cardinal Taschereau, qui avait remarqué « la popularité des prénoms [Gédéon] des baptisés mâles de Saint-Martin, paroisse mère » (Commission de toponymie du Québec).

Ce prénom fut aussi porté par un député et maire de Longueuil, Gédéon Larocque (1831-1903). Mais, si ce nom résonne si affectueusement à nos oreilles, c'est grâce à Doris Lussier et à son personnage du père Gédéon, qu'il créa et interpréta à la télé et sur scène dans les années 1970, ce « paysan beauceron, à la verve spontanée, au bon sens terrien, à la bonhomie intarissable, au vigoureux goût de vivre », si bien décrit par Jean Sarrazin[15]. J'ajouterai que ce « vigoureux goût de

15. Voir Doris Lussier, *Le père Gédéon. Son histoire et ses histoires*, préface de Jean Sarrazin, Montréal, Les Quinze, 1980.

Les médaillés d'or

On aime savoir quels sont les prénoms les plus populaires à tel moment. Cette curiosité est normale, et elle est soutenue : chaque année, la Régie des rentes du Québec (RRQ) fait connaître le classement des prénoms, que publient les journaux, en insistant sur les dix premiers. Ce livre a paru en 2010, son manuscrit a été terminé quelques jours après les Jeux olympiques de Vancouver. Fort de l'esprit des Jeux, j'ai pensé dresser la liste des prénoms classés chaque année en tête, pour le XXe siècle et pour les premières années du XXIe siècle. Ce sont *mes* médaillés d'or.

Vingt prénoms seulement sont montés sur la plus haute marche du podium au cours des 110 années. Les voici, par ordre alphabétique :

Alexandre (1987 ; 1993-1994) – André (1932-1933 ; 1937-1944) – Claude (1934-1935) – Éric (1972-1980) – Gérard (1910-1918 ; 1921-1922) – Jacques (1931 ; 1936) – Jonathan (1981-1983) – Joseph (1900-1909) – Marcel (1924-1930) – Martin (1971) – Mathieu (1984-1986) – Maxime (1988-1992) – Michel (1945-1962 ; 1964) – Roger (1923) – Roland (1919-1920) – Samuel (1995-1999 ; 2004-2005) – Stéphane (1966-1970) – Sylvain (1963 ; 1965) – Thomas (2008) – William (2000-2003 ; 2006-2007 ; 2009).

Le « podium des podiums », qui rassemble les médaillés d'or les plus titrés, se présente ainsi : Michel (19 médailles) ; Gérard (11 médailles) ; Joseph et André (10 médailles chacun) ; Éric (9 médailles). Parmi les plus récents médaillés : Samuel (7 médailles) ; William (7 médailles).

Voici la liste complète, par ordre chronologique :

1900-1909 : Joseph
1910-1918 : Gérard
1919-1920 : Roland
1921-1922 : Gérard
1923 : Roger
1924-1930 : Marcel
1931 : Jacques
1932-1933 : André
1934-1935 : Claude
1936 : Jacques
1937-1944 : André
1945-1962 : Michel
1963 : Sylvain
1964 : Michel
1965 : Sylvain
1966-1970 : Stéphane
1971 : Martin
1972-1980 : Éric
1981-1983 : Jonathan
1984-1986 : Mathieu
1987 : Alexandre
1988 à 1992 : Maxime
1993-1994 : Alexandre
1995-1999 : Samuel
2000-2003 : William
2004-2005 : Samuel
2006-2007 : William
2008 : Thomas
2009 : William

vivre » s'exprimait chez lui par un intérêt prononcé pour les « créatures », sujet sur lequel il était intarissable. Peut-être est-ce justement en pensant à ce trait de caractère que Doris Lussier baptisa son personnage du nom de Gédéon, ce guerrier de l'Ancien Testament qui eut de nombreuses femmes et de nombreux enfants.

GEORGES

Présent tout au long du XIXe siècle, surtout dans la seconde moitié.
Il se maintint dans le premier tiers du XXe siècle.
Deux graphies : GEORGE, GEORGES.
Prénoms du voisinage : GEORGES-ÉTIENNE, GEORGES-HENRI.
Prénoms féminins : GEORGELINE, GEORGETTE, GEORGIANA, GEORGIANNA, GEORGINA, GEORGINE.

Ce prénom est d'origine grecque (*georgios*, « l'homme qui travaille la terre »). Le premier à l'avoir inscrit dans nos mémoires était un soldat romain du nom de Georgius, martyrisé en Palestine au IVe siècle, dont l'Église fit un saint. Quand, de cette histoire, sortira la légende de saint Georges terrassant le dragon, son nom se répandra dans la chrétienté, notamment vers l'est, parmi les peuples de tradition orthodoxe, comme l'ont illustré en politique le Bulgare Georgi Dimitrov (1882-1949), le Russe Gheorghi Malenkov (1902-1988), le Roumain Gheorghe Gheorghiu-Dej (1901-1965). Les Grecs ont connu deux rois de ce nom, au XIXe et au XXe siècle, un chef de gouvernement, Georges Papandréou (1888-1968), et le Prix Nobel de littérature Georges Séféris (1900-1971). Dans les pays slaves, Georges compte diverses variantes, comme le montrent le cosmonaute soviétique Iouri Gagarine (1934-1968) et le tennisman croate Goran Ivanisevic (né en 1971).

Ce prénom se répandit aussi vers l'ouest, aux Pays-Bas, où on l'appelle Joris, et en Allemagne, où on l'appelle Jürg ou Georg, comme Georg Philipp Telemann (1681-1767) et Georg Friedrich Haendel (1685-1759). En Angleterre, où saint Georges fut pourtant proclamé saint patron au XIVe siècle, ce n'est qu'au XVIIIe siècle qu'il se répandra vraiment, à la faveur de l'accession au trône d'Angleterre de souverains allemands issus de la Maison de Hanovre. À partir de 1714, en effet, quatre rois George se succéderont sur une période ininterrompue de 116 ans, dont George III qui régna de 1760 à 1820. Cette époque favorisa la diffusion du prénom en Angleterre et partout où les Anglais se sont déployés. Ainsi, à Montréal, au XIXe siècle, les anglo-protestants firent du prénom George, décennie après décennie, l'un de leurs favoris (quatrième pour l'ensemble du siècle, avec 7 % de représentation), contrairement aux irlando-catholiques, beaucoup plus réservés.

En France, il fut illustré par le naturaliste Georges-Louis Leclerc, comte de Buffon (1707-1788), et par le politique Georges Danton (1759-1794). Une pièce de Molière s'intitule *George Dandin* (1668). Ce prénom eut de beaux succès au XIXe siècle, où il occupa globalement le 15e rang, et dans les premières décennies du XXe siècle. Il fut illustré par les écrivains Georges Feydeau (1862-1921) et Georges Bernanos (1888-1948), par le compositeur Georges Bizet (1838-1875) et par les peintres Seurat (1859-1891), Rouault (1871-1958) et Braque (1882-1963). De 1917 à 1920, le chef du gouvernement français s'appelait Georges Clemenceau (1841-1929). Et pendant que Georges Pompidou (1911-1974) présidait la République de 1969 à sa mort, Georges Brassens (1921-1981) régnait sur la chanson française. Georges Wilson (1921-2010), acteur de théâtre, de cinéma et de télé, dirigea le Théâtre national populaire de 1963 à 1972.

Ce prénom était resté discret en Nouvelle-France (quelque 200 mentions), mais, au Québec, il se répandit vite, s'imposant parmi les dix premiers dès les années 1830 et tout au long du siècle, continuant sur cette lancée pendant les premières décennies du XXe siècle. Parmi ceux qui l'ont illustré, mentionnons Mgr Georges Gauthier (1871-1940), archevêque de Montréal, et Georges Pelletier (1882-1947), directeur du *Devoir* de 1932 à 1947. Sans oublier George-Étienne Cartier (1814-1873) et son monument du mont Royal, Georges Vézina (1887-1926) et son trophée tant convoité par les gardiens de but de la Ligue nationale de hockey, ainsi que Georges Vanier (1888-1967) et le cégep anglophone de Montréal qui porte son nom.

Plus près de nous, ce prénom fut illustré par le comédien Georges Groulx (1922-1997), par l'écrivain et historien des patriotes Georges Aubin, et par le hockeyeur Georges Laraque (né en 1976). L'écrivain, chanteur et poète Georges Dor (1931-2001) est l'auteur de la célèbre *Complainte de la Manic*. « Si tu savais comme on s'ennuie à la Manic… »

Par ailleurs, puisque les Hanovre (en particulier les quatre rois George) ont régné longtemps et à une époque brillante de l'histoire de l'Angleterre, le nom de George apparaît partout sur les cartes du monde, notamment en Amérique du Nord : État de la Géorgie (1732) et lac George (1755) aux États-Unis, baie Géorgienne en Ontario, et au nord du Québec la rivière George, baptisée en 1811 en l'honneur de George III. Ce prénom est aussi présent dans la toponymie de nos villages. Outre Georgeville, hameau désigné ainsi par des loyalistes en 1822, on dénombre cinq villages du nom de Saint-Georges : un premier, près de

Cacouna, fondé au début du XIXe siècle; puis trois autres fondés vers le milieu du XIXe, Saint-Georges-de-Beauce, Saint-Georges-de-Windsor (près d'Asbestos), Saint-Georges-de-Clarenceville (près de la baie Missisquoi); et Saint-Georges, près de Grand-Mère, fondé au début du XXe siècle, aujourd'hui incorporé à Shawinigan.

GÉRARD

Prénom important de la première moitié du XXe siècle,
médaillé d'or dans les années 1910-1920.
Prénoms du voisinage: GÉRALD, GERRY, MAJELLA.
Prénom féminin: GÉRALDINE.

Même si on ne l'entend plus aujourd'hui dans nos cours d'école, le prénom Gérard est encore bien présent dans nos journaux et nos médias – et pas seulement à Radio-Canada chez Gérard D. Laflaque. C'est que Gérard a été l'un des très grands prénoms du premier quart du XXe siècle. Il s'est même distingué par un fait d'armes peu banal: en 1910, c'est lui qui a détrôné Joseph à titre de prénom le plus populaire, Joseph qui régnait depuis plus de 100 ans. Par la suite, Gérard occupa le 1er rang pendant une dizaine d'années.

Ce prénom vient du germanique Gerhard, qui contient l'idée de «lance» et celle de «dur», de «fort». Au Moyen Âge, il fut illustré par des saints (moines, abbés ou évêques) de France, d'Allemagne, de Belgique. Plus tard vint saint Gérard Majella (1726-1755), qui vécut en Italie. Béatifié en 1893, puis canonisé en 1904, ce saint, qui mena pourtant une vie discrète, se fit connaître ici grâce à la place que lui fit l'Église dans la toponymie de nos paroisses et de nos villages.

En Italie et en Espagne, on l'appelle Gerardo ou Gerardino. En Allemagne, fidèle à ses racines, Gerhard, tout simplement, comme Gerhard Schröder (1910-1989), l'homme politique du temps de l'Allemagne de l'Ouest. En Angleterre, Gerard (sans accent) fut courant dès l'époque normande et il le resta pendant quelques siècles; Gerald, également d'origine normande, et longtemps moins courant, est aujourd'hui plus populaire que Gerard – *much commoner than Gerard*, dit l'*Oxford*. Il a été illustré aux États-Unis par Gerald Ford (1913-2006), qui fut président de 1974 à 1977. Chez les anglophones du Québec au XIXe siècle, je n'ai trouvé aucun Gerard, mais j'ai relevé quelques Gerald vers la fin du siècle. En anglais, ces deux prénoms ont pour diminutif Gerry, illustré à notre époque par le militant politique Gerry Adams (né en 1948) en Irlande du Nord. (Le diminutif Jerry, orthographié avec un « J », relève généralement de Jérôme ou de Jérémie.)

En France, le prénom Gérard fut courant au Moyen Âge, notamment au XIIe siècle. On le vit moins par la suite, même au XIXe siècle où l'illustra l'écrivain Gérard de Nerval (1808-1855). Il s'imposera au XXe siècle, huit siècles après ses heures de gloire médiévales, plus précisément dans le deuxième tiers du siècle, se classant parmi les 20, voire les 10 premiers de 1932 à 1960. Gérard Philipe (1922-1959), Gérard Depardieu (né en 1948) et Gérard Jugnot (né en 1951) l'ont illustré au théâtre et au cinéma.

On ne trouva ce prénom ni en Nouvelle-France (trois mentions seulement) ni au Québec pendant le plus clair du XIXe siècle, mais il apparut au cours de la décennie 1890, qui allait devenir son tremplin vers la gloire. Dès 1900, à CDN, il représentait 1 % des prénoms, bondissant à près de 4 % dans la décennie 1910. Dans l'ensemble du Québec, il s'installa au 1er rang de 1910 à 1918, puis de nouveau en 1921 et en 1922. En l'an 2000, dans l'ensemble de la population, il se situait au 58e rang des prénoms masculins. Moins répandu, Gérald connut un certain succès dans les années 1930 et 1940. Il se situait, en 2000, au 91e rang.

Au Québec, pas moins de quatre villages portent le nom de Saint-Gérard (ou l'ont porté avant les fusions municipales) : en Estrie (aujourd'hui Weedon), en Montérégie, dans Lanaudière et en Mauricie (aujourd'hui Shawinigan). Tous ces villages furent fondés au début du XXe siècle : trois en 1905 ou 1906 ; un en 1922. Et tous portent ce nom en hommage à saint Gérard Majella, canonisé en 1904. Comment, dans ces circonstances, ne pas établir de rapport entre la canonisation religieuse à Rome et la canonisation « toponymique » au Québec ? Des villages restaient encore à nommer au Québec. Dans le même temps, un bienheureux allait être canonisé à Rome et des dignitaires d'ici étaient invités à la cérémonie. Quoi de plus naturel alors, pour ces derniers, que de donner le nom du nouveau saint à une de leurs nouvelles paroisses ? Et, sur cette lancée, quoi de plus normal que d'inviter les futurs parents à choisir ce nom pour leurs nouveau-nés ? D'ailleurs, même Majella sera un prénom au Québec.

Le prénom Gérard a été illustré dans la vie publique par Gérard Picard (1907-1980), ancien patron de la CTCC (l'actuelle CSN) et par Gérard Filion (1909-2005), directeur du *Devoir* de 1947 à 1963, et par les universitaires Gérard Dion (1912-1990), Gérard Bergeron (1922-2002) et Gérard Bouchard (né en 1943). Il fut illustré dans les arts et les lettres par les écrivains Gérard Bessette (1920-2005) et Gérard Morisset (1898-1970), et par le comédien Gérard Poirier (né en 1930).

Gérard Thibault (1917-2003) tint à Québec un cabaret qui porta son nom, *Chez Gérard*, et qui fut dans les années 1950 un haut lieu de la chanson au Québec. L'actuel chef de l'Action démocratique du Québec s'appelle Gérard Deltell (né en 1964).

Gérald est absent de la toponymie des villages, mais il fut illustré par Gérald Fauteux (1900-1980), juge en chef de la Cour suprême, par Gérald Martineau (1902-1968), conseiller législatif et trésorier de l'Union nationale, et par Gérald Godin (1938-1994), député, ministre et poète du Parti québécois (qui a laissé son nom à un cégep de Montréal ainsi qu'à une place du quartier Le Plateau-Mont-Royal). Gérald Beaudoin (1929-2008), sénateur à Ottawa, Gérald Larose (né en 1945), président de la CSN, et Gérald Tremblay (né en 1942), maire de Montréal. Gérald Boulet (1946-1990) s'est fait connaître comme auteur-compositeur-interprète sous le nom de Gerry Boulet. « Je suis de cette race/Qui veut laisser sa trace/ … /Je suis celui qui frappe dedans la vie/À grands coups d'amour. »

Gilles

Prénom du deuxième tiers du XXe siècle.
Deux graphies : Gil, Gilles.
Prénoms du voisinage : Aegidius, Égide, Gil.
Prénom féminin : Gillette.

Ce prénom vient du latin *ægidius*, qui lui-même vient du grec et signifie « peau de chèvre », au sens de « bouclier ». Dans la mythologie grecque, il s'agit généralement du bouclier de la déesse Athéna. C'est de là que le français a tiré le mot « égide », au sens de « protection », ainsi que le prénom Égide, assez rare, mais qu'on trouve au Québec. Aegidius est aussi un prénom qui fut illustré chez nous par Aegidius Fauteux (1876-1941), homme de lettres et bibliothécaire à Montréal. Égide et Aegidius sont donc les cousins de Gilles.

En anglais, Gilles prend la forme Giles, ou, plus rarement, Gyles ; en espagnol et en portugais, Gil, forme qu'on retrouve aussi en français, souvent comme nom de plume. On ne confondra pas cette dernière avec la forme identique, Gil, qui vient de l'hébreu et qui veut dire « joie », comme son équivalent féminin Gilah.

Ce prénom fut porté par un ermite du VIIIe siècle qui fonda une abbaye dans le sud de la France (à Saint-Gilles-du-Gard, près de Nîmes) et qui devint le saint Gilles de l'Église. C'est ainsi que fut « lancé » ce prénom, courant surtout au Moyen Âge. Il fut illustré au XVe siècle par Gilles de Rais (1404-1440), tout à la fois héroïque soldat, compagnon de Jeanne d'Arc et sombre débauché qui inspira la légende de Barbe-Bleue. Au XVIIe siècle, il fut porté par l'écrivain Gilles Ménage (1613-1692). Au XVIIIe siècle, le romancier Alain René Lesage (1668-1747) publia un récit picaresque intitulé l'*Histoire de Gil Blas de Santillane*. Plus près de notre époque, et après une longue somnolence, Gilles retrouva une certaine vigueur au XXe siècle, notamment vers le milieu du siècle. Illustré par le philosophe Gilles Deleuze (1925-1995) et par le chanteur Gilles Dreu (né en 1934), il est actuellement porté par Gilles Bernheim (né en 1952), grand rabbin de France depuis janvier 2009. Le neurologue Gilles de la Tourette (1857-1904) a laissé son nom à la maladie dont il fit la description en 1885.

En Nouvelle-France, Gilles demeura discret – et Gillette, le féminin, fut presque invisible. Il le fut également au Québec au XIXe siècle. Rien dans son passé n'aurait donc pu annoncer son importante poussée survenue dans le deuxième tiers du XXe siècle, qui lui valut, à son zénith dans les années 1940, 5 % de représentation. Au Québec, dans l'ensemble de la population en 2000, il se situait au 14e rang des prénoms masculins.

Le nom Gilles est à peine visible dans notre toponymie : un seul petit village, Saint-Gilles (1828), situé entre Québec et Thetford Mines ; et un hameau près de Montmagny, L'Anse-à-Gilles. En revanche, il a connu et connaît toujours de nombreuses illustrations dans tous les domaines. En politique, nous connaissons Gilles Grégoire (1926-2006), Gilles Taillon (né en 1945) et Gilles Duceppe (né en 1947), tous trois à leur façon chefs de parti (Ralliement national, Action démocratique et Bloc québécois), ainsi que Gilles Lamontagne (né en 1919), qui fut maire de Québec, ministre à Ottawa et lieutenant-gouverneur. Gilles Vaillancourt (né en 1941) est maire de Laval depuis 1989. En littérature, nous connaissons le poète Gilles Hénault (1920-1996) et les romanciers Gilles Archambault (né en 1933) et Gilles Marcotte (né en 1925), ainsi que Gil Courtemanche et Gilles Gougeon (nés en 1943). Gilles Pellerin (1926-1977) et Gilles Latulippe (né en 1937) ont œuvré dans le monde de l'humour, et Gilles Pelletier (né en 1925), au théâtre, à la télé et au cinéma. Ce tour d'horizon serait bien incomplet sans évoquer Gilles Villeneuve (1950-1982) derrière son volant, Gilles Carle (1928-2009) derrière sa caméra, et Gilles Vigneault (né en 1928) debout devant les gens de son pays, « gens de paroles et gens de causerie ».

Godefroy

Un prénom du XIXe siècle, demeuré discret.
Sept graphies : Godefroi, Godefroy, Godfroi, Godfroid, Godfroie, Godfrois, Godfroy.
Prénoms du voisinage : Geoffroy, Joffre.

Godefroy, nom viril qui semble fait pour des soldats. Et pourtant, ce prénom, qui vient du germanique *Gotafrid* (latinisé en *Godefridus*), veut dire « paix de Dieu ». Il est voisin d'un autre prénom, Geoffroy, avec lequel il a parfois été confondu et qui a donné le patronyme Joffre, illustré par le maréchal Joffre (1852-1931), héros de la Première Guerre mondiale.

Apparu en Flandre, en Wallonie et dans le nord-est de la France, et connu dès le Xe siècle, c'est au temps des croisades que ce prénom s'est répandu. C'était le prénom d'un évêque de Langres, Godefroy de la Rochetaillée (1104-1164) – autre nom viril –, qui était le conseiller du roi de France lors de la deuxième croisade. Mais nous connaissons surtout Godefroy de Bouillon (1061-1100), petit-fils du duc de Lorraine, Godefroy le Barbu. Godefroy de Bouillon, chef de la première croisade, s'empara de Jérusalem en l'an 1099 et en devint le maître. Figure emblématique de « l'enthousiasme religieux et guerrier qui suscita la première croisade » (*Grand Larousse du XIXe siècle*), Godefroy de Bouillon « laissa un long souvenir dans toute la chrétienté », ce qui contribua à la célébrité de son prénom. S'il est vrai qu'il n'y a aucun saint de ce nom, en revanche on connaît deux bienheureux qui vécurent au XIIe siècle, le Français Godefroy de Péronne et l'Allemand Godefroy de Cappenberg, comme pour nous annoncer qu'un jour la paix régnerait sur les deux rives du Rhin. Cela dit, un saint Geoffroy, né près de Soissons, devint évêque d'Amiens et mourut en 1115, tandis que Geoffroi de Villehardouin (v. 1150-v. 1213), l'un des chefs de la quatrième croisade, s'illustra comme chroniqueur en publiant *La Conquête de Constantinople*.

En Italie, le prénom Godefroy prit la forme de Goffredo, propulsé au XVIe siècle par l'œuvre du Tasse, *La Jérusalem délivrée*, qui raconte les exploits de Godefroy de Bouillon, « une des œuvres les plus illustres de la littérature italienne » (*Le Petit Robert des noms propres*). Le prénom circula en Allemagne sous la forme de Gottfried, qu'illustra le philosophe Gottfried Wilhelm Leibniz (1646-1716). En Angleterre, il prit les formes de Godfrey, Geoffrey, Jeffrey et Jeffery. Ce dernier fut porté par un général, Jeffery Amherst (1717-1797), bien connu à Montréal pour avoir obtenu la capitulation de la ville en 1760 et pour avoir laissé son nom à une rue du Centre-Sud. À Québec, le militant social et philanthrope Jeffery Hale (1803-1864) a contribué à la construction d'un hôpital qui porte son nom. Au XIXe siècle, ces prénoms étaient toutefois rarissimes chez les anglo-protestants du Québec (un seul Godfrey, sept Jeffrey). Cela dit, Jeffrey a donné en Angleterre les diminutifs Geoff et Jeff. Ce dernier est usité ailleurs, comme nous le rappellent *Jef*, la chanson de Jacques Brel, et Jeff Filion, l'animateur de radio de Québec. « Non, Jef, t'es pas tout seul/Mais arrête de pleurer/Comme ça devant tout le monde/ … / Non, Jef, t'es pas tout seul/Mais tu sais que tu me fais honte. »

En France, ce grand prénom médiéval était encore présent au XIXe siècle, mais moins répandu. Il fut illustré par Godefroy Cavaignac (1801-1845), président de la Société des droits de l'Homme, et par Jacques Marie Eugène Godefroy de Cavaignac (1853-1905), qui fut ministre de la Guerre – en aurions-nous douté ? – sous la IIIe République, à l'époque de l'affaire Dreyfus (il fut un adversaire du capitaine Alfred Dreyfus). Le premier était un homme de gauche et le second, de droite. « Les Cavaignac se suivent mais ne se ressemblent guère », dit Émile Zola à propos de l'antidreyfusard.

Le prénom Godefroy était connu en Nouvelle-France (121 mentions au PRDH). Il fut porté par un des premiers colons, interprète de son métier, Thomas Godefroy de Normanville (1610-1652), qui mourut aux mains des Iroquois. Un parc et une rue de Montréal rappellent son souvenir. Le prénom était aussi connu au XIXe siècle et fut illustré par la famille du seigneur et homme politique Joseph-Marie Godefroy de Tonnancour (1750-1834). Le peintre québécois Jacques Godefroy de Tonnancour (1917-2005) appartenait à cette famille. Le nom fut aussi illustré par le journaliste et homme politique Godfroy Langlois (1866-1926), qui, s'il ne fut pas militaire, savait cependant ferrailler, notamment avec les curés, ce qui, à l'époque, n'était pas une mince affaire. Rappelons que ce prénom eut au Québec plusieurs graphies, dont Godfroy, la plus courante, représentait 40 % des prénoms.

Ce prénom s'est trouvé une place dans notre toponymie, en Gaspésie, où fut fondée en 1873 la paroisse de Saint-Godefroi (ou Godefroy), en l'honneur de l'abbé Charles-Godefroi Fournier (1829-1902), curé de Notre-Dame-de-Paspébiac de 1861 à 1871.

Par ailleurs, à la suite de la première bataille de la Marne en 1914, le patronyme du vainqueur, le maréchal Joffre (1852-1931), fut donné comme prénom dans certaines familles au Québec, comme l'illustra Jean-Joffre Gourd (1916-2001), un conquérant du milieu des affaires en Abitibi, et par l'athlète et chef de police Joffre L'Heureux (1917-2006), qui conquit le titre de « Monsieur Canada » en 1950.

GUILLAUME

Discret au XIXe siècle, il fit un retour en force vers la fin du XXe siècle, notamment dans les années 1980.
Prénom du voisinage: WILLIAM.
Prénoms féminins: GUILLEMETTE, GUILLEMINE.

Ce prénom d'un archer célèbre et ce favori de l'élite dirigeante au Moyen Âge vient du germanique Willhelm, qui veut dire à la fois « volonté » (*will*) et « protection » (*helm*) – *helm*, c'est le « heaume » français, le *helmet* anglais. Guillaume, l'homme qui protège. Il fut abondamment illustré au long des siècles dans les familles royales d'Angleterre, des Pays-Bas et d'Allemagne, pays où il a pris respectivement les formes de William, Willem et Wilhelm (voir **William**). Plus au sud, c'est le Guglielmo italien, le Guillermo espagnol, le Guillem catalan. Le physicien italien Marconi (1874-1937) se prénommait Guglielmo.

En France, il n'y eut pas de roi de ce nom, mais au Moyen Âge, dans la noblesse et chez les chevaliers, Guillaume était le roi des prénoms. En Aquitaine, des ducs l'ont porté, dont Guilhem de Gellone au VIIIe siècle, qui fut si hardi à combattre les Sarrasins que l'Église en fit un saint. Son nom fut donné à la commune de Saint-Guilhem-le-Désert dans le sud de la France. En Normandie aussi il y eut des ducs de ce nom, dont le plus célèbre, Guillaume le Conquérant, conquit l'Angleterre en 1066 et devint roi du pays sous le nom de Guillaume Ier.

Plusieurs se firent connaître par leurs surnoms, « Tête d'Étoupe », « Court Nez » ou, parmi les guerriers, « le Hardi », « Fierabrace », « Longue Épée ». Celui qu'on appelait « le Roux » était Normand et fut roi d'Angleterre, tout comme « le Mauvais » qui, lui, devint roi de Sicile. Heureusement, son fils lui succéda, fit oublier les mauvais souvenirs de son père et fut appelé « le Bon ». D'autres hommes nommés Guillaume étaient en religion, comme « le Pieux », qui fut canonisé, ou celui qu'on disait « aux Blanches Mains », qui fut un conseiller du roi. Un autre, un moine cistercien qui vécut au XIIIe siècle, se fit appeler, allez savoir pourquoi, Guillaume « l'Amant ». Guillaume de Machaut (1300-1377) a été chanoine de Reims, mais c'est à titre de musicien et de poète que nous le connaissons.

En France toujours, après des siècles fastueux pour lui, Guillaume s'estompa à partir du XVe siècle et n'était plus, au XIXe siècle, qu'au modeste 33e rang. Mais un prénom qui brilla par ses « Hardis » et ses « Conquérants » n'allait pas manquer de remonter en première ligne. Ce qu'il réussit à faire au XXe siècle, se classant parmi les 20 premiers de 1976 à 1998, dont 11 fois parmi les 10 premiers, avec une 3e place en 1986. Il est illustré au cinéma et sur scène par Guillaume Depardieu (1971-2008), par Guillaume Gallienne (né en 1972) et par Guillaume Canet (né en 1973). Il avait été porté au début du XXe siècle par le poète Guillaume Apollinaire (1880-1918), de son vrai nom Wilhelm Apollinaris de Kostrowitzky. Soldat des tranchées, il mourut de ses blessures subies au front. « En l'honneur de l'Honneur la beauté du Devoir. »

En Nouvelle-France, ce prénom se classa 25e avec quelque 1000 mentions au PRDH. Côté féminin, il y eut quelques Guillemette et Guillemine, mais en quantité infinitésimale. Le cartographe Guillaume Delisle (1675-1726) l'illustra, auteur d'une carte de la mer de l'Ouest sur laquelle apparaît le toponyme « baie d'Hudson ». Aujourd'hui, un lac du Nunavik s'appelle Guillaume-Delisle. Au XIXe siècle, le prénom Guillaume fut beaucoup plus discret et fut même dépassé par son cousin William (voir **William,** p. 249). Mais, récemment, dans le dernier tiers du XXe siècle, il se classa parmi les plus courants, notamment dans les années 1980, représentant en 1984 2,5 % des prénoms masculins. Dans l'ensemble de la population en l'an 2000, il se situait au 61e rang. Et, de nos jours, ce prénom est toujours populaire (voir **Pouponnières, garderies et maternelles,** p. 176).

De nombreux Québécois se préparent sans doute à donner de brillantes illustrations à ce prénom redevenu jeune chez nous. Leur ont déjà ouvert la voie de la notoriété le hockeyeur Guillaume Latendresse (né en 1987), l'acteur Guillaume Lemay-Thivierge (né en 1976) et l'écrivain Guillaume Vigneault (né en 1970). Illustré plus tôt par le musicien Guillaume Couture (1851-1915), maître de chapelle à la cathédrale Saint-Jacques (aujourd'hui Marie-Reine-du-Monde), le prénom Guillaume a aussi laissé sa marque sur nos cartes, en Abitibi à Saint-Guillaume-de-Granada, près de Drummondville à Saint-Guillaume-d'Upton (nommé en l'honneur du seigneur de Sorel William Grant), et dans Lanaudière près de Saint-Michel-des-Saints, où Saint-Guillaume-Nord attend chaque automne les chasseurs d'orignal. Guillaume Tell, le célèbre archer suisse et héros légendaire de l'indépendance de son pays, y serait le bienvenu.

GUSTAVE

Une présence discrète dans la seconde moitié du XIXe siècle.

La singularité de ce prénom chez nous tient à ses origines. Gustave, en effet, est le seul des prénoms connus au Québec au XIXe siècle qui nous vint de la Scandinavie, plus précisément de la Suède – on disait là-bas Götstaf –, où plusieurs rois l'ont porté, le premier au XVIe siècle, le dernier, Gustave VI Adolphe (1882-1973), au XXe siècle. Ce prénom s'est aussi répandu dans les pays de langue allemande, comme en témoignent le compositeur Gustav Mahler (1860-1911) et le peintre Gustav Klimt (1862-1918) en Autriche, et le psychiatre Carl Gustav Jung (1875-1961) en Suisse. En Tchécoslovaquie, il fut porté par le dirigeant communiste Gustav Husak (1913-1991) et en Angleterre, par le compositeur Gustav Theodore Holst (1874-1934), né de parents allemands. Sous l'effet des mouvements migratoires, le prénom se répandit dans les pays de l'Amérique du Sud, au Brésil notamment, comme l'illustrent le tennisman Gustavo Kuerten (né en 1976) et le guitariste Gustavo Guerra (né en 1978).

Ce prénom ne nous vient pas de la tradition religieuse, l'Église catholique n'ayant reconnu qu'un obscur et lointain saint de ce nom. Il ne nous vient pas non plus de la Nouvelle-France, où Gustave était inconnu (deux petites mentions au PRDH). Ni de nos liens avec le monde britannique, car, malgré ses origines nordiques et sa présence en Allemagne, Gustave était peu fréquent en Angleterre – *occasionnally been used*, dit l'*Oxford* du prénom Gustavus. Il était rarissime, du reste, parmi les anglo-protestants de Montréal au XIXe siècle (à peine quatre mentions sur 7700, trois Gustav et un Gustavus), et plus rare encore chez les irlando-catholiques (un seul Gustavus sur 5000).

Peut-être alors ce prénom nous vient-il tout simplement de la France du XIXe siècle, où il fut assez connu pour occuper le 30e rang et où il fut illustré par Gustave Flaubert (1821-1880), et par les artistes Gustave Courbet (1819-1877) et Gustave Doré (1832-1883). L'ingénieur qui a donné son nom au plus célèbre monument de Paris s'appelait Gustave Eiffel (1832-1923). Le Clézio, Prix Nobel 2008 de littérature, se prénomme Jean-Marie Gustave.

Mais, alors, où les Français l'ont-ils pris ? Selon le philologue Albert Dauzat, ce prénom fut mis à la mode en France « par le roi Gustave-Adolphe ». Soit, mais, lequel ? Gustave II Adolphe (1594-1632), qui fut l'allié de la France pendant la guerre de Trente Ans et qui fit de la Suède une grande puissance européenne ? Ou, plus vraisemblablement, Gustave III (1746-1792), francophile, ami des philosophes des Lumières et praticien du « despotisme éclairé » – un peu à la manière de Frédéric II de Prusse, dont le prénom, justement, commençait à se diffuser en France à la même époque ?

Au Québec, le prénom Gustave est absent de la toponymie de nos villages. Il fut illustré par Henri-Gustave Joly de Lotbinière (1829-1908), premier ministre du Québec, puis lieutenant-gouverneur. Par deux juges en chef : Gustave Lamothe

(1856-1922) de la Cour d'appel et Gustave-Henri Thibaudeau Rinfret (1879-1962) de la Cour suprême. Par deux hommes de lettres, l'historien Gustave Lanctôt (1883-1975) et l'écrivain Gustave Lamarche (1895-1987). Par le syndicaliste Gustave Francq (1871-1952) et par Gustave Meurling, dont le nom fut donné à un établissement pour les sans-abri à Montréal, le refuge Meurling, qu'il avait contribué à créer par legs testamentaire. (Ces deux derniers hommes étaient d'origine belge.) Plus près de nous, le Dr Gustave Gingras (1918-1996) créa l'Institut de réadaptation de Montréal. Que celui-ci se console : si son prénom n'est plus à la mode, son œuvre demeure impérissable.

Guy

Prénom qui fut surtout populaire dans l'entre-deux-guerres.
Deux graphies : Gui, Guy.
Prénoms du voisinage : Vital, Vitalien.
Prénoms féminins : Ghislaine, Guylaine, Vitaline.

Ce prénom d'origine germanique vient du mot *wido*, « bois » ou « forêt » (et *wood*, en anglais, ce qui donna le prénom Woodrow et son diminutif Woody). Ce Wido et sa version latine *Vitus* ont donné Guy en français, Guido (Guidon) en italien et en espagnol. Viennent de la même source l'italien Vito et le tchèque Vit (Vith). La cathédrale de Prague s'appelle Saint-Vith, ou Saint-Guy. En français, les prénoms Vital, Vitalien et Vitaline se trouvent ainsi apparentés à Guy.

Par ailleurs, ce prénom a eu une forme féminine, Guyonne, aujourd'hui disparue en France et qui fut inconnue en Nouvelle-France. Les prénoms féminins Guylaine et Ghislaine, bien connus au Québec, se rattachent en principe au masculin Ghislain, qui est d'une autre étymologie.

Parmi les têtes couronnées qui l'ont porté, mentionnons quatre ducs de Spolète en Italie au IXe siècle (Guido di Spoleto) ; un comte de Flandres au XIIIe siècle, Guy de Dampierre (1225-1305) ; et Guy de Lusignan (1129-1194), roi de Jérusalem (royaume fondé par les croisés en 1099) quand la ville sainte fut reconquise par Saladin en 1187. Ce prénom fut aussi porté par Guido d'Arezzo, un moine bénédictin italien du XIe siècle, professeur de musique, qui inventa notre notation musicale. *Do, ré, mi…*

Guy fut introduit en Angleterre par les Normands, où il devint vite un prénom courant – *in common use*, selon l'*Oxford*. Il fut illustré par une chanson de geste du

XIIe siècle, *Guy de Warwyke*, et laissa même sa marque dans la langue anglaise – *guy* signifiait autrefois « guide », mais est aujourd'hui obsolète. Toutefois, cette situation avantageuse s'arrêta net en 1605, le 5 novembre, après l'échec de la Conspiration des poudres qui visait à assassiner le roi Jacques Ier, la *Gunpowder Plot* fomentée par des catholiques en mal de restauration, dont l'un des cinq conspirateurs d'origine s'appelait Guy Fawkes (1570-1606), un militaire fraîchement converti, figure emblématique, depuis lors, dans l'imaginaire collectif anglais, de l'ennemi public numéro un, le vilain absolu. Son prénom mit deux siècles à s'en remettre et ne réapparut – discrètement – qu'au XIXe siècle, non sans un coup de pouce de Walter Scott avec son roman *Guy Mannering*, paru en 1815.

En France, Guy fut « l'un des prénoms les plus portés au Moyen Âge », en particulier de 900 à 1200, précise le *Larousse*. Mais il perdit son lustre après la Renaissance, si bien qu'au XIXe siècle, où il fut tout de même illustré par Guy de Maupassant (1850-1893), il demeurait encore bien modeste. Mais tout changea au XXe siècle, plus précisément à partir de 1920, quand s'ouvrit pour lui une période faste de 30 ans. Il fut illustré par le baron Guy de Rothschild (1909-2007), chef d'une célèbre famille de banquiers et d'amateurs de grands crus de Bordeaux, ainsi que par l'humoriste Guy Bedos (né en 1934) et par l'auteur-compositeur Guy Béart (né en 1930). « Ma petite est comme l'eau/Elle est comme l'eau vive/... / Courez, courez/Vite si vous le pouvez/Jamais, jamais/Vous ne la rattraperez. »

En Nouvelle-France, il n'y eut qu'un seul Guy mentionné au PRDH. Au Québec, au XIXe siècle (à tout le moins à CDN), il fut également invisible. Plus tard, entré en scène dans les années 1920, il atteindra son sommet au cours des années 1930, puis se maintiendra haut perché jusque dans les années 1950 – son meilleur résultat : en 1931, à près de 3 % de représentation. Son compagnon Jean-Guy fit également très bien, surtout dans les années 1930. Années fastes qui auront permis au prénom Guy d'occuper, dans la population de l'an 2000, le 18e rang – le 8e, si on lui ajoute les prénoms Jean-Guy.

Est-ce l'arrivée tardive de ce prénom dans nos familles ou l'évocation de la mystérieuse danse de Saint-Guy ? Quoi qu'il en soit, aucun village ni aucune paroisse ne porte le nom de Guy au Québec. Seul un canton du Témiscamingue fut baptisé ainsi, et l'on relève plus d'une soixantaine de rues dans toute la province, dont la rue Guy du centre-ville de Montréal, qui tire son nom d'Étienne Guy (1774-1820), un élu devenu haut fonctionnaire.

En revanche, ce prénom fut fort bien illustré, et il l'est encore. Dans nos universités, l'historien Guy Frégault (1918-1977) nous enseignait nos origines et le sociologue Guy Rocher (né en 1924), les voies de l'avenir. Dans nos forums politiques ferraillaient Guy Julien (né en 1945), Guy Favreau (1917-1967) et l'avocat Guy Bertrand, l'un pour le compte du Québec, le deuxième pour celui d'Ottawa, et le troisième, tantôt pour l'une, tantôt pour l'autre capitale. À la radio, la voix de Guy Mauffette (1915-2005) nous accueillait au *Cabaret du soir qui penche.* Et, pendant que Guy Lafleur (né en 1951) faisait fondre la glace et exulter les cœurs, et que l'imprésario Guy Latraverse (né en 1939) faisait applaudir nos chanteurs et nos chansons, Guy Sanche (1934-1988) captivait les enfants de la télé avec son Bobino, Guy Nadon (né en 1952) brûlait les planches de nos théâtres et Guy Laliberté (né en 1959) faisait, avec ses cirques et ses cercles, tourner les têtes sur toutes les scènes de la terre – et même au-dessus. Belle brochette pour un numéro de *Tout le monde en parle* ! Guy A. Lepage (né en 1960) serait fier de les accueillir à sa grand-messe dominicale. Le peintre Guido Molinari (1933-2004) a illustré chez nous la version italienne du prénom.

* * *

Pour finir, il convient de dire quelques mots au sujet de la « danse de Saint-Guy » (nom populaire de la chorée de Sydenham), cette maladie infectieuse du système nerveux qui cause des mouvements involontaires et des contractions des muscles du tronc et des extrémités. Au Moyen Âge, on croyait ces malades possédés du démon et ceux-ci ont longtemps invoqué saint Guy contre leur mal. C'est que les symptômes des malades semblaient s'aggraver à l'approche de la fête de saint Guy, en juin. Chez nous, cette maladie a engendré une expression populaire, « avoir la danse de Saint-Guy », qui signifie « s'énerver ». Voilà comment notre langue s'est enrichie d'une jolie expression et comment l'Église s'est ménagée l'appui d'un saint protecteur des épileptiques et des choréiques.

HECTOR

Une assez belle présence dans le dernier tiers du XIXe siècle.
Prénom du voisinage : ACHILLE.
Prénom féminin : HECTORINE.

Ce prénom est sorti tout droit de la Grèce antique et de sa mythologie, telle que nous l'a racontée Homère dans l'*Iliade*. Hector, fils du roi, époux bien-aimé, père affectueux, était aussi chef de guerre, le plus valeureux des Troyens. C'est en se portant à la défense de sa patrie assiégée par les Grecs qu'il mourut, tué par Achille, le superhéros, le demi-dieu grec. Ce nom, apparu il y a 2800 ans, est parvenu jusqu'à nous sans l'intermédiaire habituel de l'Église – il n'y a pas de saint Hector – ou des têtes couronnées. C'est un pur produit de l'imagination d'un poète.

Ce nom était usité dans les Highlands d'Écosse, nous dit l'*Oxford*, sans doute parce qu'il rappelait un vieux prénom de la langue locale, auquel il s'est substitué à une époque où l'on décourageait l'usage des prénoms celtiques. En revanche, il était peu employé en Angleterre, mais les Anglais en ont tout de même tiré un mot pour leur langue, le verbe *to hector*, qui signifie « rudoyer », « houspiller ». Étrange usage du mot qui renvoie non pas à la vie du héros troyen, mais plutôt à sa mort aux mains d'Achille qui, après l'avoir terrassé dans un combat singulier, traîna son cadavre face contre terre pour l'humilier aux yeux des siens.

En France, il y eut bien Hector Berlioz (1803-1869) pour l'illustrer de belle manière, mais ce prénom est resté rare dans l'usage des familles. C'est par la littérature surtout qu'il fut célébré, depuis le *Roman de Troie* de Benoît de Sainte-Maure au XIIe siècle jusqu'à *La guerre de Troie n'aura pas lieu* de Jean Giraudoux (1935), en passant par la tragédie *Hector* de Montchrestien (1604). Dans les autres pays de langue latine, il fut illustré plus récemment par le compositeur brésilien Heitor Villa-Lobos (1887-1959) et par le réalisateur de cinéma italien Ettore Scola (né en 1931). L'écrivain français Hector Bianciotti naquit en Argentine en 1930 de parents piémontais.

Rare en Nouvelle-France (sept mentions seulement), le prénom Hector apparut au XIXe siècle, surtout dans la seconde moitié de ce siècle (le temps de se faire connaître de l'ensemble des collèges classiques ?), quand il se classa trois fois autour du 20e rang. Son meilleur résultat : en 1880, 16e, avec 1,2 % des prénoms, toujours assez loin devant Achille, le nom de son vainqueur.

Il n'y a pas de Saint-Hector parmi nos villages, parce qu'il n'y a aucun saint de ce nom. Par contre, nous connaissons en politique Hector Langevin (1826-1906), l'un des Pères de la Confédération, Hector Laferté (1885-1971), président du Conseil législatif, et Hector Perrier (1895-1978), député, ministre, juge à la Cour supérieure. Dans les arts et les lettres, le journaliste et caricaturiste Hector Berthelot (1842-1895), le comédien Hector Charland (1883-1962), créateur à la radio du personnage de Séraphin, et le poète Hector de Saint-Denys Garneau (1912-1943). Plus près de nous, Hector « Toe » Blake (1912-1995) s'est illustré comme joueur, puis comme instructeur des Canadiens de Montréal. Enfin, le journaliste et diplomate Hector Fabre (1834-1910), précurseur des relations internationales du Québec, a renforcé récemment sa place dans notre mémoire collective, puisque son nom a été donné à un édifice gouvernemental (1992), à un prix d'excellence (2001) et à une chaire d'histoire du Québec à l'UQAM (2004).

Henri

Prénom important du dernier tiers du XIXe siècle et du début du XXe.
Deux graphies : Henri, Henry.
Prénoms du voisinage : Claude-Henri, Émeric, Émery, Georges-Henri.
Prénom féminin : Henriette.

Pour retrouver l'origine de ce prénom bien connu et jadis répandu au Québec, il faut aller dans les pays de langue germanique. On y découvre le nom Haimric, d'où vient notre Henri – et Émeric et Émery, moins populaires au Québec.

Dans ces pays, le prénom apparut très tôt, porté par sept souverains du Saint Empire romain germanique, du Xe au XIVe siècle. Henri II (973-1024), duc de Bavière et fondateur de l'évêché de Bamberg, fut canonisé en 1146 – comme le sera son épouse, l'impératrice Cunégonde. Nimbé du double prestige de la couronne et de l'Église, le prénom se répandit en Europe, aussi bien dans les pays du Nord, comme la Norvège de l'écrivain Henrik Ibsen (1828-1906) ou l'Allemagne du poète Heinrich Heine (1797-1856), que dans les pays du Sud, comme l'Italie du ténor Enrico Caruso (1873-1921) et du physicien Enrico Fermi (1901-1954). Le diminutif italien Enzo a été illustré de brillante manière par le pilote et constructeur automobile Enzo Ferrari (1898-1988).

Les Normands l'amenèrent avec eux en Angleterre, où Henri devint, par évolution phonétique, Herry, Harry, puis Henry – d'où, aujourd'hui, ces deux prénoms anglais issus de la même souche, Harry et Henry. Dès l'an 1100, Henri Ier Beauclerc, le fils de Guillaume le Conquérant, accéda au trône d'Angleterre, premier d'une longue suite de huit rois prénommés Henry, dont les règnes s'étendirent sur plus de quatre siècles. Parmi eux, Henry V, vainqueur de la bataille d'Azincourt (1415) et haute figure du patriotisme anglais, dont la vie a inspiré le drame *Henri V* à Shakespeare, et Henry VIII, le fondateur de l'Église anglicane. D'usage constant en Angleterre, le prénom Henry le sera aussi chez les anglo-protestants du Québec au XIXe siècle, se classant parmi les dix premiers à chaque décennie, généralement autour du 7e rang, à 4,5 % de représentation – deux fois plus que chez les irlando-catholiques.

À partir du XIe siècle, le prénom Henri se répandit en France (où il s'écrit parfois avec un *y*). Quatre rois le portèrent. Henri IV, assassiné en 1610, occupe une place à part dans notre histoire, car sous son règne fut fondée en 1608 la ville de Québec – fait historique dont témoignent l'autoroute Henri-IV et, plus modestement, des rues de Montréal, de Sherbrooke et de Bromont.

Au XIXe siècle, en France, le prénom figura globalement au 8e rang, sa position étant plus forte dans la seconde moitié du siècle et dans les premières décennies du XXe siècle. Il fut représenté par les peintres Henri de Toulouse-Lautrec (1864-1901) et Henri Matisse (1869-1954), par les écrivains Henri Barbusse (1873-1935), Henry Bordeaux (1870-1963) et Henry de Montherlant (1895-1972), par le philosophe Henri Bergson (1859-1941) et par le mathématicien Henri Poincaré (1854-1912). Le Suisse Henri Dunant (1828-1910) fonda avec d'autres citoyens la Croix-Rouge en 1863, ce qui lui valut le prix Nobel de la paix en 1901 (le Comité international de la Croix-Rouge reçut la même distinction en 1901 et en 1944). Bien connu des Québécois, le chanteur Henri Salvador (1917-2008) vécut – et chanta – jusqu'à l'âge de 90 ans. « Le travail c'est la santé/Rien faire c'est la conserver » – telle était sa recette.

En Nouvelle-France, Henri occupa une place d'importance moyenne (quelque 500 entrées). Mais, après des débuts modestes au XIXe siècle, il ne cessa de progresser de décennie en décennie dans la seconde moitié du siècle, atteignant les plus hauts rangs : 7e à CDN en 1870, 5e en 1880, il était 2e en 1890, juste après Joseph. Au XXe siècle, il poursuivit sur cette lancée pendant quelques années avant d'amorcer un repli qui le mena au silence vers 1960.

Ce prénom fut représenté dans nos lettres par Henri Julien (1852-1908), caricaturiste au *Montreal Star*, et par Henri Bourassa (1868-1952), fondateur du quotidien *Le Devoir*. Au théâtre et sur nos ondes, par Henri Letondal (1901-1955), Henri Norbert (1904-1981) et Henry Deyglun (1903-1971). Henri Bergeron (1925-2000) était une vedette de Radio-Canada, Henri Richard (né en 1936), du hockey et Henri Massé (né en 1946), du syndicalisme ; chacun à sa manière savait parler aux foules. Henri Tranquille (1916-2005) était libraire à Montréal – « un homme flamboyant, un diffuseur extraordinaire de la littérature », dira de lui son biographe Yves Gauthier[16]. Certains prénoms composés ont été illustrés par Claude-Henri Grignon (1894-1976), auteur d'*Un homme et son péché* et créateur de Séraphin Poudrier, par le père Georges-Henri Lévesque (1903-2000), professeur à l'Université Laval et fondateur de l'Université nationale du Rwanda, et par Henri-Paul Rousseau (né en 1949), qui laissa sa marque à la Caisse de dépôt et placement du Québec, dont il fut le chef de 2002 à 2008.

16. Voir Yves Gauthier, *Monsieur Livre, Henri Tranquille*, Québec, Septentrion, 2005.

Sur le plan toponymique, le Québec compte deux villages du nom de Saint-Henri, l'un près de Lévis, l'autre près d'Alma (Saint-Henri-de-Taillon), sans oublier les villages de Henryville et de Henrysburg en Montérégie. Mais, la marque la plus forte de ce prénom, c'est Saint-Henri, à Montréal. Institué en municipalité en 1875 (dans les années mêmes où le prénom Henri prenait son essor, est-ce un hasard ?), puis annexé à Montréal en 1905, ce quartier comprenait deux paroisses, celle de Saint-Henri, fondée en 1867, du nom de l'empereur germanique du XIe siècle, et celle de Sainte-Cunégonde, fondée en 1875, du nom de sa royale épouse. Henri II et Cunégonde, réunis depuis leur mort et pour l'éternité dans leur cathédrale de Bamberg en Allemagne, pouvaient-ils s'imaginer qu'un jour, huit siècles plus tard, ils se retrouveraient de nouveau côte à côte, mais à Montréal cette fois, à des milliers de kilomètres de leur terre natale ?

HERMÉNÉGILDE

Prénom resté discret au XIXe siècle.
Prénom féminin : HERMÉNÉGILDE (prénom mixte).

Comme Alphonse et Ferdinand, ce prénom est d'origine germanique, mais il s'est répandu dans le sud de l'Europe, plus précisément dans la péninsule ibérique, où vécut le saint qui a établi ce prénom dans la tradition chrétienne, San Hermenegildo, qui vécut au VIe siècle, prince wisigoth et fils d'un roi d'Espagne, tué sur ordre de son père parce qu'il refusait d'abandonner la foi chrétienne. Il fut proclamé patron de Séville et son nom fut donné à un ordre militaire espagnol fondé en 1814 par le roi Ferdinand VII. Au Portugal voisin vécut Hermenegildo, comte de Coimbra (v. 778-après 841).

Le prénom s'est répandu dans les pays de l'empire espagnol (Philippines, Amérique latine) ainsi qu'en Italie à la faveur des liens tissés par la couronne d'Espagne. En Italie, il est illustré par Ermenegildo Zegna (1892-1966), qui fonda en 1910 une entreprise devenue une marque mondiale de la couture masculine.

Puisque ni l'*Oxford* ni le *Larousse* ne prennent la peine de mentionner ce prénom, on peut penser qu'il est demeuré inconnu en Angleterre et même en France. En Nouvelle-France, on ne relève que quatre occurrences au PRDH, et, s'il est bel et bien apparu au XIXe siècle, il resta discret (17 occurrences à CDN). Néanmoins, son nom fut donné à un village de l'Estrie fondé en 1856 près de Coaticook. Il avait également été donné à une paroisse de l'est de Montréal, mais celle-ci a été supprimée.

Cela dit, nous connaissons Herménégilde Lavoie (1908-1973), un des pionniers du cinéma au Québec, et Herménégilde Vincent, grand chef des Hurons-Wendat de 1935 à 1941. De nos jours, il est illustré par le poète acadien Herménégilde Chiasson (né en 1946), lieutenant-gouverneur du Nouveau-Brunswick de 2003 à 2009.

HONORÉ

Une présence discrète mais constante au XIXe siècle.
Prénoms du voisinage : HONORAT, HONORIUS.
Prénom féminin : HONORINE.

Ici, nous sommes dans le monde latin : un Honorius fut empereur d'Occident au début du Ve siècle. Il faut dire que le prénom Honoré était courant chez les premiers chrétiens en raison de sa valeur spirituelle. Parmi les saints qui ont porté ce nom, l'évêque d'Amiens au VIe siècle, qui devint le patron des pâtissiers – dont le nom a été donné à un célèbre gâteau et à un quartier huppé de Paris. La forme latine Honorius a été portée par quatre papes du VIIe au XIIIe siècle. Le féminin Honorine a donné le prénom breton Énora, ainsi que les prénoms anglais Honora, Annora et Nora.

En France, au XIXe siècle, ce prénom occupa un rang modeste, mais fut brillamment illustré par l'écrivain Honoré de Balzac (1799-1850) et par le dessinateur Honoré Daumier (1808-1879). Précédemment, il avait été porté par l'écrivain Honoré d'Urfé (1567-1625) et par le peintre Jean-Honoré Fragonard (1732-1806).

En Nouvelle-France, Honoré n'était pas inconnu (87 mentions), mais il n'y eut ni Honorat ni Honorius, et une seule Honorine. Au Québec, au XIXe siècle, Honoré était présent, mais modeste. Sa meilleure décennie : en 1890, avec l'appoint d'Honorat et d'Honorius, il atteignit 0,8 % de représentation.

Tout discret qu'il fut dans l'usage des familles, il laissa sa marque sur notre territoire, avec trois villages baptisés Saint-Honoré : les deux premiers fondés vers le milieu du XIXe siècle, l'un près de Rivière-du-Loup, l'autre en Beauce ; et le troisième, au début du XXe siècle, au nord de Chicoutimi.

Honoré a été illustré dans notre vie politique par Honoré Beaugrand (1849-1906), journaliste, directeur de *La Patrie*, maire de Montréal de 1885 à 1887 (son nom a été donné à une station de métro), et par Honoré Mercier (1840-1894), premier ministre du Québec de 1887 à 1891. Parmi les nombreux endroits qui célèbrent la mémoire de ce dernier, notons un bâtiment administratif à Québec, une ville et un pont près de Montréal, et, au cœur de la ville, la circonscription électorale de Mercier, qui fut celle de Robert Bourassa et de Gérald Godin. Par ailleurs, Honorius Charbonneau (1920-2005) fut maire de Mont-Saint-Hilaire de 1968 à 2000.

HORACE ET OVIDE

Prénoms discrets du XIXe siècle.
Prénoms du voisinage: ALCIBIADE, ARISTIDE, CORNÉLIUS, EUCLIDE, HERCULE, HOMÈRE, LUCAIN, LUCRÈCE, NARCISSE, NÉRÉE, ULYSSE, VALÈRE.

La Grèce et la Rome de l'Antiquité ont fortement marqué le tableau de nos prénoms, dont plusieurs viennent directement de ces pays. Tantôt ce sont des personnages historiques qui nous les ont fournis: Alexandre ou Antoine, parmi nos prénoms les plus courants, Alcibiade ou Aristide (deux généraux athéniens) parmi les plus rares. Tantôt ce sont des personnages mythologiques: Narcisse, Hercule, Nérée.

D'autres prénoms nous viennent des littératures grecque et latine. Du côté grec, ce sont les personnages, plutôt que les écrivains, qui ont laissé leur marque. Par exemple, il n'y a pas ici de Sophocle, de Socrate ni d'Aristote (comme il s'en trouve encore dans la Grèce d'aujourd'hui). Seule exception, et elle flattera nos « matheux », Euclide, certes demeuré discret chez nous, mais néanmoins parfaitement visible – et porté encore de nos jours, comme en témoigne Euclide Chiasson, qui fut président de la Société nationale de l'Acadie de 2000 à 2004.

Mais Homère[17], alors? Sa présence était si minuscule (trois petites mentions sur 12 000) qu'il ne vaut pas la peine d'en parler. En revanche, ses personnages, ses héros ont trouvé place, et de belle manière, parmi nos prénoms. En tête, les deux guerriers ennemis de l'*Iliade*, Achille le Grec et Hector le Troyen – le second deux fois plus usité chez nous que le premier. Quant à Ulysse, celui qui a fait un si beau voyage, il a bien fini par accoster sur nos rives, mais sa présence fut des plus discrètes (neuf mentions seulement, dix fois moins que pour Hector). Il fut illustré à notre époque par le sculpteur Ulysse Comtois (1931-1999).

17. Qu'on ne confondra évidemment pas avec son homonyme Omer (voir cette entrée).

Du côté de Rome, au contraire, ce ne sont pas les personnages mais les auteurs qui ont laissé leurs noms. Et, si les Cornélius, Lucain (Lukin), Lucrèce et Valère sont demeurés discrets, en revanche Horace et Ovide, sans doute en raison de leur importance dans la littérature latine, se sont fait remarquer.

C'est par la seule force de la littérature – et de l'enseignement des lettres latines dans nos collèges – qu'ils ont pu trouver place chez nous, sans le relais de la religion ou de l'histoire, car il n'y a aucun saint de ce nom, ni de grande figure historique. Et, si leur nom est réapparu au cours des siècles, c'est encore grâce à la littérature, avec Shakespeare et son personnage Horatio (autre nom pour Horace) dans *Hamlet*, ou avec Corneille et sa pièce *Horace* (1640).

Par ailleurs, en Angleterre, nous connaissons l'écrivain Sir Horace Walpole (1717-1797) et l'amiral Horatio Nelson (1758-1805) ; en France, le général Horace Sébastiani (1772-1851) et le peintre Horace Vernet (1789-1863). Mais, dans ces pays, ni Horace ni Ovide ne se sont répandus au XIXe siècle. L'*Oxford* s'en étonne, étant donné l'immense popularité de Lord Nelson, tandis que le *Larousse* n'évoque ni l'un ni l'autre et que Dupâquier n'en aperçut pour ainsi dire aucun pour tout le XIXe siècle. Mentionnons tout de même, aux États-Unis, un journaliste du nom de Horace Greeley (1811-1872) et, au Canada anglais, le peintre Horatio Walker (1858-1938), Ontarien de naissance, mais qui vécut de nombreuses années au Québec (il mourut à Sainte-Pétronille, à l'île d'Orléans).

En Nouvelle-France, cinq Ovide et un seul Horace, aussi bien dire des fantômes. Ils apparaîtront au Québec au XIXe siècle, mais resteront discrets, Ovide faisant mieux dans la première moitié, Horace dans la seconde.

Ce dernier est absent de la toponymie de nos villages. Il fut illustré dans nos institutions par Sir Horace Archambeault (1857-1918), parlementaire, ministre et juge en chef de la Cour d'appel, par Horace Philippon (1900-1956), avocat, journaliste et homme politique, et par Pierre-Horace Boivin (1905-1994), qui s'identifia si fortement à la ville de Granby (dont il fut le maire pendant un quart de siècle et qu'il dota d'un zoo bien connu) qu'il mérita de se faire appeler affectueusement « Monsieur Granby ».

Ovide aussi est absent de notre toponymie. Par ailleurs, la chronique nous apprend que Louis-Ovide Brunet (1826-1876) était un botaniste confirmé, que Mgr Ovide Charlebois (1862-1933) a été missionnaire au Keewatin, et que le fabricant de cigares Grothé de Montréal était la propriété de Louis-Ovide Grothé (1856-1911), puis de son fils Raoul-Ovide Grothé (1879-1969). Mais, si ce prénom est encore présent de nos jours, c'est grâce à deux personnages de fiction : le père Ovide, des *Belles Histoires des pays d'en haut* de Claude-Henri Grignon, qui devint célèbre à la radio, à la télé et au cinéma; et Ovide Plouffe, l'un des fils de *La famille Plouffe*, d'abord émission de radio, puis feuilleton télévisé scénarisé par Roger Lemelin, présenté à la télé dans les années 1950, puis au cinéma – *Les Plouffe* (1981) et *Le Crime d'Ovide Plouffe* (1984). Pierre Corneille, au XVIIe siècle, aura fait revivre pour nous le nom d'Horace; Claude-Henri Grignon et Roger Lemelin, au XXe, celui d'Ovide. Bel hommage d'écrivains de langue française à la poésie de langue latine.

HORMISDAS

Prénom du XIXe siècle, populaire notamment vers le milieu du siècle.
Deux graphies: HORMIDAS, HORMISDAS.
Prénom féminin: HORMISDAS (prénom mixte).

Voici un prénom qu'on ne voit plus, pas même sur nos cartes géographiques, un prénom qui fait sourire lorsqu'on l'entend et dont on connaît peu de choses. « Une curiosité », dira Louis Duchesne.

Il faut aller aux confins du monde occidental pour en retrouver l'origine, en Perse plus précisément (l'actuel Iran) – et c'est par le monde hellénique (et par la langue grecque) que ce prénom est parvenu jusqu'à nous. Hormisdas – Hormizd en persan – était le nom de cinq rois de la dynastie des Sassanides qui régna sur la Perse du IIIe au VIIe siècle. Au fil du temps, ce prénom fut porté par des chrétiens, dont un martyr perse du IVe siècle (que certaines Églises d'Orient vénèrent sous le nom de saint Achéménide le Confesseur) et un pape du début du VIe siècle, Hormisdas Ier, qui fut canonisé. « L'un des pontifes les plus remarquables du VIe siècle », note le *Dictionnaire de théologie catholique*.

Par la suite, on ne trouve plus guère ce prénom qui semble n'avoir laissé aucune trace en France, ni dans les prénoms ni dans la toponymie. Aussi était-il inconnu en Nouvelle-France. Au Québec, il entra dans les usages au XIXe siècle et, sans avoir été un grand coursier, il réussit à se démarquer, notamment dans les années 1850 et 1870, où il atteignit, à CDN, la barre du 1 %.

Ni village ni paroisse ne portent ce nom, et il est quasiment absent des noms de rues de nos villes. Il a été illustré en politique par les députés Joseph-Hormisdas Legris (1850-1932) à Ottawa, Hormisdas Pilon (1857-1937) et Hormisdas Langlais (1890-1976) à Québec, et par Hormidas Laporte (1850-1934), président de la Banque provinciale et de la Chambre de commerce de Montréal, qui fut maire de la métropole de 1904 à 1906. Hormidas Deslauriers a été maire de Lachine de 1893 à

1897. Le prénom fut également porté par Hormisdas Magnan (1861-1935), auteur d'un *Dictionnaire historique et géographique des paroisses, missions et municipalités de la province de Québec* paru en 1925.

HUGUES ET HUGO

Deux prénoms plutôt discrets du dernier tiers du XXe siècle.
Prénom féminin : HUGUETTE.

Victor Hugo, évidemment ! Mais, avant d'être patronyme, Hugo a été prénom, et ce dernier, avant d'être connu, avait été précédé par Hugues, dont il n'est, en réalité, que le diminutif de forme latine. Hugues est un prénom d'origine germanique, à la racine duquel se trouve l'idée d'« intelligence », d'« esprit », de « pensée » – rien de moins. Hugues et Hugo ont pour vis-à-vis féminin le prénom Huguette, bien connu au Québec.

En Angleterre, on trouve le prénom Hugh, qui a donné, entre autres patronymes, Hughes, illustré au Canada anglais par Sir Samuel « Sam » Hughes (1853-1921), qui fut ministre de la Défense de 1911 à 1916 ; et aux États-Unis, par le milliardaire et pionnier de l'aviation Howard Hughes (1905-1976). Le patronyme de la pianiste canadienne Angela Hewitt (née en 1958) vient de la même source.

En Italie, c'est Ugo, illustré au cinéma par l'acteur Ugo Tognazzi (1922-1990), l'« homme » de *La cage aux folles* ; en Espagne et dans les pays hispanophones, c'est Hugo, illustré par le président du Venezuela Hugo Chavez (né en 1954).

Ce même Hugo est usité dans les pays de langue allemande, où il fut illustré par l'écrivain Hugo von Hofmannsthal (1874-1929), auteur de grands livrets d'opéra. La célèbre marque mondiale de mode masculine Hugo Boss doit son existence à l'initiative d'un petit tailleur du sud-ouest de l'Allemagne, Hugo Ferdinand Boss (1885-1948), qui ouvrit son atelier en 1923.

En France, c'est d'abord le prénom Hugues qui circula, un des prénoms classiques du Moyen Âge. Il fut illustré au Xe siècle par le roi Hugues Capet, le fondateur de la dynastie des Capétiens. Parmi les saints qui l'ont porté, un moine bénédictin, Hugues de Grenoble (1053-1132), contribua à la fondation de l'ordre des Chartreux et du premier monastère. Beaucoup plus près de nous, mentionnons le chanteur Hugues Aufray (né en 1929), bien connu des Québécois. Aujourd'hui, Hugues est moins populaire en France. Depuis les années 1980, Hugo occupe le devant de la scène (2 % de représentation).

En Nouvelle-France, le prénom Hugues fut très discret (dix mentions au PRDH) ; et Hugo et Huguette, totalement inconnus. Au Québec, au XIXe siècle, à CDN, même tableau : extrême discrétion de Hugues et absence de Hugo. Dans la première moitié du XXe siècle, Huguette tint le flambeau, et de belle manière, à 3 % de représentation à son sommet dans les années 1930. Dans la seconde moitié du siècle, Hugues (d'abord) et Hugo sortiront du silence. Dans les années 1960-1970, le premier s'approchera du 0,5 % de représentation, et le second, du 1 %. Depuis, Hugues a décroché, mais Hugo s'est maintenu. En ce début du XXIe siècle, il a réussi à se placer parmi les 50 prénoms les plus populaires (voir **Pouponnières, garderies et maternelles,** p. 176).

Hugues a une petite place dans notre toponymie, grâce à Saint-Hugues, village de la Montérégie fondé en 1827. Ces prénoms ont été représentés – ou le sont actuellement – en politique par Hugues Lapointe (1911-1982), ministre à Ottawa, délégué général du Québec à Londres, lieutenant-gouverneur à Québec, et par Pierre-Hugues Boisvenu (né en 1949), fondateur de l'Association des familles de personnes assassinées ou disparues (AFPAD), maintenant sénateur. En journalisme, par Hugues de Roussan (né en 1955), reporter sportif, et par Hugo Dumas et Hugo de Grandpré du journal *La Presse.*

JACQUES

Au XXe siècle, une présence importante pendant une cinquantaine d'années. Médaillé d'or en 1931 et en 1936.
Prénoms du voisinage : JACOB, JIM.
Prénoms féminins : JACQUELINE, JACQUETTE.

Pour trouver l'origine de ce prénom, il faut remonter aux deux apôtres de Jésus, Jacques le Mineur et Jacques le Majeur. Avec Jean et Pierre, Jacques le Majeur formait le noyau dur du groupe des apôtres (d'où l'expression populaire « Pierre, Jean, Jacques »). En hébreu, Jacques s'appelait Ya'akov, – comme Jacob, dans la Bible, fils d'Isaac et petit-fils d'Abraham. C'est ce nom qui, en passant par le grec Iakobos et le latin Iacobus (ou Jacomus), a donné notre Jacques.

Ce prénom s'est répandu jusqu'aux confins de la chrétienté. Notamment en Espagne où, selon une pieuse légende, les reliques de l'apôtre Jacques le Majeur auraient été transportées à Compostelle, en Galicie, à la suite de quoi apparut au Moyen Âge le fameux pèlerinage de Saint-Jacques-de-Compostelle. Aujourd'hui encore, des chrétiens viennent de partout pour se recueillir sur le tombeau de Santiago de Compostela, patron de l'Espagne.

Au cours de ses pérégrinations, le prénom allait prendre différentes formes. En Allemagne et aux Pays-Bas, on trouve Jacobus (ou Jakobus), le plus proche du prénom de l'Ancien Testament ; en Italie, Giacomo, comme Casanova (1725-1798) et Puccini (1858-1924). Chez les Espagnols, il est Iago, Jaime ou Diego. En Russie, il prend la forme de Jascha, illustrée par le violoniste Jascha Heifetz (1901-1987), né en Lituanie et naturalisé américain.

Dans les îles Britanniques, outre le gaélique Hamish et l'irlandais Seamus, Jacques est James, mais on l'appelle souvent par les diminutifs Jim, Jimmy ou Jamie (mais non Jack, qui appartient à John). On l'y trouve dès le XIIe siècle, et c'est dans le Nord qu'il s'est d'abord répandu, nous dit l'*Oxford*, notamment en Écosse qui a connu sept rois de ce nom, du XVe au XVIIe siècle. Pour qu'il se répandît aussi en Angleterre proprement dite, il fallut attendre le règne de Jacques Ier Stuart en 1603 (suivi de Jacques II). Il fut porté par l'ingénieur écossais James Watt (1736-1819) et par le général anglais James Wolfe (1727-1759). Ce dernier mourut au combat, mais son prénom ne tarda pas à fleurir sur le sol qu'il venait de conquérir : au XIXe siècle, le prénom James était troisième chez les anglo-protestants du Québec, avec 9,5 % de représentation. Un nom répandu, mais aussi un nom « sonore » qui désignait à Montréal un club social, une église méthodiste (aujourd'hui la cathédrale St. James) et la grande rue du quartier des affaires, St. James Street. James connut aussi un vif succès parmi les irlando-catholiques du Québec, prénom le plus populaire après John.

En France, Jacques est connu depuis le Moyen Âge et il est demeuré important jusque vers les années 1950. Il fut abondamment illustré. Sans remonter à Jacques Cartier (1494-1554) ou à Jean-Jacques Rousseau (1712-1778), signalons en politique Jacques Chirac (né en 1932), dans les arts et les lettres le poète Jacques Prévert (1900-1977), le réalisateur Jacques Tati (1908-1982) et les chanteurs Jacques Dutronc (né en 1943) et Jacques Brel (1929-1978) – ce dernier étant d'origine belge. L'une des variantes du prénom est portée par l'homme politique Jack Lang (en français, Jack dépend de Jacques, alors qu'en anglais il se rattache à John). On trouve aussi en France, mais beaucoup plus rarement, la forme Jammes (ou James) venue du latin Iacomus. À proximité du Mont-Saint-Michel, Guillaume le Conquérant fonda au XIe siècle une place forte qui s'appelle aujourd'hui encore Saint-James.

En Nouvelle-France, Jacques était l'un des principaux prénoms masculins, au 9e rang, avec quelque 5600 mentions (Jacqueline et Jacquette n'avaient qu'une quinzaine de mentions chacun). Il fut illustré par le jésuite Jacques Marquette

(1637-1675) qui, avec Louis Jolliet, « découvrit » le Mississippi en 1673, et par Jacques Bizard (1642-1692), l'aide de camp de Frontenac, dont le patronyme a été donné à une île près de Montréal. En 1672, en hommage au sulpicien Jean-Jacques Olier de Verneuil (1608-1657), on baptisa du nom de Saint-Jacques une rue importante de l'actuel Vieux-Montréal.

Au XIXe siècle, le prénom fut illustré par Jacques Viger (1787-1858), premier maire de Montréal en 1833 et premier président de la Société Saint-Jean-Baptiste en 1834, ainsi que par Jacques Grenier (1823-1909), maire de la métropole de 1889 à 1891. Mais, dans l'usage des familles, ce prénom, qui avait pourtant connu de belles années du temps de la Nouvelle-France, était alors cantonné dans la plus grande discrétion (une seule fois au-dessus du 1 %, en 1820). « Frère Jacques, Frère Jacques, dormez-vous ? »

Mais un prénom classique ne reste pas longtemps dans l'oubli, et bientôt les matines allaient de nouveau sonner pour lui. Dès le début du XXe siècle, en 1910, il dépassa la barre des 2 % à CDN. Sur cette lancée, il atteignit ses meilleurs scores (4 %, voire 5 %) dans les années 1940-1950, s'assurant ainsi de figurer au 6e rang des prénoms masculins dans la population de l'an 2000. Depuis les années 1980, l'ancêtre hébraïque de tous les Jacques de la terre, Jacob, est apparu dans nos parages et fait bonne figure parmi les prénoms les plus populaires (voir **Pouponnières, garderies et maternelles,** p. 176).

Le prénom Jacques compte d'abondantes illustrations dans tous les domaines. Nous connaissons en politique quatre ministres d'un même gouvernement, tous élus le 15 novembre 1976, dont un deviendrait premier ministre : Jacques Couture (1929-1995), Jacques Léonard (né en 1936), Jacques-Yvan Morin (né en 1931) et Jacques Parizeau (né en 1930). Dans les arts et les lettres, le peintre De Tonnancour (1917-2005) et les écrivains Ferron (1921-1985), Godbout (né en 1933) et Hébert (1923-2007). Dans les sports, le gardien de but Jacques Plante (1929-1986) et le pilote Jacques Villeneuve (né en 1971). Sans oublier l'humoriste Jacques Normand (1922-1998) et les chansonniers Jacques Blanchet (1931-1981) et Jim Corcoran (né en 1949).

Ce prénom a aussi laissé de nombreux témoins sur nos cartes. De l'année 1772 (quand fut fondé dans Lanaudière le village qui s'appelle aujourd'hui Saint-Jacques, après s'être appelé successivement Saint-Jacques-de-la-Nouvelle-Acadie, Saint-Jacques-de-l'Achigan et Saint-Jacques-de-Montcalm) au milieu du XXe siècle, pas moins de sept villages du nom de Saint-Jacques furent fondés au Québec : en Gaspésie, en Estrie, en Abitibi. La nomenclature ecclésiastique ne fut pas en reste, avec sept paroisses, dont Saint-Jacques-le-Majeur fondée à Montréal en 1823 (où les vestiges de l'ancienne cathédrale Saint-Jacques ont été intégrés à l'UQAM). En outre, le nom Jacques désigne des rues et des parcs dans plusieurs villes du Québec.

Mais, à tout seigneur tout honneur, si ce prénom est si fortement présent dans notre paysage, c'est largement grâce à Jacques Cartier, celui par qui tout a commencé. On en retrouve la trace partout, même jusqu'à l'embouchure du Saint-Laurent, puisque la route reliant Havre-Saint-Pierre et Tadoussac porte son nom, tout comme un mont de Gaspésie, une rivière de la région de Québec, une ville de la rive sud de Montréal (intégrée à Longueuil en 1969), un pont, une place du Vieux-Montréal, sans oublier toutes ces rues ou autres places publiques partout au Québec. Curieusement, on ne trouve hors du Québec qu'un seul toponyme attribuable au « découvreur du Canada », soit le parc provincial Jacques-Cartier dans la province de l'Île-du-Prince-Édouard.

JEAN

Un classique de tous les temps. Ses meilleures années récentes : vers 1960.
Prénoms du voisinage : de nombreux prénoms composés et les prénoms IVAN, JOHN, YANN, YANNICK.
Prénoms féminins : JEANNE, JEANNETTE, JEANNINE, MARIE-JEANNE.

Voici peut-être le plus célèbre et le mieux diffusé des prénoms, celui dont l'usage dans nos pays fut le plus constant. Pour remonter à sa source, il faut aller en Palestine, au début de notre ère, à la rencontre de deux saints de l'entourage de Jésus : Jean le Baptiste, le cousin, l'ami, le précurseur, et Jean l'Évangéliste, l'ami (le « frère », disait-on même), l'apôtre, le conteur, celui qui a raconté Jésus. On les appelle Jean, mais en réalité ils s'appelaient Yohanan (Johannes en latin), un nom hébreu qui veut dire « Yahvé pardonne ». « Pardonné » dès sa naissance, voilà un beau départ dans la vie.

Tout au long de l'histoire, 23 papes (dont Jean XXIII de 1958 à 1963), et de très nombreux saints – pas moins de 300 ! – ont porté ce nom. Sept sont bien connus des Québécois par la toponymie ou, mieux encore, parce qu'ils ont foulé notre sol. Il s'agit de Jean Chrysostome, un des Pères de l'Église qui vécut à Constantinople au IVe siècle ; de deux fondateurs d'ordres religieux, l'Espagnol Jean de Matha (1160-1213) et le Portugais Jean de Dieu (1495-1550) – ce dernier laissa son nom à un grand hôpital de Montréal, aujourd'hui l'hôpital Louis-Hippolyte-Lafontaine ; et de quatre jésuites, tous de la première moitié du

Les composés de Jean

Jean-Charles

Jean-Charles Chapais (1811-1885), homme politique – Jean-Charles Harvey (1891-1967), journaliste et romancier – Jean-Charles Bonenfant (1912-1977), bibliothécaire de l'Assemblée nationale – Jean-Charles Falardeau (1914-1989), sociologue.

Jean-Claude

Jean-Claude Turcotte (né en 1936), cardinal et archevêque de Montréal – Jean-Claude Labrecque (né en 1938), cinéaste – Jean-Claude Germain (né en 1939), écrivain – Jean-Claude Poitras (né en 1949), couturier – Jean-Claude Lauzon (1953-1997), cinéaste.

Jean-Daniel

Jean-Daniel Lafond (né en 1944), cinéaste et essayiste.

Jean-Denis

Jean-Denis Gendron (né en 1925), linguiste.

Jean-François

Jean-François Lisée (né en 1958), journaliste et conseiller politique – Jean-François Nadeau (né en 1970), journaliste et historien.

Jean-Guy

Jean-Guy Cardinal (1925-1979), homme politique – Jean-Guy Moreau (né en 1943), humoriste.

Jean-Jacques

Jean-Jacques Lartigue (1777-1840), premier évêque de Montréal en 1836 – Jean-Jacques Bertrand, premier ministre du Québec, 1968-1970 – Jean-Jacques Blais (né en 1940), homme politique franco-ontarien.

Jean-Jules

Jean-Jules Richard (1911-1975), écrivain.

Jean-Louis

Jean-Louis Lévesque (1911-1994), financier – Jean-Louis Gagnon (1913-2004), journaliste et haut fonctionnaire – Jean-Louis Roux (né en 1923), comédien – Jean-Louis Millette (1935-1999), comédien – Jean-Louis Roy (né en 1941), journaliste et haut fonctionnaire.

Jean-Luc

Jean-Luc Pépin (1924-1995), homme politique – Jean-Luc Migué, économiste – Jean-Luc Mongrain (né en 1951), animateur de télé – Jean-Luc Brassard (né en 1972), médaillé olympique de ski.

Jean-Marc

Jean-Marc Léger (né en 1927), journaliste et diplomate – Jean-Marc Léger, sociologue, sondeur d'opinion – Jean-Marc Parent (né en 1962), humoriste – Jean-Marc Vallée (né en 1963), réalisateur de cinéma.

Jean-Marie

Jean-Marie Nadeau (1906-1960), homme politique – Jean-Marie Cossette (1927-2007), photographe aérien et militant politique – Jean-Marie Lapointe (né en 1966), comédien.

Jean-Maurice

Jean-Maurice Bailly (1920-1990), journaliste sportif.

Jean-Michel

Jean-Michel Anctil (né en 1966), humoriste – Jean-Michel Leprince, journaliste.

Jean-Nicolas

Jean-Nicolas Verreault, comédien.

Jean-Noël

Jean-Noël Tremblay (né en 1926), homme politique – Jean-Noël Lavoie (né en 1927), homme politique – Jean-Noël Picard (né en 1938), hockeyeur professionnel.

Jean-Olivier

Jean-Olivier Briand (1715-1794), évêque de Québec – Jean Olivier Chénier (1806-1837), patriote mort à Saint-Eustache.

Jean-Paul

Jean-Paul Lemieux (1904-1990), peintre – Jean-Paul Riopelle (1923-2002), peintre – Jean-Paul Nolet (1924-2000), animateur de radio et de télévision – Jean-Paul Jeannotte (né en 1926), chanteur – Jean-Paul Mousseau (1927-1991), peintre – Jean-Paul Desbiens (1927-2006), alias « le frère Untel », enseignant, écrivain – Jean-Paul L'Allier (né en 1938), homme politique.

Jean-Philippe

Jean-Philippe Dallaire (1916-1965), peintre.

Jean-Pierre

Jean-Pierre Masson (1919-1995), acteur – Jean-Pierre Ronfard (1929-2003), homme de théâtre – Jean-Pierre Ferland (né en 1934), auteur-compositeur interprète – Jean-Pierre Coallier (né en 1937), animateur radio et télé – Jean-Pierre Lefebvre (né en 1941), cinéaste – Jean-Pierre Charbonneau (né en 1950), homme politique.

Jean-René

Jean-René Dufort (né en 1967), animateur de télé.

Jean-Robert

Jean-Robert Gauthier (1929-2009), homme politique franco-ontarien – Jean-Robert Ouimet (né en 1934), homme d'affaires – Jean-Robert Sansfaçon (né en 1948), journaliste.

Jean-Thomas

Jean-Thomas Taschereau, père (1778-1832), homme politique et magistrat – Jean-Thomas Taschereau, fils (1814-1893), juge de la Cour suprême.

Jean-Victor

Jean-V. Dufresne (1930-2000), journaliste – Jean-Victor Allard (1913-1996), militaire.

XVIIe siècle, Jean-François Régis, Jean Berchmans, Jean de Brébeuf et Jean de La Lande – ces deux derniers ont vécu et sont morts ici ; ce sont deux des huit martyrs canadiens canonisés en 1930.

Présent partout dans les pays chrétiens, ce prénom a pris toutes les formes imaginables (plus d'une centaine, d'après Léo Jouniaux), illustrant ainsi la grande diversité culturelle de ce nom – et de cette religion. Outre les plus connus – Juan, Giovanni, Johann –, mentionnons le Janos hongrois, le Ion roumain, les Yann et Yannick bretons, sans oublier les diminutifs italiens Gian et Gino, ce dernier assez bien connu au Québec. Et rappelons que le prénom Ivan, qui s'écrit généralement Yvan au Québec (comme Yves et Yvon), est en réalité la version russe du prénom Jean, qu'illustra au XVIe siècle le tsar Ivan le Terrible. Ce prénom est si intimement lié à la Russie qu'il en est devenu la personnification collective, Ivan étant Russe comme John Bull est Anglais et Jean-Baptiste, Canadien français.

En Angleterre, il s'appelle John (ou Jack pour les intimes, quand ce n'est pas Johnny). Bien qu'un seul roi l'ait porté, Jean sans Terre au XIIIe siècle, John a été en Angleterre un roi parmi les prénoms, le plus répandu de tous avec William, l'*Oxford* n'hésitant pas à parler de sa suprématie – *its singular predominance over all other names*. Ailleurs dans les îles Britanniques, on l'appelle Sean, Shane, Shawn en Irlande, Ian ou Iain en Écosse.

Au XIXe siècle, cet éclat de John s'est reflété au Québec, où il s'est classé 1er chez les irlando-catholiques (avec 17,2 % de représentation), et 2e chez les anglo-protestants (12,2 %), après William. Naturellement, il eut de nombreuses illustrations, tant au Canada qu'au Québec même, depuis John Molson à la fin du XVIIIe siècle jusqu'à John Turner (qui fut député à Montréal dans les années 1960), en passant par John Jones Ross (1833-1901), premier ministre du Québec de 1884 à 1887. Il est également bien en évidence sur les cartes : St. John's à Terre-Neuve, St. John au Nouveau-Brunswick et même « Saint John's Quebec », version anglaise de ce qui s'appelle maintenant Saint-Jean-sur-Richelieu.

En France, Jean et sa sœur Jeanne ont été « courants et fréquents » depuis l'époque médiévale, nous dit le *Larousse*. Ils ont été parmi les prénoms les plus populaires au XIXe siècle et le sont restés au XXe siècle, sans compter la très forte présence des nombreux prénoms composés, dont Jean-Pierre est le plus répandu. En France aussi, Jean a connu de nombreuses et brillantes illustrations, par exemple Jean de La Fontaine (1621-1695), Jean de la Bruyère (1645-1696) et Jean Racine (1639-1699) dans la littérature du XVIIe siècle ; Jean Jaurès (1859-1914) et Jean Moulin (1899-1943) en politique au XXe siècle.

En Nouvelle-France, Jean se classa 12e et Jean-François, 17e, et la présence de Jean-Baptiste au 1er rang donnait au prénom une aura sans précédent. Jean fut illustré en politique par Jean Talon (1625-1694), et dès cette époque il commença à faire sa marque dans la toponymie : Saint-Jean de l'île d'Orléans fondé en 1689, Saint-Jean-Port-Joli fondé en 1721, le fort Saint-Jean dans la vallée du Richelieu. Et, déjà, depuis la fin du XVIIe siècle, la ville de Québec avait sa rue Saint-Jean (comme Montréal).

Au XIXe siècle, Jean connut d'assez bonnes premières décennies, puis s'essouffla vers le milieu du siècle, mais revint à la mode vers 1880. Au XXe siècle, il connut de bons résultats jusqu'aux années 1960. Son maximum de 3 % n'était certes pas le sommet atteint par un de nos prénoms au XXe siècle, mais, par sa constance, il se classa neuvième dans la population masculine en l'an 2000. Et, si on ajoutait les prénoms composés de Jean (plus de deux fois plus fréquents que Jean tout court), on obtiendrait un résultat largement supérieur à tous les autres prénoms. Les prénoms composés les plus répandus sont, par ordre décroissant : Jean-François, Jean-Pierre, Jean-Guy, Jean-Claude et Jean-Paul (voir **Les composés de Jean,** p. 140).

En toponymie : un lac, qui est plus qu'un lac, un « royaume », nous affirment ceux qui en arrivent ; deux rivières, l'une dans la péninsule gaspésienne, l'autre à la frontière du Maine ; et de très nombreux lieux de vie. Au début du XXe siècle, Hormisdas Magnan a relevé 56 paroisses de ce nom, auxquelles quelques autres se sont ajoutées depuis, soit, au total, une soixantaine, dont près du tiers sont identifiées à saint Jean-Baptiste. Certaines se trouvent dans des villes, d'autres ont été regroupées dans des municipalités régionales de comté (MRC), si bien que, au total, la toponymie de nos villes et de nos villages compte aujourd'hui 17 témoins de la présence de Jean parmi nous.

Ses illustrations sont évidemment nombreuses, sans compter les noms composés à partir de Jean (voir **Les composés de Jean,** p. 140). Des politiciens de ce nom ont régné chacun sur leur territoire : Jean Drapeau (1916-1999) à Montréal, Jean Lesage (1912-1980) à Québec, Jean Chrétien (né en 1934) à Ottawa, et Jean Charest (né en 1958) le fait aujourd'hui encore, sans oublier Jean Pelletier (1935-2009) qui fut maire de Québec. Au théâtre, Jean Gascon (1921-1988), Jean Duceppe (1923-1990) et Jean Besré (1936-2001), et, avant eux, Jean Grimaldi (1898-1996). En musique, Jean Papineau-Couture (1916-2000), Jean « Ti-Jean » Carignan (1916-1988) et Jean Leloup (né en 1961). Dans la guerre, le lieutenant Jean Brillant (1890-1918), qui reçut la croix de Victoria pour le courage dont il fit preuve sur le champ de bataille. « Enrôlé volontairement à Rimouski, province de Québec, tombé glorieusement sur le sol de ses aïeux. Bon sang ne peut mentir», peut-on lire sur sa pierre tombale dans le cimetière militaire australien (*sic*) situé près d'Amiens, en France. Une rue et un parc près de l'Université de Montréal portent son nom.

Jean Béliveau (né en 1931) a illustré son nom au hockey. Pour sa part, Jean Lapointe (né en 1935), aujourd'hui sénateur, a brillé sur scène et au cinéma – et il le fait toujours, notamment par son engagement social, la Maison Jean-Lapointe en témoigne. Jean Coutu (né en 1927) s'est illustré dans le commerce et son nom se maintiendra longtemps grâce à ses pharmacies et à la Fondation qui porte son nom. Plus récemment, l'explorateur Jean Lemire nous a montré le chemin de l'Antarctique et s'emploie actuellement, par son combat pour l'environnement, à nous montrer la voie de l'avenir et à protéger «la beauté du monde».

Jean-Baptiste

Prénom dominant en Nouvelle-France et au Québec jusqu'au milieu du xxe siècle.

Ce prénom a connu une popularité phénoménale au Québec. Sur deux plans nettement distincts, mais fortement liés l'un à l'autre, le second venant en quelque sorte prolonger le premier dans la mémoire collective.

D'abord, comme prénom donné à une personne. Jean-Baptiste nous vient bien sûr des premières années du christianisme. En France, où il apparaît au xviie siècle, il devient vite «très apprécié», nous dit le *Larousse*. Pensons à Colbert, Molière ou Lully, tous nés entre 1619 et 1632 et tous prénommés Jean-Baptiste. Même chose au xviiie siècle; en témoignent les peintres Chardin (1699-1779) et Greuze (1725-1805), le naturaliste Lamarck (1744-1829), l'amiral d'Estaing (1729-1794), le général Kléber (1753-1800), tous prénommés Jean-Baptiste. Au xixe siècle, il fut illustré par Jean-Baptiste Clément (1836-1903), l'auteur du célèbre *Temps des cerises*, chant révolutionnaire écrit en 1867 devenu chanson d'amour, et, au xxe siècle, par le guitariste d'origine gitane Django Reinhardt (1910-1953), de son vrai nom Jean-Baptiste.

Répandu en France, ce prénom le fut aussi tout naturellement en Nouvelle-France. Le PRDH lui attribue la première place des prénoms simples (avec 21 600 entrées), légèrement en avance sur Joseph. C'était le prénom de Mgr de Saint-Vallier (1653-1727) et celui de Jean-Baptiste Le Moyne de Bienville (1680-1767) qui fut gouverneur de la Louisiane pendant plus de 20 ans. Et, déjà, avant 1800, ce nom fut donné à des villages : en 1701 près de Nicolet, en 1766 sur l'île Verte, en 1797 en Montérégie.

Au Québec, dans la première moitié du XIXe siècle, le prénom se maintint parmi les plus grands, mais il n'était plus à la première place, qu'il « céda » à Joseph. Il était tout de même parmi les cinq premiers. Toutefois, il vit sa part s'affaiblir régulièrement de décennie en décennie : 7,7 % des nouveau-nés en 1820, mais moins de 3 % en 1850. Sur cette pente, son déclin fut rapide : 12e en 1860, 28e en 1880, 46e en 1890. Le roi des prénoms de la Nouvelle-France, qui figurait encore au 5e rang en 1850, n'était plus, à la fin du siècle, que l'ombre de lui-même.

Il n'en fut pas moins bien illustré : dans l'éducation, par Jean-Baptiste Meilleur (1796-1878), éducateur, médecin, député, écrivain ; dans les affaires, par Jean-Baptiste Rolland (1815-1888), le fondateur de la papeterie du même nom, et par Jean-Baptiste Beaudry-Leman (1878-1951), ingénieur, financier et président de banque ; et, dans les sports, par Jean-Baptiste Laviolette (1879-1960), mieux connu sous le surnom de « Jack » Laviolette, membre des premières équipes des Canadiens de Montréal.

Mais – et nous voici sur le second plan –, beaucoup plus qu'un simple nom de baptême, Jean-Baptiste est devenu la personnification même de tout un peuple. Et cela, très tôt, semble-t-il. La chronique rapporte en effet les propos d'un sergent recruteur de l'armée britannique au moment de la guerre de 1812 qui, à l'appel des noms des recrues, s'écria : *They are all Jean-Baptiste !* Propos apocryphes ? En tout cas, un dictionnaire canadien-anglais donne la citation suivante, qui date de 1832 : *Jean-Baptiste is as frequently a* nom de guerre *for Canadian habitans as John Bull is for the English.* Un dictionnaire plus récent (1982) dit la même chose : *Jean-Baptiste. A French Canadian*, pouvait-on lire dans le *Canadian Intermediate Dictionary*.

John Bull l'Anglais, Jean-Baptiste le « Canayen ». Et quelle personnification ! John Bull n'est pas un saint de l'Église, alors que Jean-Baptiste l'est. Un des tout premiers, honoré partout dans le monde chrétien (y compris en Angleterre, où il a inspiré, nous apprend l'*Oxford*, le nom de plus de 500 paroisses !). Le saint patron revendiqué comme tel à partir de 1834, puis reconnu officiellement le 10 mai 1908, par Pie X, comme étant le « patron spécial auprès de Dieu des fidèles franco-canadiens, tant de ceux qui sont au Canada que de ceux qui vivent sur une terre étrangère ». Honoré tous les 24 juin à l'occasion d'une fête populaire mi-patriotique, mi-religieuse, célébrée partout où vivaient les Canadiens français (au Québec, au Canada anglais et même aux États-Unis, cette « terre étrangère » dont parlait Pie X, où vivaient des centaines de milliers de « Franco-Américains ») parfois regroupés en paroisses du nom de leur saint patron, souvent représentés par des organisations (les Sociétés Saint-Jean-Baptiste), et toujours prêts à manifester publiquement le 24 juin, contribuant ainsi, sinon à répandre ce prénom, du moins à le faire connaître autour d'eux.

Cette figure populaire est présente partout sur le territoire du Québec et quatre villages portent son nom. Le plus récent, près de Mont-Joli, fut fondé en 1924. Une vingtaine de paroisses aussi (donc autant d'églises), partout au Québec, notamment à Montréal et à Québec, certaines dédiées à Jean-Baptiste de La Salle (1651-1719), le fondateur des Frères des écoles chrétiennes, ou à Jean-Baptiste-Marie Vianney (1786-1859), le célèbre curé d'Ars. Des quartiers entiers portent son nom, à Québec, à Montréal où, au XIXe siècle, une ville portait ce nom avant d'être annexée à Montréal. Ailleurs, ce sont des routes, des chemins, des « rangs », des avenues, des rues, des parcs qui portent ce nom (Saint-Jean-Baptiste, ou parfois plus simplement Jean-Baptiste).

Saint Jean-Baptiste, un patron et une fête nationale. Mais aussi une figure populaire. Jules Helbronner (1844-1921), rédacteur en chef de *La Presse*, veut-il se donner un nom de plume pour ses chroniques d'affaires sociales ? Il choisit de s'appeler Jean-Baptiste Gagnepetit. Le caricaturiste Albéric Bourgeois (1876-1962) tient-il la chronique *En roulant ma boule* dans *La Presse* ? Il y met en scène le personnage de Baptiste. Et quand, en 1917, Ulric Barthe (1853-1921) voudra s'adresser au Canada anglais pour défendre le point de vue du Québec sur la conscription, il intitulera sa lettre ouverte : *Jean-Baptiste to his Anglo-Canadian Brothers*. Baptiste qui interpelle John Bull ! Cela ne manquait pas d'envergure.

Joël

Prénom des années 1960.
Prénom féminin : Joëlle.

Gaël, Gwenaël, Judicaël et d'autres encore : tous bretons et tous avec la même terminaison. On ne s'étonnera donc pas que certains aient cru voir en Joël un prénom d'origine bretonne.

Or Joël vient de Yo'el, mot hébreu qui veut dire « Yahvé est Dieu » – autrement dit, « notre Dieu est le vrai Dieu ». De tous ceux qui l'ont porté dans les temps bibliques, la mémoire collective a surtout retenu la figure du prophète Joël, l'un des douze « petits prophètes », qui vécut au IVe siècle av. J.-C. C'est à lui que l'on doit la prophétie des sauterelles. L'Église catholique en a fait un saint.

Ce prénom est demeuré courant dans les milieux juifs, souvent sous sa forme d'origine, Yoel. À notre époque, il est représenté par le cinéaste américain Joel Coen (né en 1954) qui coréalisa en 2007, avec son frère Ethan, *No Country for Old Men* (*Non, ce pays n'est pas pour le vieil homme*), qui reçut quatre oscars.

Connu en Angleterre au XVIe siècle chez les protestants et les puritains, Joël n'entra dans les usages en France qu'au XXe siècle. Il y est représenté par l'homme de science Joël de Rosnay (né en 1937).

C'est au XXe siècle seulement que ce prénom apparut au Québec, plus précisément dans les années 1960. Ses succès dans les usages des familles correspondent largement aux succès sur scène et à la télé du chanteur et animateur Joël Denis (né Denis Laplante en 1936). Il est illustré dans les lettres par Joël Des Rosiers (né en 1951), médecin, poète et vice-président de l'Union des écrivains du Québec, et par Joël Le Bigot (né en 1946), animateur de radio et grand amateur de voile.

Jonathan

Prénom du dernier quart du XXe siècle. Médaillé d'or des années 1980.

Jonathan vient de l'hébreu Yonatan, qui veut dire « donné par Dieu ». Il a donc exactement le même sens que nos Théodore, Théodose et autres Dieudonné (voir **Théodore et Théophile,** p. 236). Le prénom Jonathan partage la première partie de son étymologie (*Jo,* qui signifie « Dieu ») avec d'autres prénoms, notamment Joël et Joachim.

Le premier qui inscrivit ce prénom dans la mémoire collective vivait au XIe siècle av. J.-C. Il était le fils du roi Saül et le grand ami de celui qui succéda à son père sur le trône, le roi David. Être l'ami de ce grand roi n'était pas banal et leur amitié légendaire inspira de nombreux artistes et écrivains au cours des siècles. Le prénom Jonathan : un porte-bonheur d'amitié.

Ce prénom a toujours été en usage dans les milieux juifs, aussi bien en Israël qu'ailleurs dans le monde, comme en témoigne de nos jours en Angleterre Jonathan Sacks (né en 1948), membre de la Chambre des Lords et grand rabbin du pays. Il l'a été aussi dans les milieux protestants, notamment chez les puritains. Il fut porté par l'écrivain Jonathan Swift (1667-1745), auteur des *Voyages de Gulliver,* et il est courant de nos jours dans les pays anglophones, aux États-Unis notamment, en raison, disent certains, de sa proximité auditive avec le prénom John.

En France, Jonathan fut inusité jusqu'à tout récemment, dans les années 1980, quand on le vit apparaître en provenance des États-Unis, nous apprend le *Larousse*. Ces années-là, il se classa parmi les dix premiers prénoms.

Inconnu en Nouvelle-France (aucune mention au PRDH), inconnu également au XIXe siècle (du moins à CDN), ce n'est qu'assez tard au XXe siècle qu'il fit son apparition au Québec. Son ascension a été fulgurante : entré en scène dans les années 1970, le prénom Jonathan atteignit le sommet du classement dès 1981 et y resta pendant trois ans, jusqu'en 1983. Parti de rien, monté si haut en si peu de temps, d'un puissant coup d'aile en quelque sorte, comme seul aurait pu le faire *Jonathan Livingston le goéland*, l'oiseau du célèbre roman de Richard Bach paru en 1970. En 2000, Jonathan occupait le 32e rang des prénoms masculins et il était le deuxième prénom issu de l'Ancien Testament, après Daniel, mais nez à nez – amitié oblige ! – avec David. Depuis, il conserve une place au palmarès des prénoms du XXIe siècle (voir **Pouponnières, garderies et maternelles,** p. 176).

Bien que d'usage récent, ce prénom peut d'ores et déjà compter de belles illustrations, dans les sports notamment, avec les gardiens de but Jonathan Forest et Jonathan Roy. Jonathan Valois (né en 1971) a été député péquiste de Joliette à l'Assemblée nationale et Jonathan Painchaud (1974) est un auteur-compositeur-interprète. D'autres ne tarderont pas à les rejoindre.

Joseph

Ce grand médaillé d'or du XIXe siècle conserva son rang dans la première décennie du XXe siècle.
Prénoms du voisinage : Josaphat, José, Giséphat.
Prénoms féminins : Joséphine, Josephte, Josette.

Bien avant le Joseph que nous connaissons tous, il y eut, dans l'Ancien Testament, un patriarche de ce nom – Yoseph en hébreu –, fils de Jacob et de Rachel. Vendu par ses frères, il fut conduit en Égypte, où il réussit à devenir le conseiller du pharaon et put ainsi aider les Hébreux à s'installer là-bas. C'est lui qui est à l'origine lointaine du prénom Joseph. C'est à lui que pensent les familles juives quand elles donnent ce nom à un nouveau-né. Les familles protestantes aussi, qui, à une époque, faisaient la part large aux prénoms d'origine biblique.

Dans la tradition catholique, le personnage qui inspira les familles, c'est évidemment l'époux de Marie, le père nourricier de Jésus, l'« humble charpentier ». Le personnage est connu depuis toujours, mais le prénom n'a commencé à se répandre, nous disent le *Larousse* et l'*Oxford*, qu'au XVIIe siècle. Il n'y eut jamais de pape de ce nom, mais quelques souverains portèrent son nom : Joseph Ier le Réformateur, qui régna sur le Portugal au XVIIIe siècle (1750-1777), et deux empereurs germaniques, Joseph Ier, qui régna de 1705 à 1711, et Joseph II, qui fut empereur de 1765 à 1790 (à l'époque de Mozart, comme le rappelle le film *Amadeus*). Plus près de nous, François-Joseph fut empereur d'Autriche de 1848 à 1916, cette même Autriche qui avait donné à la musique le compositeur Joseph Haydn (1732-1809). Le prénom a été illustré en Italie au XIXe siècle par Giuseppe Mazzini (1805-1872), par Giuseppe Garibaldi (1807-1882) et par Giuseppe Verdi (1813-1901). Plus à l'est, on le trouve également dans les pays slaves de tradition catholique, comme en témoignent le maréchal Jozef Pilsudski (1867-1935), qui fut chef de l'État polonais, et le maréchal yougoslave d'origine croate Josip Broz (1892-1980), mieux connu sous le nom de « maréchal Tito ». Le maréchal Staline (1879-1953), qui n'était ni catholique ni ami du pape, mais qui fut un moment séminariste dans sa Géorgie natale, se prénommait Joseph. *Uncle Joe*, comme disaient les Américains de celui qui fut leur grand allié de la Seconde Guerre mondiale.

En France, le prénom Joseph se répand à partir du XVIIe siècle et il deviendra vite important. L'ont illustré, à divers moments, celui qu'on a appelé le père Joseph (1577-1638), capucin de son état et grand conseiller de Richelieu (et qu'on surnommait, pour cette raison, l'« Éminence grise »), l'ingénieur Joseph Cugnot (1725-1804), Joseph Bonaparte (1768-1844), le frère aîné de Napoléon, qui fut roi de Naples puis roi d'Espagne. Au XIXe siècle, en France, le prénom Joseph se classa à chacune des décennies parmi les cinq premiers. S'il y avait à cette époque, entre la France et le Québec, une différence dans l'usage du prénom Joseph, c'est moins dans la fréquence que dans la « résonance » de ce nom au Québec.

En Nouvelle-France – dont Joseph fut déclaré le saint patron dès 1624 –, on le trouve au sommet du palmarès : plus exactement, selon le PRDH, au 2e rang (avec 21 600 entrées), à quelques poussières seulement de la 1re place occupée par Jean-Baptiste (Marie-Josèphe occupait le 1er rang chez les filles). Fort de cette position, il s'installera au XIXe siècle au 1er rang, le plus souvent loin devant le 2e, et il y demeurera jusqu'à la fin du siècle. Sa part des prénoms ne cessera d'augmenter de 1820 (10 %) jusqu'aux années 1860 et 1870 (où elle culmine à 13 %). Joseph commencera à subir des pertes d'effectifs à partir de 1880 (8,5 % des prénoms), puis encore en 1890 (5,4 %), en conservant tout de même son 1er rang. Il continuera sur cette pente au XXe siècle, perdant son 1er rang aux mains de Gérard dès 1910, tombant ensuite sous la barre du 1 % de représentation, puis disparaissant avant le milieu du siècle. Au long de sa route, il trouva des compagnons : Josaphat, prénom venu du Nouveau Testament, et Josephat, venu de nulle part ailleurs que du Québec, où il semble bien avoir été inventé.

En Angleterre, le prénom Joseph apparut dès le Moyen Âge, sous l'impulsion notamment de Juifs prénommés Giuseppe en provenance d'Italie. Mais, c'est à partir du XVIIe siècle – comme en France – que le prénom devait se répandre réellement, à la faveur de l'engouement des premiers protestants pour les noms bibliques. Chez les anglo-protestants du Québec, au XIXe siècle, Joseph se classa le plus souvent parmi les 20 premiers, et même deux fois au 10e rang. Belle présence, sans commune mesure toutefois avec la situation chez les Canadiens français. La domination de Joseph, en effet, était telle chez ces derniers que ce prénom – en tout cas son diminutif Joe – prit, aux yeux des anglophones du Québec, un peu à l'exemple de Jean-Baptiste, l'allure d'un prénom typique : *A Joe is a French Canadian*, nous dit le grand *Oxford English Dictionary* – d'où certains tireront l'aimable expression « *a Joe job* » pour désigner une tâche sans importance.

Ce prénom fut abondamment illustré au Québec dans tous les domaines. Joseph Papineau (1752-1841) fut député à l'Assemblée du Bas-Canada, comme son fils Louis-Joseph (1786-1871), le chef du Parti patriote. Joseph Bouchette (1774-1841) occupa la fonction d'arpenteur général du Canada. Joseph Signay (1778-1850) fut le premier archevêque de Québec en 1844 (ses prédécesseurs étaient simplement évêques). Joseph Masson (1791-1847) était négociant, seigneur et homme politique. Joseph Favre dit Jos Montferrand (1802-1864) fut l'homme fort qui inspira à Gilles Vigneault sa chanson *Jos Monferrand* [*sic*]. Joseph Casavant (1807-1874), né à Saint-Hyacinthe, était facteur d'orgues et homme d'affaires. Joseph Cauchon (1816-1885) fut maire de Québec, député, ministre et sénateur à Ottawa, puis lieutenant-gouverneur du Manitoba de 1877 à 1882. Joseph Versailles (1881-1931), financier, fut à l'origine de la fondation de Montréal-Est. Joseph-Arthur Simard (1888-1963) fonda les entreprises Marine Industries de Sorel. Joseph Charbonneau (1892-1959), né en Ontario, fut archevêque de Montréal de 1940 à 1950, à l'époque de Maurice Duplessis, comme le rappelle la pièce *Charbonneau et le chef* de John Thomas McDonough.

Le XIXe siècle fut une grande époque pour le prénom Joseph : aucun autre ne fut ausi populaire sur une si longue période et l'on comprend que certains en aient fait un prénom type. Mais cette période est révolue. *Sic transit gloria mundi* – « Ainsi passe la gloire du monde ».

Ce prénom demeure tout de même présent sur la scène publique, comme en témoigne le chanteur Joseph Rouleau (né en 1929), qui fit connaître sa voix de basse sur toutes les scènes lyriques du monde. Mais, de nos jours, c'est surtout par des Québécois issus de l'immigration qu'il est représenté, comme l'illustrent Joseph Turi, avocat et haut fonctionnaire, Giuseppe Sciortino, avocat et militant politique, et Joseph Facal, ancien ministre à Québec, devenu professeur à l'université. L'humoriste Louis-José Houde (né en 1977) illustre un des dérivés de Joseph.

En tout état de cause, son nom reste gravé pour toujours dans la mémoire collective, grâce aux innombrables parcs, rues et boulevards Saint-Joseph, aux 14 villages et aux 30 paroisses aux quatre coins du Québec, ainsi qu'au grand oratoire du mont Royal, monument phare de Montréal !

Jules

Discrètement présent tout au long du XIXe siècle et dans les premières décennies du XXe.
Prénoms du voisinage : Césaire, Julien.
Prénoms féminins : Julia, Julie, Julienne, Juliette.

Jules, c'est Rome au faîte de sa puissance, car celui qui imprima ce nom dans les mémoires collectives – et jusque dans nos calendriers, le mois de juillet lui devant son nom –, c'est César (v. 101-44 av. J.-C.) lui-même, l'homme de guerre, de pouvoir et de lettres, le conquérant de la Gaule, qui se prénommait Jules (plus exactement *Caius Julius*). À Rome également, celle des chrétiens cette fois, trois papes portèrent ce nom, dont le premier, qui vécut au IVe siècle, fut canonisé ; les deux autres régnèrent au XVIe siècle. Le féminin Julie fut également illustré dans les familles du pouvoir à Rome. Une sainte Julie (Santa Ghjulia) vécut en Corse (au Ve siècle ?) et y fut martyrisée – la ville de Sainte-Julie, au Québec, honore sa mémoire. Le diminutif Julianus, qui fut le nom d'un empereur romain du IVe siècle, Julien l'Apostat, a donné nos Julien et Julienne. Par ailleurs, saint Pierre-Julien Eymard (1811-1868), l'« apôtre de l'Eucharistie », fonda la Congrégation des prêtres du Saint-Sacrement en 1858.

C'est sous sa forme latine que le prénom se fit connaître en Angleterre et dans les pays germaniques, et qu'il fut porté dans les familles juives notamment, comme en témoignent l'acteur Julius Marx, dit Groucho (1895-1977), le cinéaste Julius (Jules) Dassin (1911-2008) et Julius Rosenberg (1918-1953), condamné à mort avec son épouse Ethel pour espionnage à l'époque du maccarthysme aux États-Unis. Le prénom est demeuré discret en Angleterre et dans le monde britannique, et fut même ignoré (à la différence de Julia) par les anglophones du Québec au XIXe siècle, protestants et catholiques. Plus près de notre époque, un des héros de la décolonisation de l'Afrique anglophone, un Tanzanien, s'appelait Julius Nyerere (1922-1999).

En France, Jules et Julie entrèrent dans les usages à partir du XVIe siècle, selon le *Larousse*. Au XVIIe siècle, il fut illustré par le cardinal et homme politique Jules Mazarin (1602-1661), né en Italie et alors prénommé Giulio. Au XIXe siècle, sur l'ensemble de la période, Jules se classa au très visible 11e rang et Julie, au 12e. Le masculin fut illustré par le compositeur Jules Massenet (1842-1912) et par les écrivains Jules Verne (1828-1905), Jules Vallès (1832-1885), Jules Renard (1864-1910) et Jules Romains (1885-1972). Trois hauts dirigeants des premières années de la IIIe République le portèrent : Jules Grévy (1807-1891), qui fut président, Jules Simon (1814-1896) et Jules Ferry (1832-1893) – on parlait alors de la « République des Jules ». Le prénom Julien fut illustré par le réalisateur Duvivier (1896-1967) et par les écrivains Green (1900-1998) et Gracq (1910-2007). Il est actuellement représenté par le chanteur Julien Clerc (né Paul-Alain Leclerc en 1947). Le dérivé Julos est porté par le chanteur belge Julos Beaucarne (né en 1936), bien connu des Québécois.

En Nouvelle-France, Jules, pratiquement inconnu (deux mentions au PRDH), était dominé par Julien, qui comptait plus de 400 mentions. Mais la situation changea au Québec au XIXe siècle : Julien s'estompa et Jules apparut sur scène pour s'y maintenir tout au long du siècle, avec une fréquence étale (autour de 0,5 %). Il resta à ce niveau dans les premières décennies du XXe siècle, puis il disparut. Par contre, son « diminutif » Julien a resurgi au cours des 30 dernières années du XXe siècle, atteignant 1 %, et même davantage en 1988. En 2000, il figurait au grand tableau d'ensemble au 76e rang. Il conserve aujourd'hui sa place au tableau des prénoms du XXIe siècle (voir **Pouponnières, garderies et maternelles,** p. 176). Côté féminin, Julie (qui faisait déjà mieux que ses frères en Nouvelle-France et au XIXe siècle) continua sur cette lancée au XXe siècle, au point où elle occupait en 2000 le 5e rang des prénoms féminins. C'est d'ailleurs l'un des rares prénoms qui furent plus populaires dans leur version féminine. Julie vit sa petite sœur Juliette apparaître dans les années 1880 et 1890 et s'affirmer au début du XXe siècle. Après des décennies de somnolence, celle-ci a récemment refait surface.

Il y a quelques Jules dans notre toponymie, mais ils sont très discrets : un petit village en Gaspésie, un autre en Beauce, tous deux du début du XXe siècle. Notons un Saint-Julien au sud-ouest de Thetford Mines et un Sainte-Julienne près de Rawdon. En revanche, Julie compte un village (Sainte-Julie, devenu Laurierville) près de Plessisville, et une ville bien connue des Montréalais, en Montérégie. Dans cette même région, notons l'existence de la ville de Saint-Césaire (qui rappelle saint Césaire, primat des Gaules en 514), dont le nom, comme celui de Sainte-Julie, nous renvoie à l'époque de Jules César. (Césaire, nom dérivé de César, fut aussi un prénom en usage au Québec, mais il resta fort discret.)

Sur la scène publique, le prénom Jules fut illustré dans les lettres et le journalisme par Jules Helbronner (1844-1921), Jules-Paul Tardivel (1851-1905) et Jules Fournier (1884-1918). Dans les affaires, par Jules-André Brillant (1888-1973), fondateur de Québec-Téléphone (aujourd'hui TELUS Québec). Et, dans la vie publique, par Jules Léger (1913-1980), qui fut ambassadeur à Paris, puis gouverneur général du Canada de 1974 à 1979. Le prénom Julien, qui fut représenté par le jésuite Julien Harvey et par le psychiatre Julien Bigras (1932-1989), est actuellement porté par l'acteur de cinéma Julien Poulin (né en 1946), le célèbre Elvis Gratton des films de Pierre Falardeau.

LAURENT

Un prénom qui s'est démarqué autour de 1930.
Prénom du voisinage : LORENZO.
Prénoms féminins : LAURENCE, LAURENCIA, LAURENTIDE, LAURENZA.

Le 10 août 1535, lors de son deuxième voyage au Canada, Jacques Cartier découvrit une baie de la Côte-Nord qui lui parut accueillante et il la baptisa du nom du saint du jour, saint Laurent – la « baye sainct Laurens ». Par la suite, le nom Saint-Laurent désignera le golfe, puis le fleuve. Voilà comment ce grand nom est entré dans notre univers.

Le saint en question vécut et mourut à Rome, où il subit le martyre en l'an 258. D'origine latine, son nom, Laurentius, nom d'un groupe ethnique, serait un dérivé de *laurus*, le laurier, l'arbre dont les soldats victorieux portaient les feuilles en couronne. (Par la suite, on dira des saints suppliciés qu'ils obtenaient la « couronne du martyr ».) Beaucoup plus tard, au XVe siècle, en Italie, ce prénom fut illustré par Laurent de Médicis (1449-1492), dit le Magnifique, qui gouverna la ville de Florence.

En se déplaçant, ce prénom prit différentes formes : Lars au Danemark, représenté par le réalisateur Lars von Trier (né en 1956) ; Lorenz dans les pays de langue allemande, illustré par l'éthologiste Konrad Lorenz (1903-1989) ; Lavrenti en Russie, porté par Lavrenti Beria (1899-1953), le chef de la police secrète soviétique.

En Italie, où ce nom est très connu, on le trouve aussi dans la toponymie, comme nous le rappelle le film des frères Taviani *La nuit de San Lorenzo* (1982). Côté féminin, mentionnons le prénom Laurence, mais aussi, relevés à CDN, Laurencia, Laurenza, et même… Laurentide !

Apparu en Angleterre au Moyen Âge, ce prénom prit d'abord la forme de Laurence (avec un *u*), avant que n'apparaisse à ses côtés Lawrence – forme qu'illustrera au XXe siècle le célèbre Lawrence d'Arabie (1888-1935), l'officier anglais qui se fit le champion de l'indépendance arabe. Les Anglais estimèrent ce prénom et le saint lui-même – *a favourite saint* (*Oxford*) –, au point où ils donnèrent son nom à quelque 242 églises. Il était plus répandu encore en Irlande, nous dit l'*Oxford*, particularité qui s'est manifestée ici aussi, dans la vallée du Saint-Laurent, où Laurent, sans avoir été très courant au XIXe siècle, fut tout de même trois fois plus populaire chez les irlando-catholiques (0,66 %) que chez les anglo-protestants (0,22 %). Au Québec, ce prénom a été illustré par Lawrence Hanigan (1925-2009), haut fonctionnaire et élu municipal de Montréal, et il l'est actuellement par Lawrence Cannon (né en 1947), député et ministre à Ottawa. Le diminutif Larry est porté par Larry Robinson (né en 1951), ancien défenseur des Canadiens de Montréal.

En France, Laurent était connu depuis le Moyen Âge, sans être fréquent. Au XIXe siècle, il se situait au modeste 44e rang. Il sortit de cette discrétion dans la seconde moitié du XXe siècle en se classant parmi les 20 premiers pendant une vingtaine d'années, de 1962 à 1981, dont 10 fois parmi les 10 premiers. En 1968 et en 1969, il occupa même le 2e rang. Illustré en sciences par le mathématicien Laurent Schwartz (1915-2002) ; en politique par Laurent Fabius (né en 1946) ; dans les sports par les cyclistes Laurent Fignon (né en 1960) et Laurent Jalabert (né en 1968) ; au cinéma par le comédien Laurent Terzieff (né en 1935) et par le réalisateur Laurent Cantet (né en 1961), l'auteur du film *Entre les murs* (2008). Introduit en Afrique par l'expansion coloniale, ce prénom fut celui de Laurent-Désiré Kabila (1939-2001), président de la République démocratique du Congo de 1997 à sa mort ; et celui de Laurent Koudou Gbagbo (né en 1945), président de la Côte d'Ivoire depuis 2000.

En Nouvelle-France, le prénom Laurent se classa autour du 30e rang avec plus de 900 mentions (Laurence était toutefois inconnue). Mais, au XIXe siècle, en tout cas à CDN, il a été très discret, presque invisible. (Remarquons à ses côtés Lorenzo, la forme italienne qui apparut vers la fin du XIXe siècle et se maintint quelque temps au début du siècle suivant.) Laurent sortit de l'ombre au XXe siècle et connut ses meilleurs résultats vers la fin des années 1920, à près de 1 % de représentation. Dans la population de l'an 2000, il se situait au 84e rang. Le prénom féminin

Laurence a eu une certaine présence dans les années 1980, mais n'apparaît pas au tableau des 100 prénoms les plus populaires.

Laurent s'est illustré dans l'administration et l'économie par Laurent Picard (né en 1927) de Radio-Canada, par Laurent Beaudoin (né en 1938) de Bombardier et par Laurent Pellerin (né en 1949), président de l'Union des producteurs agricoles de 1993 à 2007. Nous connaissons aussi l'humoriste Laurent Paquin (né en 1971). Comme patronyme, le nom fut porté par le hockeyeur Dollard Saint-Laurent (né en 1929) et par le premier ministre du Canada Louis Saint-Laurent (1882-1973). Le lutteur montréalais Larry Moquin (1923-1988) s'appelait Laurent. Précédemment, ce prénom avait été porté par le journaliste et homme politique Laurent-Olivier David (1840-1926), sénateur à Ottawa, et par Laurent-Salomon Juneau (1793-1856), fondateur de la ville de Milwaukee (1818) aux États-Unis.

Laurent est présent depuis longtemps dans notre toponymie. Au XVIIe siècle, un village de l'île d'Orléans fondé en 1679 s'appela Saint-Paul jusqu'en 1698, mais s'appelle Saint-Laurent de nos jours. Au XVIIIe, le village de Côte-Saint-Laurent, fondé en 1720, deviendra Ville Saint-Laurent (aujourd'hui fusionnée à Montréal). Au XIXe siècle, en Gaspésie, fut créé le village de Saint-Laurent-de-Matapédia, qui s'appelle aujourd'hui simplement Matapédia. Mais, surtout, c'est à Laurent que revient l'honneur d'avoir laissé sur nos cartes la marque la plus profonde, celle du fleuve Saint-Laurent, dont l'historien François-Xavier Garneau s'inspira en 1845 pour forger le toponyme « Laurentides », afin de désigner les régions du Bouclier canadien situées immédiatement au nord du fleuve. Pouvait-on s'attendre à moins de ce prénom venu de si haut et de si loin dans notre histoire ?

Léon

Une présence tout au long du XIXe siècle, notamment dans la première moitié.

Prénoms du voisinage : Léo, Léonce, Léonidas, Léonide, Léonil, Lionel.
Prénoms féminins : Léona, Léonie, Léontine.

Quand on cherche l'origine de ce nom, c'est à Rome qu'il faut aller, la Rome de l'Antiquité, car ce nom vient du latin *leo* (et lui-même du grec *leôn*), qui signifie « lion », rien de moins, le roi des animaux, le symbole de la force.

Et, quand on cherche les premières illustrations de ce nom, c'est encore à Rome qu'il faut aller, la Rome de l'Église cette fois, où régnèrent des papes de ce nom, 13 au total, du Ve siècle jusqu'à la fin du XIXe, dont 5 furent canonisés. Léon Ier fut pape de 440 à 461. Théologien en lutte contre plusieurs hérésies, il sera proclamé docteur de l'Église en 1754 et est aujourd'hui vénéré sous le nom de saint Léon le Grand. D'autres papes de ce nom marquèrent l'histoire de l'Église, dont deux au XIXe siècle, qui intéressent plus particulièrement le Québec: Léon XII, de 1823 à 1829; et Léon XIII, de 1878 à 1903, dont l'encyclique *Rerum novarum* (1891) lui valut le surnom de « pape des ouvriers ».

Pendant qu'en Occident le nom Léon était illustré par des papes, il le fut à Byzance, du Ve au Xe siècle, par six empereurs d'Orient. Ainsi, le prénom Léon, déjà promis à une belle carrière dans les pays de tradition romaine, se répandit aussi dans les pays orthodoxes. Pensons à l'écrivain Léon Tolstoï (1828-1910) et au dirigeant soviétique Leonid Brejnev (1906-1982) – Leonid, dérivé de Léon.

En Angleterre, nous apprend l'*Oxford*, Léon était porté au Moyen Âge, mais généralement dans des familles juives, et il est aujourd'hui courant aux États-Unis dans ces mêmes milieux, sans doute parce que Juda, le fils de Jacob, est décrit dans la Bible comme « un jeune lion » (Genèse 49,9). Quoi qu'il en soit, chez les anglo-protestants du Québec, je n'ai relevé qu'un Leon et qu'un Leo, mais 22 Leo chez les irlando-catholiques, tous à la fin du siècle.

En France, Léon fut en usage au Moyen Âge, puis de nouveau au XIXe siècle, où il se situa globalement au 17e rang. Il fut illustré en politique par les chefs de gouvernement Léon Gambetta (1838-1882), Léon Bourgeois (1851-1927) et Léon Blum (1872-1950); en littérature par Léon Bloy (1846-1917), Léon Daudet (1868-1942) et Léon-Paul Fargue (1876-1947). Léon Gaumont (1864-1946) fut un pionnier de l'industrie du cinéma, alors que Léon Jouhaux (1879-1954) fut une des grandes figures du syndicalisme. Enfin, Léon Zitrone (1914-1995) fut un journaliste-vedette de la télé française.

Ce prénom était peu connu en Nouvelle-France (à peine 100 entrées). Au Québec, il réussit à se démarquer, mais demeura modeste. Présent tout au long du XIXe siècle, ses meilleurs résultats à CDN se situent dans la première moitié du siècle, 20e en 1830 et 16e en 1840, représentant alors tout près de 1 % des prénoms. Par la suite, son classement sera moins élevé, mais il réussira tout de même à se maintenir au-dessus de la barre des 0,5 % pendant toute la période 1850-1890. Au XXe siècle, il déclinera jusqu'à disparaître vers le milieu du siècle. Son jeune frère Léo, apparu tardivement, le surclassera en 1890 et occupera ensuite (à CDN) le 18e rang de 1900 à 1910, puis le 6e de 1910 à 1920 (avec plus de 3,5 % des prénoms), un sommet que Léon n'aura jamais atteint.

Ce Léo, qui peut sembler être un diminutif de Léopold ou de Léonard, deux prénoms d'origine germanique, est en réalité un prénom d'origine gréco-latine qui se rattache à Léon. C'est un des rares prénoms en « o » à avoir eu cours en France au XIXe siècle. Il fut illustré par le compositeur Léo Delibes (1836-1891) et, au XXe siècle, par le chanteur-compositeur Léo Ferré (1916-1993). Au Québec, il fut porté par l'homme d'affaires Léo Dandurand (1889-1964), ancien propriétaire des Canadiens de Montréal, par le peintre Léo Ayotte (1909-1976), et par le médecin radiologiste Léo Pariseau (1882-1944), qui a donné son nom à une rue de Montréal.

Léon fut illustré en politique par Ésioff-Léon Patenaude (1875-1963), lieutenant-gouverneur de 1934 à 1939, par Léon-Mercier Gouin (1891-1983), sénateur, et par Léon Balcer (1917-1991), député et ministre à Ottawa. Dans les lettres et les sciences, il fut porté par le sociologue Léon Gérin (1863-1951), par le chimiste Léon Lortie (1902-1985) et par le politologue Léon Dion (1922-1997). Rappelons que Léon Trépanier (1881-1967) était historien et animateur de radio, et que Jules-Zénon Léon Patenaude (1926-1989) est le « père » du Salon du livre de Montréal.

En toponymie, on dénombre trois villages : Saint-Léon-de-Standon, fondé en 1871 dans Bellechasse, et deux villages du nom de Saint-Léon-le-Grand, le premier fondé en 1833 au nord de Louiseville, le second, en 1901, au sud d'Amqui. À Montréal, on relève une paroisse dédiée à saint Léon le Grand, plus précisément à Westmount. Enfin, certains ont voulu rendre hommage au pape Léon XIII en donnant son nom à un lac près de Nominingue. Ce lac forme un « trio toponymique » avec les lacs Pie-IX et des Zouaves, ainsi baptisés par le magistrat ultramontain Benjamin-Antoine Testard de Montigny (1838-1899), premier zouave canadien engagé en 1861.

LÉOPOLD

Prénom de la fin du XIXe siècle et du début du XXe.
Prénom du voisinage : LÉO-PAUL.
Prénom féminin : LÉOPOLDINE.

Contrairement aux Léo, Léon et autres Léonidas qui sont d'origine gréco-latine, le prénom Léopold vient du mot germanique *lieut*, « peuple ». Léopold III le Pieux (1073-1136), canonisé en 1484, est le saint patron de l'Autriche. Ducs, archiducs et empereurs de ces régions d'Europe ont aussi porté ce nom. De même que les compositeurs Silvius Léopold Weiss (1687-1750) et Léopold Mozart (1719-1787), le père de Wolfgang Amadeus.

La Belgique, au moment de sa création en 1830, se cherchait un roi qu'elle trouva chez ses voisins allemands: Léopold Ier de Saxe-Cobourg régna de 1831 à 1865. Son fils et successeur, Léopold II, qui régna de 1865 à 1909, s'appropria le Congo et donna son nom à la capitale, Léopoldville, aujourd'hui Kinshasa. Quant à Léopold III, il était sur le trône lorsque les Allemands envahirent la Belgique en mai 1940.

En Angleterre, Léopold eut peu de succès, bien que la reine Victoria, nièce du roi Léopold 1er de Belgique, eût donné ce prénom à l'un de ses fils, le duc d'Albany (1853-1884). Cela dit, ce prénom était inconnu des anglophones du Québec au XIXe siècle – deux mentions seulement chez les anglo-protestants (sur 7700), rien chez les irlando-catholiques.

En France, ce prénom ne fit pas tellement mieux, se classant au XIXe siècle au très modeste 84e rang, et Léopoldine fut plus discrète encore. C'est par l'Afrique (sous l'influence de Léopold II ?), et au XXe siècle, que ce prénom trouva en France sa plus brillante illustration grâce au poète Léopold Sédar Senghor (1906-2001), premier président de la République du Sénégal en 1960 et l'un des fondateurs de la francophonie. Une place située près de l'Université de Montréal rappelle le souvenir de ce grand homme.

En Nouvelle-France, ce prénom était pour ainsi dire inexistant (quatre mentions au PRDH), et au Québec il n'apparut que tard au XIXe siècle, inscrivant ses meilleurs résultats à la fin du siècle et au début du XXe (près de 2 % en 1900).

Léopold est absent de la toponymie de nos villages, mais une paroisse à Laval et la desserte Saint-Léopold de Hervey-Jonction (en Mauricie) lui ont permis de se faire une petite place dans la nomenclature ecclésiastique. Resté somme toute discret, et porté par le journaliste Léopold Richer (1902-1961), ce prénom a été illustré au plus haut de la scène lyrique par le ténor mozartien Léopold Simoneau (1916-2006), natif de Saint-Flavien (comté de Lotbinière), qui fit carrière en Europe dans deux villes où son prénom l'avait précédé dans la célébrité, la Salzbourg de Léopold Mozart et la Vienne de l'empereur Léopold. Ce prénom a aussi sa place dans notre cinéma, grâce au film de Gilles Carle *La vie heureuse de Léopold Z* (1965). Voisin phonétiquement, le prénom Léo-Paul, plus discret encore, évoque l'écrivain et journaliste Léo-Paul Desrosiers (1896-1967) et le comptable et professeur d'université Léo-Paul Lauzon (né en 1946), deux intellectuels engagés. Le premier fit la lutte aux inégalités politiques, le second combat les inégalités sociales.

Louis

Prénom dominant au XIXe siècle, qui se maintint modestement au XXe.
Prénoms du voisinage: Clovis, Loïc, Louis-Joseph, Louis-Philippe, Ludovic, Ludwig.
Prénoms féminins: Louisa, Louise, Louison, Loulou, Marie-Louise.

Louis, comme d'autres prénoms français classiques (Charles, Henri), tire ses origines d'un lointain nom germanique, Hlodowig, lequel a donné, outre-Rhin, Ludwig, prénom illustré par Ludwig van Beethoven (1770-1827) et, plus près de nous, par l'homme politique Ludwig Erhard (1897-1977). Louis le Français et Ludwig l'Allemand sont frères jumeaux, à tout le moins cousins germains. D'autres prénoms viennent de la même source: Clovis, connu au Québec mais toujours rare; et, plus près de notre époque, Ludovic et Loïc. Ce dernier, version bretonne de Louis, connaît actuellement d'assez bonnes années (voir **Pouponnières, garderies et maternelles,** p. 176).

En France, ce prénom fut porté par 18 rois, et non des moindres, notamment Louis IX (1214-1270), le Saint-Louis-de-France de notre toponymie. Les premiers vécurent au IXe siècle et les derniers, au XIXe, soit une présence de 12 siècles, avec en prime une longue période, de 1610 à 1791 (toute la période de la Nouvelle-France et au-delà !), pendant laquelle le trône fut occupé sans discontinuer par un Louis (de Louis XIII à Louis XVI). Venu de si loin, porté si haut et pendant si longtemps, ce prénom devint l'un des plus répandus en France. Certes, sa position parut un moment incertaine à l'époque de la Révolution, mais au XIXe siècle, décennie après décennie, il ne cessa de s'imposer, d'abord au 4e échelon des prénoms, puis vers la fin du siècle au 2e rang, coiffé seulement par Jean.

Ce prénom eut donc en France de belles illustrations. Mentionnons Louis Querbes (1793-1859), fondateur des Clercs de Saint-Viateur; Louis Braille (1809-1852), inventeur du système d'écriture pour les aveugles; Louis Pasteur (1822-1895), grand biologiste (tous trois ayant trouvé place parmi les noms de rues de nos villes); et trois des grands noms de la modernité, Louis Lumière (1864-1948), Louis Blériot (1872-1936) et Louis Renault (1877-1944). En prénom composé, il fut porté par le célèbre maréchal de Napoléon, Louis-Alexandre Berthier (1753-1815), et par le non moins célèbre mais fort controversé écrivain Louis-Ferdinand Céline (1894-1961).

Répandu en France, le prénom Louis le fut aussi, tout naturellement, en Nouvelle-France. D'après le PRDH, il se situait au 5e rang des prénoms masculins, avec près de 12 000 entrées, alors que ses vis-à-vis féminins, Louise et Marie-Louise, faisaient mieux encore, totalisant 15 000 entrées, grâce surtout à Marie-Louise, deuxième prénom féminin (13 000 occurrences).

Le prénom Louis s'est illustré en Nouvelle-France, aussi bien parmi les pionniers comme Louis Hébert (1575-1627) ou les explorateurs comme Louis Jolliet (1645-1700), que chez les gouverneurs généraux Louis d'Ailleboust de Coulonge (1612-1660), Louis de Buade de Frontenac (1622-1698) et Louis-Hector de Callière (1648-1703). Il s'est aussi inscrit sur les cartes comme marqueur du territoire, depuis la forteresse de Louisbourg et le village de Mont-Louis en Gaspésie, jusqu'au lac Saint-Louis et à l'immense et lointaine Louisiane (ainsi baptisée en 1682 par Cavelier de La Salle en l'honneur de Louis XIV), en passant par le sault Saint-Louis (ancien nom des rapides de Lachine) et par le fort Saint-Louis (aujourd'hui la ville de St. Louis, dans le Missouri, nommée d'après Louis IX). À Québec, le château Saint-Louis (aujourd'hui disparu) était la résidence du gouverneur et le siège du gouvernement.

Au Québec, il continuera sur cette lancée tout au long du XIXe siècle. Toujours parmi les cinq premiers, parfois même deuxième derrière Joseph, il ne commencera à perdre son ascendant qu'à la fin du siècle. Au début du XXe siècle et jusqu'en 1920, il se situait encore autour du 15e rang et il se maintiendra honorablement au cours du XXe siècle, si bien qu'il occupait, en l'an 2000, dans l'ensemble de la population, le 42e rang. Récemment, il a réussi à se faire une place parmi les 50 prénoms les plus populaires du XXIe siècle (voir **Pouponnières, garderies et maternelles,** p. 176). Côté féminin, Marie-Louise se classera parmi les premières au XIXe siècle, comme Louise au XXe. Dans la population de l'an 2000, Louise occupait le 1er rang des prénoms féminins.

Ce prénom fut abondamment illustré dans notre histoire : Louis Riel (1844-1885), Louis Fréchette (1839-1908) et Louis Cyr (1863-1912) pourraient en témoigner. Comme aussi, avec leurs prénoms composés, Louis-Joseph Papineau (1786-1871) et Louis-Hippolyte La Fontaine (1807-1864), chacun bien différent, mais tous deux proches dans nos cœurs. Il fut également illustré par des vedettes de la vie religieuse, Louis-François Laflèche (1818-1898) à Trois-Rivières, Louis-Nazaire Bégin (1840-1924) à Québec. Par ailleurs, Louis-François Masson (1833-1903) et Louis-Philippe Brodeur (1862-1924) furent lieutenants-gouverneurs et Louis Stephen Saint-Laurent (1882-1973), premier ministre du Canada de 1948 à 1957. Le prénom composé Jean-Louis fut illustré par le financier Jean-Louis Lévesque (1911-1994), par le journaliste et haut fonctionnaire Jean-Louis Gagnon (1913-2004), et par le comédien Jean-Louis Roux (né en 1923).

Louis a bien sûr laissé sa marque sur notre territoire: huit villages en portent témoignage, des plus anciens, ceux de l'île aux Coudres (1741) et de Saint-Louis-de-Blandford (1828), jusqu'au plus récent, celui du Cap-Tourmente de la Côte-de-Beaupré (1916). Parmi ces villages, trois s'appellent Saint-Louis-de-Gonzague (du nom d'un jésuite italien du XVIe siècle, patron de la jeunesse) et un autre, Saint-Louis-de-France, au nord de Trois-Rivières. Sa présence est également forte dans nos villes, depuis la porte Saint-Louis et le chemin Saint-Louis à Québec, jusqu'au carré Saint-Louis à Montréal, voisin de l'ancien collège Mont-Saint-Louis dans la paroisse Saint-Louis-de-France.

Luc

Prénom du deuxième tiers du XXe siècle.
Prénoms du voisinage: Jean-Luc, Lucas, Luck, Pierre-Luc.

Pour plusieurs, Luc est un diminutif ou un dérivé de Lucien. Certains leur donnent raison, en rattachant ces deux prénoms à une commune origine latine, *lux*, «lumière». Cependant, l'*Oxford* et le *Larousse* attribuent à chacun une origine distincte, latine pour Lucien, grecque pour Luc, *loukanos*, mot de sens incertain.

Quoi qu'il en soit, tous reconnaissent que c'est saint Luc, l'auteur du troisième Évangile (et à qui la tradition attribue les Actes des Apôtres), qui, le premier, a inscrit ce prénom dans la mémoire collective. Comme Luc aurait aussi été médecin, on en a fait tout naturellement le patron des médecins. Cela explique pourquoi tant d'hôpitaux portent son nom, non seulement à Montréal, mais aussi à Bruxelles, à Namur, à Lyon, à Cotonou au Bénin, à Manille, à Tokyo…

En voyageant, ce prénom a pris différentes formes. En Italie, c'est Luca, et il a un diminutif, Luchino, plus rare, qui fut illustré par le réalisateur Luchino Visconti (1906-1976). En Allemagne, c'est Lucas, comme les peintres Cranach père et fils, l'Ancien et le Jeune, qui vécurent aux XVe et XVIe siècles. En Angleterre, on retrouve Luke et Lucas (ou Lukas), courants au Moyen Âge – *commonly used in the Middle Ages* –, mais plus rares par la suite. En tout cas, chez les anglo-protestants du Québec au XIXe siècle, on les vit à peine (3 mentions sur 7700). De nos jours, l'Américain George Lucas, réalisateur du film *La Guerre des étoiles*, s'est inspiré de son propre nom de famille pour nommer son personnage Luke Skywalker.

En France, selon le *Larousse*, Luc était «rarissime» avant le XVIe siècle et «peu en usage» par la suite – autant dire qu'il s'agissait d'un fantôme. Mais cela n'est plus vrai depuis que, dans les années 1950-1960, Luc et son cousin Jean-Luc ont réussi à se classer, l'un autour du 50e, l'autre autour du 20e rang. Ils sont illustrés par les réalisateurs Luc Besson (né en 1959), Luc Dardenne (né en 1954 en Belgique) et Jean-Luc Godard (né en 1930), et par le philosophe Luc Ferry (né en 1951), qui a été ministre de l'Éducation. Depuis, ces deux prénoms ont beaucoup perdu en grade et c'est maintenant Lucas qui représente la famille. Et il le fait joliment : Lucas figure chaque année depuis 1996 parmi les dix premiers, et a même occupé le 1er rang deux fois. Bref, c'est un crack qui chevauche sur deux siècles !

En Nouvelle-France, Luc demeura discret (207 mentions au PRDH). Il fut alors illustré par Luc de La Corne (1711-1784), militaire de carrière, puis conseiller législatif. Il était également présent dans la toponymie de Montréal, à Côte-Saint-Luc. Au Québec, au XIXe siècle, du moins à CDN, Luc fut à peine visible. Il fut illustré par Luc Letellier de Saint-Just (1820-1881), lieutenant-gouverneur du Québec, qui a laissé son nom à un épisode de notre histoire constitutionnelle, l'« affaire Letellier », histoire classique de l'arroseur arrosé, Letellier de Saint-Just ayant été destitué par le premier ministre du Canada John A. Macdonald pour avoir lui-même révoqué le gouvernement de Boucher de Boucherville à Québec.

C'est au XXe siècle seulement, plus précisément à partir des années 1930 et surtout 1950, que le prénom Luc commença à se faire remarquer au Québec, et c'est en 1962 qu'il atteignit son sommet, avec 2,5 % de représentation. En 2000, dans l'ensemble de la population, il était 25e. Dans son ascension, il fut accompagné de ses cousins Jean-Luc et Pierre-Luc – ce dernier, populaire dans les années 1980 (à un peu plus de 1 %), était 95e en 2000. Si on les avait regroupés, Luc et Pierre-Luc auraient été au 18e rang. Récemment, Lucas a fait une discrète entrée en scène (voir **Pouponnières, garderies et maternelles,** p. 176).

Quatre villages portent le nom de Saint-Luc : en Montérégie, en Mauricie, dans le Bas-Saint-Laurent et dans Chaudière-Appalaches. Le premier fut fondé en 1799, et, s'il s'est appelé ainsi, c'est parce que Mgr Denaut souhaitait donner à chacun des quatre évangélistes une place bien en vue dans la toponymie de la région de Montréal. Et Saint-Luc est en effet dans le voisinage immédiat de Saint-Jean, de Saint-Mathieu-de-Belœil (autrefois Saint-Matthieu) et de Saint-Marc-sur-Richelieu. Telles quatre sentinelles aux abords de Ville-Marie ?

C'était le XIXe siècle débutant, quand les saints étaient nos « héros ». Aujourd'hui, ceux-ci viennent d'ailleurs : Jean-Luc, représenté hier par Jean-Luc Pépin (1924-1995), député et ministre à Ottawa, l'est actuellement par l'animateur de télé Jean-Luc Mongrain (né en 1951) et par le skieur et champion olympique Jean-Luc Brassard (né en 1972). Pour sa part, Luc, illustré naguère par l'anthropologue et folkloriste Luc Lacourcière (1910-1989), s'est fait connaître récemment par les comédiens Luc Durand (1935-2000) et Luc Picard (né en 1961), par le parolier Luc Plamondon (né en 1942) et par les chanteurs Luc De Larochellière (né en 1966) et Luck Mervil (né en 1967). Nos hérauts ne sont plus seulement aux portes, comme au temps de Mgr Denaut : ils sont maintenant au cœur même de la ville.

LUCIEN

Prénom du premier tiers du XIXe siècle, connu dès la fin du XIXe.
Prénoms du voisinage : LUC, LUCIUS.
Prénoms féminins : LUCE, LUCETTE, LUCIA, LUCIANA, LUCIE, LUCIENNE, LUCILLE, LUCINDA, LUMÉNA, LUMINA.

Contrairement au prénom Luc, aux racines grecques, Lucien prend sa source à Rome dans les noms Lucianus et Lucius, eux-mêmes tirés du latin *lux* – « aube » ; « lumière du jour ». Bien entendu, Lucienne, mais aussi Lucie et ses nombreux dérivés, des plus courants (Luce, Lucette, Lucille) aux plus recherchés (Lucinde et Lucinda), ont la même origine.

Lux, c'est la lumière du jour. C'est pourquoi, chez les premiers chrétiens, ces noms étaient souvent donnés aux enfants nés à l'aube. Plusieurs saints les ont portés, dont un saint Lucien, premier évêque de Beauvais et martyr au IIIe siècle, ainsi qu'un saint Lucius qui fut pape à la même époque (au XIIe siècle, deux autres papes se sont appelés Lucius). Le prénom Lucien est demeuré présent dans les pays de langue romane, selon une tradition dont témoignent à notre époque le ténor italien Luciano Pavarotti (1935-2007) et le boxeur québécois Lucian Bute (né en Roumanie en 1980).

En France, Lucien se démarqua vers la fin du XIXe siècle et connut ses meilleures années dans le premier tiers du XXe siècle, se classant parmi les 20 premiers jusqu'en 1930. Auparavant, outre Lucien Bonaparte (1775-1840), le frère de Napoléon, c'est surtout comme figure littéraire qu'il s'était fait connaître, grâce au Lucien de Rubempré de *La Comédie humaine* de Balzac et au *Lucien Leuwen* de Stendhal. Plus près de nous, il fut porté par l'acteur Lucien Guitry (1860-1925), père de Sacha, et par l'écrivain et journaliste Lucien Rebatet (1903-1972).

En Nouvelle-France, ce prénom était presque inconnu (trois mentions seulement, aucune pour Lucienne), contrairement à Luce et à Lucie, restés toutefois rares. À CDN, au XIXe siècle, après quelques décennies de discrète présence, Lucien émergea en 1880 et se démarqua en 1890 (18e rang, à 1,5 %). Dès le début du XXe siècle, il s'affirma parmi les plus grands (deuxième à CDN en 1900, 8e en 1910 avec plus de 3 % de représentation) et réussira à se maintenir au-dessus de la barre du 1 % jusque dans les années 1930. En 2000, dans l'ensemble de la population, ce prénom n'était plus qu'au 85e rang.

Hormis Sainte-Luce, le village du Bas-Saint-Laurent (situé à l'est, où se lève le jour, est-ce un hasard ?), et Saint-Lucien, près de Drummondville, ces prénoms sont absents de la toponymie de nos villages.

En revanche, Lucien a été fort bien illustré par le champion de tennis Lucien Laverdure (1915-1976), par le poète Lucien Francœur (né en 1948), par deux juges, Lucien Gendron (1890-1959) et Lucien Tremblay (1912-1985), et par le gangster Lucien Rivard (1914-2002), célèbre dans les années 1960. En politique municipale, nous connaissons Lucien L'Allier (1909-1978), haut fonctionnaire des transports en commun (une station du métro de Montréal porte son nom), et Lucien Saulnier (1916-1989), le bras droit de Jean Drapeau. Chez les parlementaires, mentionnons deux présidents d'assemblée, Lucien Lamoureux (1920-1998) à Ottawa et Lucien Cliche (1916-2005) à Québec, le ministre fédéral Lucien Cardin (1919-1988), et le premier ministre du Québec Lucien Bouchard (né en 1938). Ce dernier savait-il, lui dont le prénom évoque la lumière du jour, qu'il serait appelé, lors de la crise du verglas en 1998, à inspirer l'effort du Québec tout entier pour retrouver la lumière du soir ?

Marc

Un prénom des années 1950-1980.

Prénoms du voisinage : Jean-Marc, Marc-André, Marc-Antoine, Marc-Aurèle, Marc-Olivier, Marcel, Marcien, Marco, Martial, Pierre-Marc.

Mars, la planète et le dieu de la guerre, aurait inspiré ce prénom aux Romains qui l'appelaient Marcus – comme il leur inspira Martin et quelques autres, Martial et Marcien, beaucoup plus rares. Un diminutif de Marcus a donné par ailleurs notre Marcel. Tous ces prénoms sont donc un peu cousins, sinon de la cuisse de Jupiter, du moins de la planète Mars. Et, parce que Mars était aussi le dieu de la fécondité et de la végétation, il donna son nom au mois du printemps, le premier du calendrier romain, le troisième du nôtre.

À Rome, le prénom Marc fut illustré au sommet du pouvoir impérial par Marc Antoine (v. 83–30 av. J.-C.) (voir **Antoine,** p. 42) et par l'empereur Marc Aurèle (121-180). Si le premier a donné un prénom très répandu, Aurèle et Marc-Aurèle en revanche furent beaucoup plus discrets. Chez nous, ce dernier évoque le souvenir de deux célèbres peintres: Marc-Aurèle Fortin (1888-1970) et Marc-Aurèle de Foy Suzor-Coté (1869-1937).

Parmi les premiers chrétiens, plusieurs saints ont porté le nom de Marc, dont un pape qui régna en 336. Mais, dans la tradition chrétienne, c'est Marc, l'auteur du deuxième Évangile, le disciple de saint Pierre, qui est à la source de ce nom. Martyrisé à Alexandrie, son corps aurait été transporté à Venise au IXe siècle, où Marc devint le patron de la ville. En outre, les Vénitiens donnèrent son nom à leur plus importante basilique et à la place qui lui fait face (la piazza San Marco). Tout naturellement, son prénom s'y est répandu. Marco Polo (1254-1324), grand voyageur devant l'Éternel et natif de Venise, en est une des plus célèbres illustrations.

En Angleterre et dans les pays du Nord, ce prénom prit les formes de Mark, Markus ou Marcus, et il inspira différents patronymes, dont celui de l'Américain d'origine allemande Herbert Marcuse (1898-1979), le philosophe-vedette de Mai 68. Plus à l'est, en Pologne, il prit la forme de Marek, qu'illustre l'écrivain Marek Halter (né en 1936). Il ne fut guère en usage en Angleterre, nous dit l'*Oxford*. Les anglophones du Québec au XIXe siècle l'ignorèrent presque complètement, aussi bien les anglo-protestants (4 mentions sur 7700) que les irlando-catholiques (6 sur 5000). L'écrivain Mark Twain (1835-1910) était un Américain.

En France, le prénom Marc n'eut longtemps qu'une carrière modeste. Au XIXe siècle, selon Dupâquier, il n'était encore qu'au lointain 90e rang. Mais il fit beaucoup mieux au XXe siècle, notamment autour des années 1950-1960. Ce prénom, illustré au XVIIe siècle par le compositeur Marc Antoine Charpentier (1643-1704), le fut au XXe par le peintre d'origine russe Marc Chagall (1887-1985) et par l'historien Marc Bloch (1886-1944). Il est actuellement porté par le romancier Marc Levy (né en 1961).

En Nouvelle-France, le prénom demeura discret (110 mentions au PRDH, mais près de 300 en prénoms composés), comme il le fut aussi au Québec au XIXe siècle. Par contre, il se révéla au XXe siècle, plus précisément vers le milieu du siècle, réalisant son meilleur score en 1964 avec un peu plus de 3 % de représentation. Solide pendant plus de 30 ans, il était le 17e prénom masculin dans la population de l'an 2000. Si on lui ajoutait ses deux principaux compagnons, Marc-André et Jean-Marc, ainsi que Marc-Antoine et Marc-Olivier, il se classerait dans le peloton de tête de nos prénoms. D'ailleurs, Marc-Antoine figure actuellement au tableau des 50 prénoms les plus populaires du XXIe siècle.

Quatre de nos villages portent sa signature : trois d'entre eux (Saint-Marc-des-Carrières près de Québec, Saint-Marc-du-Lac-Long dans le Témiscouata et Saint-Marc-de-Figuery au sud d'Amos) sont apparus dans les premières années du XXe siècle, longtemps après Saint-Marc-sur-Richelieu (à l'origine Saint-Marc-de-Cournoyer), l'ancêtre de la famille (aujourd'hui, on l'appelle couramment Saint-Marc, reconnaissant ainsi son antériorité), fondé à la fin du XVIIIe siècle. Au fil des ans, Saint-Marc-sur-Richelieu s'est aussi appelé Saint-Marc-de-Chambly et Saint-Marc-de-Verchères.

Le prénom Marc et ses dérivés ont été illustrés dans divers domaines. Sur la scène religieuse, par le cardinal Marc Ouellet (né en 1944), archevêque de Québec. En politique, par Marc-André Bédard (né en 1935), député et ministre à Québec, et par Pierre-Marc Johnson (né en 1946), premier ministre en 1985. Dans les débats d'idées, par « les deux Jean-Marc Léger » : le premier, né en 1927, journaliste et diplomate, grand défenseur du Québec, de sa langue et de sa place dans le monde ; et le second, actuel patron de la firme de sondages Léger Marketing, et à ce titre porte-voix de monsieur Tout-le-monde. Par ailleurs, deux Québécois engagés dans la politique à Ottawa, Marc/Mark Lalonde (né en 1929) et Marc/Mark Garneau (né en 1949), ont adopté, pour leurs messages électoraux, la technique du « dédoublement de prénom » selon l'interlocuteur. Patineur de vitesse, Marc Gagnon (né en 1975) a remporté cinq médailles olympiques en 1994, 1998 et 2002.

Dans les arts et les lettres, Marc est illustré par l'écrivain Marco Micone (né en 1945) et par les comédiens Marc Messier (né en 1947), l'un des *Boys*, le Bob de *Broue*, le Marc Gagnon de *Lance et compte*, et Marc Labrèche (né en 1960), *Le Grand blond avec un show sournois* qui nous annonçait que *La fin du monde est à sept heures*. Avant eux, il y eut l'humoriste Marc Favreau (1929-2005), le créateur de Sol, ce personnage venu d'on ne sait quelle planète (mais ce n'était pas Mars) et qui, en toutes choses, a toujours su nous donner la note juste. Dans la chanson, il a été illustré par Marc Gélinas (1937-2001) et par Marc Hamilton (né en 1944), dont on se rappelle la chanson *Comme j'ai toujours envie d'aimer*.

MARCEL

Prénom de la première moitié du XXe siècle. Médaillé d'or des années 1920.
Prénoms du voisinage : MARC, MARCELLIN.
Prénoms féminins : MARCELLE, MARCELLINE.

Du latin Marcellus, nous avons tiré Marcel et sa sœur Marcelle ; et, de Marcellinus, son diminutif, nous avons fait Marcellin et Marcelline. Marcellus était lui-même un diminutif de Marcus (voir **Marc,** p. 164).

Du temps de Rome, un général romain du IIIe siècle av. J.-C. s'appelait Marcellus. Plus tard, il y eut le pape Marcellin au IIIe siècle et le pape Marcel au IVe, tous deux canonisés. À la même époque, sainte Marcelline se consacrait à l'éducation des jeunes, notamment à celle de son frère saint Ambroise, l'évêque de Milan.

Tout naturellement, Marcel s'est répandu dans les pays de langue latine. Il devient Marcelo en Espagne, Marcello en Italie. Cela dit, il est demeuré rarissime en Angleterre et dans les pays du Nord (l'*Oxford* l'évoque à peine). Ainsi, chez les anglophones du Québec au XIXe siècle, je n'ai relevé aucun Marcel parmi les 7700 protestants ni parmi les 5000 catholiques.

Bien qu'en France Marcel fût connu au Moyen Âge – notamment par Étienne Marcel, le « révolutionnaire » du XIVe siècle –, il se répandit surtout après la Révolution de 1789. Classé 40e au XIXe siècle, il fera encore mieux au XXe, se plaçant parmi les premiers jusque dans les années 1930. Il fut brillamment illustré par les écrivains Marcel Proust (1871-1922), Marcel Pagnol (1895-1974) et Marcel Achard (1899-1974), ainsi que par Marcel Dassault (1892-1986), le concepteur des avions Mirage et Rafale, par Marcel Cerdan (1916-1949), le champion de boxe, et par Marcel Carné (1906-1996), le réalisateur du *Quai des brumes* et d'*Hôtel du Nord.* Il fut également représenté par le chanteur Marcel Mouloudji (1922-1994) et par le mime Marcel Marceau (1923-2007).

En Nouvelle-France, Marcel et les prénoms qui lui sont associés sont demeurés discrets, Marcel faisant toutefois un peu mieux que les autres (90 mentions au PRDH). Même discrétion au Québec au XIXe siècle, alors que le prénom Marcelline fut le mieux placé (quatre fois plus populaire que Marcel et Marcelle).

Au XXe siècle, Marcel prit la tête du groupe, laissant loin derrière lui Marcellin et Marcelline, mais accompagné – à distance, il est vrai – par sa sœur Marcelle. Il s'affirma dès le début du siècle (4 % en 1910) et devint le grand champion des années 1920, se classant premier sept fois de suite. Ses meilleures années furent au début du XXe siècle, mais il réussit à se classer 27e dans l'ensemble de la population de la fin du XXe siècle, alors que Marcelle est absente du tableau des 100 prénoms les plus populaires.

Naturellement, Marcel a connu de très belles illustrations dans tous les domaines. Dans les sports, deux pionniers : le père Marcel de la Sablonnière (1918-1999), qui créa un centre de loisirs pour les jeunes à Montréal, et Marcel Aubut (né en 1948), qui fonda un club de hockey à Québec, les Nordiques. Au théâtre, deux monstres sacrés : l'auteur Marcel Dubé (né en 1930) et le comédien Marcel Sabourin (né en 1935). Par ailleurs, pendant que Marcel Pepin (1926-2000) présidait aux destinées de la Confédération des syndicats nationaux (CSN) et Marcel Laurin (1923-1993) à celles de Ville Saint-Laurent, Marcel Léger (1930-1993) devenait député et ministre à Québec et soutenait des idées que Marcel Chaput (1918-1991) avait été un des premiers à défendre dans son livre *Pourquoi je suis séparatiste* (1961). Quant à Marcelline, si ce prénom est aujourd'hui encore si bien connu chez nous, c'est pour une large part grâce aux Sœurs de Sainte-Marcelline, cette congrégation fondée près de Milan en 1838, venue s'implanter au Québec en 1959, qui possède deux maisons d'enseignement à Montréal.

Arrivés tardivement chez nous, ces prénoms ont tout de même influencé la toponymie. Parmi nos villages, mentionnons deux Saint-Marcel, l'un au nord de Saint-Hyacinthe, l'autre dans la région de L'Islet ; Saint-Marcellin, près de Rimouski ; et, dans Lanaudière, Sainte-Marcelline-de-Kildare, apparu en 1927 tout à côté de Saint-Ambroise-de-Kildare – ce voisinage n'est pas un hasard, mais bien un clin d'œil des toponymistes qui n'avaient pas oublié que saint Ambroise et sainte Marcelline avaient été frère et sœur.

Mario

Populaire dans les années 1950-1960.
Prénom du voisinage : Marius.

En 1900, le prénom Mario était inconnu au Québec. Pas un seul n'a été relevé à CDN, où l'on trouve pourtant, pour cette époque, plusieurs prénoms italiens. Quatre-vingts ans plus tard, ce même Mario était devenu célèbre au Québec et partout dans le monde, grâce à l'imagination et à la puissance industrielle de l'entreprise japonaise Nintendo, qui conçut le jeu vidéo *Mario Bros*. Entre-temps, le prénom Mario était apparu chez nous.

Ce prénom d'origine latine nous vient de Marius qui, resté tel quel en français, a donné Mario en italien. À Rome, ce nom de famille fut illustré par le général et homme politique Caius Marius (v.157-86 av. J.-C.). Selon Cherpillod, Marius vient du latin « mas, maris » qui veut dire mâle, et n'a donc aucun rapport avec le prénom féminin Marie.

Mario était inconnu en France jusqu'au XIXe siècle et il est demeuré discret au XXe. Marius, connu avant 1900, eut quelques succès dans les premières décennies du XXe siècle, où il se situait autour du 30e rang. Ses succès n'auront donc pas attendu la célèbre pièce *Marius* de Marcel Pagnol, présentée en 1929. Ce nom fut illustré par Marius Berliet (1866-1949), l'industriel lyonnais de l'automobile, et par Marius Moutet (1876-1968), l'homme politique nîmois qui fut ministre du Front populaire dans les années 1930.

En Nouvelle-France, il n'y avait pas de Mario, pas plus qu'à CDN au XIXe siècle – et guère plus de Marius. Il faudra attendre les années 1940 pour le voir apparaître au Québec et la décennie suivante pour assister à son envol. Ses meilleurs résultats chez nous auront lieu à la fin des années 1950 et au début des années 1960, quand il dépassera 2,5 % de représentation. Il venait ainsi s'ajouter – sur le tard ! – à la demi-douzaine de prénoms italiens qui s'étaient fait connaître dans les années 1890-1910, dont les plus marquants furent Roméo et Antonio (voir ces noms). Dans la population de l'an 2000, Mario était le 35e prénom masculin, le seul d'origine italienne parmi les 100 plus populaires. On remarque que le décollage de Mario dans les années 1950 coïncide avec l'apparition fulgurante sur la scène et à l'écran du ténor américain Mario Lanza (1921-1959), héros des films *The Great Caruso* (1951) et *Serenade* (1956).

Marius et Mario sont absents de la toponymie de nos villages, mais ils ont leur place dans notre vie collective. Marius a été illustré par l'ethnologue et folkloriste Marius Barbeau (1883-1969) et par Marius Dufresne (1883-1945), entrepreneur de la ville de Maisonneuve (aujourd'hui rattachée à Montréal), qui donna son nom au château Dufresne. Porté par Mario Crête, un lutteur qui représenta le Canada aux Jeux olympiques de Londres en 1948, et par Mario Mauro (1920-1984), peintre québécois natif d'Italie, ce prénom est actuellement illustré par le chanteur Mario Pelchat (né en 1964), par l'ancien politicien Mario Dumont (né en 1970) et par deux anciens joueurs de hockey, Mario Tremblay (né en 1956) et Mario Lemieux. Né à Ville-Émard en 1965, Lemieux joua à Pittsburgh où une place porte son nom. Mario Lemieux, « super Mario » : un autre fils du Québec parti vivre « aux États » et qui aura laissé son empreinte sur les cartes américaines.

Martin

Prénom du dernier tiers du xxe siècle. Médaillé d'or en 1971.
Prénom féminin : Martine.

Martin vient du latin Martinus, nom probablement dérivé de la planète Mars, comme d'autres prénoms (voir **Marc,** p. 164). Martina était son équivalent féminin. Parmi les premiers chrétiens, on relève plusieurs saints de ce nom au Portugal, en Espagne, en Italie, dont un pape, Martin Ier, qui régna au VIIe siècle. Une sainte Martine vécut à Rome au IIIe siècle.

Mais, de tous les saints, c'est Martin, évêque de Tours au IVe siècle, soldat romain converti au christianisme, qui est de loin le plus célèbre. Sa générosité était légendaire, comme en témoigne la scène, maintes fois reprise en iconographie, du manteau qu'il partagea avec un mendiant en plein hiver. Sa gloire était « éclatante », dit un hagiographe, et la masse du peuple « pleine de reconnaissance » à son endroit. On le surnommait « le treizième apôtre » et, selon son biographe, « son prestige concurrence presque celui du Christ ». Après sa mort, la ville de Tours devint un haut lieu de pèlerinage et son nom fut donné à plus de 3600 paroisses de France et à près de 500 bourgs et villages ! Il est également présent dans les Antilles (île de Saint-Martin et la Martinique), en Louisiane (Saint-Martinville) et ici même au Québec (on y reviendra).

Le prénom se répandit dans les pays latins, sous la forme de Martino en Italie, Martin en Espagne, Marti en Catalogne. En Allemagne, c'est Martin, comme l'illustrèrent Martin Luther (1483-1546), Martin Bormann (1900-1945 ?), le dirigeant nazi, et Martin Niemöller (1892-1984), le pasteur antinazi. Le philosophe israélien Martin Buber (1878-1965) était d'origine autrichienne.

En Angleterre, les Normands introduisirent ce prénom dès le XIIe siècle, ainsi que le culte de saint Martin de Tours – *a favourite saint,* dit l'*Oxford.* D'ailleurs, les Anglais donnèrent son nom à 170 paroisses, dont St. Martin in the Fields et sa fameuse église où se produit souvent l'orchestre de chambre de l'Academy of St. Martin in the Fields. Le prénom perdit de sa vigueur après la Réforme (peu d'Anglais sont luthériens), mais ne disparut pas. Chez les anglophones du Québec au XIXe siècle, on pouvait le rencontrer parmi les protestants, mais il était plus fréquent chez les irlando-catholiques. En Angleterre et dans les îles Britanniques, il est illustré par l'historien Sir Martin Gilbert (né en 1936) et par Martin McGuinness (né en 1950), membre du Sinn Féin et vice-premier ministre d'Irlande du Nord.

En France, le prénom Martin fut très répandu jusqu'aux guerres de religion. Par la suite, fortement identifié à Martin Luther et au protestantisme, il perdit beaucoup de sa vigueur dans les milieux catholiques, au point où il n'était plus, au XIXe siècle, que le 90e prénom. Il redevint cependant populaire au milieu du XXe siècle, mais sa sœur Martine le fut davantage, se classant parmi les dix premiers prénoms féminins quinze années de suite, dont huit fois au 2e rang (de 1950 à 1957).

En Nouvelle-France, Martin était connu, mais demeura discret (quelque 230 mentions au PRDH, 10 fois plus que Martine). Malgré cela, le nom apparaissait déjà dans notre toponymie, le long du fleuve où le cap Martin, à la hauteur des Éboulements, fait face à un autre cap du même nom, sur la rive sud, à la hauteur de La Pocatière. À Montréal, ce nom désignait un petit cours d'eau aujourd'hui disparu, la rivière Saint-Martin, sur le tracé actuel de la rue Saint-Antoine.

Au Québec, au XIXe siècle, ce prénom fut assez invisible. À CDN, je n'ai trouvé ni Martin ni Martine. Il apparaîtra vers 1950 et atteindra son sommet en 1970-1971, à plus de 6 % de représentation. Dans l'ensemble de la population, il se situait en l'an 2000 au 11e rang des prénoms masculins. Pour sa part, Martine était au 40e rang : elle avait pris une avance d'une dizaine d'années sur son frère, mais n'atteignit pas des sommets si élevés.

Ces deux prénoms ont leur place dans la toponymie de nos villages, grâce à Sainte-Martine (1823), près de Beauharnois, et à Saint-Martin (1882), en Beauce. On trouve également un Martinville en Estrie et un Martindale dans l'Outaouais, tous deux de la seconde moitié du XIXe siècle. Le boulevard Saint-Martin de Laval rappelle l'existence d'un village de ce nom aujourd'hui disparu dans les fusions municipales.

Le prénom Martin est représenté par le politicien Martin Cauchon (né en 1962) et par les humoristes Martin Petit (né en 1968) et Martin Matte (né en 1970). Tous les amateurs de hockey connaissent Martin Brodeur (né en 1972), un des grands gardiens de but de la Ligue nationale.

Mathieu

Prénom du dernier quart du XXe siècle. Médaillé d'or dans les années 1980.
Deux graphies : Mathieu, Matthieu.
Prénoms du voisinage : Mathis, Mathias.

Le prénom Mathieu (qui s'écrit plus souvent maintenant avec un seul *t*) vient du latin Matthaeus, qui vient lui-même du grec biblique Matthaios. Ce dernier est la traduction d'un nom hébreu de l'Ancien Testament, Mattatyahu, qui veut dire « don de dieu ». Mathieu a donc la même étymologie que Dieudonné et Théodore (voir **Théodore** et **Théophile,** p. 236).

Plusieurs personnages de l'Ancien Testament s'appelaient Mattatyahu. Le plus connu est le père des Maccabées, cette famille juive qui, vers l'an 165 avant notre ère, inspira la révolte des leurs contre la politique d'assimilation culturelle pratiquée au nom de l'idéal (« global » à l'époque) de l'hellénisation. Dans cette affaire, les Maccabées eux-mêmes furent massacrés, mais leur cause triompha. Elle est aujourd'hui célébrée à la fois par les chrétiens – les Maccabées (sept frères et leur mère, martyrisés à Antioche par le roi Antiochos IV Épiphane) sont reconnus comme des saints de l'Église catholique, fêtés le 1er août – et par les communautés juives à l'occasion de la fête dite de *hanoukah*, la « fête des Lumières » qui, hasard des calendriers, tombe autour du 25 décembre.

Mais, si ce prénom s'est répandu dans les pays chrétiens, c'est grâce à l'apôtre Matthieu, l'auteur du premier des quatre Évangiles. Ainsi, ce prénom prit différentes formes : Mateus au Portugal, Mateo en Espagne, Matteo en Italie, Matthäus en Allemagne, Mats en Scandinavie – prénom du champion de tennis suédois Mats Wilander, né en 1964, numéro un mondial en 1988.

En Angleterre, où il fut introduit par les Normands au XIe siècle, ce prénom devient Matthew. Il fut fort populaire au Moyen Âge (XIIe et XIVe siècles), mais moins après la Réforme, nous dit l'*Oxford*. Usité en Angleterre au XIXe siècle, Matthew l'était aussi chez les anglophones du Québec à la même époque, mais resta modeste chez les Irlando-Québécois (0,5 %), et plus encore chez les anglo-protestants (0,3 %). Au XIXe siècle, il fut illustré par le poète et critique littéraire anglais Matthew Arnold (1822-1888) et par le commandant de la marine américaine Matthew C. Perry (1794-1858), célèbre pour son expédition au Japon en 1854, que connaissent bien les amateurs d'opéra et les admirateurs de *Madame Butterfly*. Dans les pays anglophones, le diminutif Matt est aujourd'hui courant, illustré par l'acteur américain Matt Damon (né en 1970).

En France, Mathieu, fréquent au Moyen Âge, a été « relativement délaissé », nous dit le *Larousse*, « à partir du XVIIe siècle », et ne fut que « peu employé au XIXe siècle ». Mais, dans le dernier quart du XXe siècle, surgi de nulle part, il connut un très vif succès. Sous les deux graphies (« Mathieu » pour les deux tiers, « Matthieu » pour le reste), ce prénom figura parmi les 20 premiers pendant près de 30 ans, de 1977 à 2004, obtenant ses meilleurs résultats au milieu des années 1980. Il est actuellement illustré par Matthieu Ricard (né en 1946), intellectuel français devenu moine bouddhiste et collaborateur du dalaï lama ; et au cinéma par le réalisateur et acteur Mathieu Kassovitz (né en 1967) et par Mathieu Amalric (né en 1965), l'inspirant héros du film *Le scaphandre et le papillon*. En France, d'autres prénoms sont apparus ces dernières années dans le voisinage de Mathieu : Mathis, Mateo, Matteo, Mathéo.

En Nouvelle-France, ce prénom était connu mais discret, et cette position ne changea pas au Québec au XIXe siècle (du moins à CDN). De cette torpeur, il ne sortira qu'au XXe siècle, plus précisément dans le dernier quart du siècle (comme en France), à compter de 1970, et il le fera brillamment, en occupant le 1er rang pendant trois ans au cours des années 1980. Dans l'ensemble de la population, il se situait en 2000 au 23e rang. Depuis quelques années, Mathis (ou Mathys), un nouveau venu, fait encore mieux que Mathieu (voir **Pouponnières, garderies et maternelles,** p. 176).

Longtemps discret dans l'usage des familles, Mathieu est tout de même bien présent sur nos cartes géographiques, puisque six villages portent ou ont porté ce nom. Au XVIIIe siècle fut fondé Saint-Matthieu (1772), près de Belœil ; au XIXe siècle, Saint-Mathieu-de-Rioux (1858) près de Trois-Pistoles et Saint-Mathieu-du-Parc (1872) près de Shawinigan. Se sont ajoutés trois autres villages au début du XXe siècle : Saint-Mathieu-de-Laprairie (1914), Saint-Mathieu-de-Dixville (1915) et Saint-Mathieu-d'Harricana (1918). Par ailleurs, ceux qui pourraient chercher *La Butte à Mathieu* ne la trouveront pas sur nos cartes. Mais qu'ils sachent que cette boîte à chansons des Laurentides a bel et bien existé et qu'elle est toujours vivante dans les cœurs des artistes et du public qui, de 1959 à 1976, ont fait le pèlerinage à Val-David.

Connu depuis longtemps comme patronyme (le syndicaliste Roger Mathieu, le compositeur André Mathieu, etc.), ce prénom, tout jeune au Québec, reçoit actuellement ses premières illustrations. Dans les sports, par le footballeur Mathieu Proulx et par le hockeyeur Mathieu Schneider. Dans l'intelligentsia, par les essayistes politiques Mathieu-Robert Sauvé et Mathieu Bock-Côté. Le combat que ce dernier mène au nom de l'identité, contre la « mondialisation », ne déplairait sans doute pas à son lointain prédécesseur, Mattatyahu, le père des Maccabées.

MAURICE

Prénom des premières décennies du XXe siècle, déjà connu à la fin du XIXe.

Ce prénom vient du latin Mauritius (ou Mauricius), qui lui-même vient de Maurus, habitant de la Mauritanie (le pays des Maures), territoire d'Afrique du Nord assujetti par Rome au début de notre ère, qui correspond au Maroc d'aujourd'hui. Il fut porté par l'empereur Maurice (Flavius Mauricius Tiberius), qui régna sur l'empire d'Orient de 582 à 602.

Quelques siècles plus tôt, un autre Maurice laissa sa marque dans nos mémoires. Originaire d'Afrique (d'où son nom) et commandant dans les armées romaines, l'officier Maurice, lui-même chrétien, aurait refusé de participer à la persécution de ses frères de religion et fut exécuté avec ses soldats. Ces événements se passèrent dans la plaine d'Agaune (Suisse actuelle), là où se trouve aujourd'hui la ville de Saint-Maurice (Valais). Plus loin, dans un autre canton, en Suisse alémanique, se trouve la commune de Saint-Moritz.

En Europe, quelques têtes couronnées ont porté ce nom, notamment le prince d'Orange Maurice de Nassau (Maurits, en néerlandais), qui joua un rôle important dans l'histoire des Pays-Bas et dont le nom fut donné à la fin du XVIe siècle à l'île Maurice, dans l'océan Indien, que les Hollandais venaient de prendre et qu'ils occuperaient pendant plus d'un siècle. Comme les Philippins en Asie (voir **Philippe,** p. 204), les Mauriciens en Afrique portent dans leur identité le prénom d'un prince européen.

En Angleterre, Maurice entra dans la composition du patronyme Fitzmaurice. Le marquis de Lansdowne, qui fut gouverneur général du Canada de 1883 à 1888, s'appelait Henry Charles Petty-Fitzmaurice (1845-1927). En anglais, Maurice prit aussi la forme de Morris. Ces deux prénoms demeurèrent discrets dans les milieux anglophones du Québec au XIXe siècle (0,16 %, catholiques et protestants confondus).

En France, Maurice, qui s'était classé au 35e rang au XIXe siècle, se classa autour du 10e rang pendant tout le premier tiers du XXe siècle. Maurice Ravel (1875-1937), Maurice Chevalier (1888-1972) et Maurice Béjart (1927-2007) l'ont illustré de belle manière. Il fut aussi porté par l'écrivain Maurice Druon (1918-2009) et par le fonctionnaire Maurice Papon (1910-2007) ; le premier était dans la Résistance et aimait le *Chant des Partisans*, le second était à Vichy et préférait les marches militaires. Ministre des Affaires étrangères de 1958 à 1968, puis premier ministre du général de Gaulle, Maurice Couve de Murville (1907-1999) fut aux premières loges du « Vive le Québec libre ! » en juillet 1967.

En Nouvelle-France, le prénom Maurice fut discret (209 mentions au PRDH). Au Québec, au XIXe siècle, le prénom apparut à CDN en 1880 et atteignit en 1890 la barre du 0,5 %. Il poursuivit sur cette lancée, approcha des 4 % en 1910 et se maintint ensuite parmi les plus populaires pendant une quinzaine d'années, représentant, au début des années 1920, près de 3 % des prénoms. En 2000, dans l'ensemble de la population, il occupait le 64e rang des prénoms masculins.

On trouve en Gaspésie un petit village du nom de Saint-Maurice-de-l'Échouerie (1915), mais la plupart des toponymes qui comprennent le nom Maurice sont dans la région de Trois-Rivières, où le nom de Saint-Maurice, apparu au temps de la Nouvelle-France, fut donné à une rivière, à un village puis à une région (la Mauricie), puis à une circonscription électorale. Saint-Léonard, sur l'île de Montréal, est issu de la paroisse Saint-Léonard-de-Port-Maurice, fondée en 1885, qu'on appela ainsi pour honorer la mémoire d'un saint italien originaire de Porto Maurizio qui venait d'être canonisé. Les racines italiennes de Saint-Léonard sont plus anciennes qu'on ne le pense !

À Québec, le cardinal Roy (1905-1985) et l'archevêque Couture (né en 1926) ont porté ce prénom, comme l'homme d'affaire Pollack (1885-1968). À Trois-Rivières, Maurice Duplessis (1890-1959) et Maurice Bellemare (1912-1989) furent des chefs de l'Union nationale. Et, à Montréal, ont vécu l'historien Maurice Séguin (1918-1984) et le lutteur Maurice « Mad Dog » Vachon (né en 1929). Maurice Richard (1921-2000), lui, a inspiré tout le Québec, même ses poètes : « C'est tout le Québec debout/Qui fait peur et qui vit », a dit à son sujet Félix Leclerc.

Maxime

Prénom du dernier tiers du XXe siècle. Médaillé d'or des années 1980-1990.
Deux graphies : Maxim, Maxime.
Prénoms du voisinage : Magnus, Max, Maxence, Maximilien.
Prénoms féminins : Maxime, Maximilienne.

Magnus, prénom qui en latin signifie « grand », fut porté au Moyen Âge par plusieurs rois scandinaves, sans doute en hommage au grand Charlemagne lui-même, dont le nom latin était Carolus Magnus. Il fut illustré au Québec par le directeur de funérailles Magnus Poirier.

Maximus, en latin, c'est le « très grand », et ce mot est à l'origine de notre Maxime. Avec les autres membres de la famille, Max, Maxence, Maximilien, il est,

Pouponnières, garderies et maternelles

Tableaux des 50 prénoms masculins les plus fréquemment donnés à la naissance, de 2000 à 2009.

Les 20 premiers

(Alexandre, Alexis, Anthony, Antoine, Félix, Gabriel, Jacob, Jérémy, Justin, Mathis, Nathan, Nicolas, Olivier, Raphaël, Samuel, Thomas, Vincent, William, Xavier, Zachary.)

1er	William	9575	11e	Alexandre	5487
2e	Samuel	9339	12e	Nathan	5321
3e	Gabriel	7777	13e	Zachary	5223
4e	Olivier	6797	14e	Anthony	5203
5e	Thomas	6627	15e	Nicolas	4793
6e	Félix	6021	16e	Justin	4768
7e	Alexis	5889	17e	Raphaël	4509
8e	Antoine	5837	18e	Jacob	4477
9e	Jérémy	5671	19e	Vincent	4462
10e	Xavier	5569	20e	Mathis	4347

Les 30 suivants

(Adam, Alex, Benjamin, Cedric, Charles, Christopher, David, Dylan, Édouard, Émile, Étienne, Guillaume, Hugo, Jonathan, Jordan, Julien, Liam, Loïc, Louis, Lucas, Marc-Antoine, Mat(t)hieu, Maxime, Michael, Noah, Philippe, Simon, Tommy, Tristan, Victor.)

21e	Maxime	3821	36e	Tommy	2121
22e	Benjamin	3674	37e	Michael	2061
23e	Émile	3619	38e	Julien	2043
24e	Mat(t)hieu	3489	39e	Dylan	2028
25e	Simon	3278	40e	Lucas	2020
26e	Charles	3137	41e	Édouard	1961
27e	Tristan	2895	42e	Jonathan	1940
28e	Étienne	2676	43e	Hugo	1847
29e	David	2659	44e	Cédric	1684
30e	Philippe	2588	45e	Christopher	1667
31e	Adam	2455	46e	Victor	1621
32e	Alex	2400	47e	Jordan	1450
33e	Guillaume	2334	48e	Louis	1401
34e	Loïc	2241	49e	Marc-Antoine	1348
35e	Noah	2202	50e	Liam	1337

sans jeu de mots, un grand prénom. Son itinéraire rappelle par moments celui de Serge : un prénom d'origine latine qui s'est implanté en Asie Mineure et dans les pays orthodoxes, puis qui a grandi en Russie. La liste des saints qui ont porté ce nom est à cet égard très éloquente : Maxime de Constantinople, Maxime d'Andrinople, Maxime de Jérusalem ; plus au nord, Maxime de Mysie (Bulgarie), Maxime de Serbie ; et, plus haut encore, Maxime de Kiev et Maxime de Moscou. La Russie, terre de prédilection pour ce prénom, a vu, plus près de notre époque, deux des « hommes nouveaux » du communisme montant troquer leur prénom d'origine contre celui de Maxime : l'écrivain Alekseï Maksimovitch Pechkov, mieux connu sous le nom de Maxime Gorki (1868-1936), et l'homme politique Meir Walach, qui devint le Maxime Litvinov (1876-1951) de la politique étrangère de l'URSS.

À l'ouest aussi il y eut des saints du nom de Maxime, à Rome, à Naples, à Turin, et plus au nord, en France, en Normandie, en Allemagne. En revanche, on ne trouve pas de têtes couronnées de ce nom (peut-être à cause des malheurs de l'empereur romain Pétrone Maxime, dont le règne fut bref et qui fut lapidé par la population en 455). Le prénom Maximilien, toutefois, se démarqua grâce à deux empereurs germaniques des XVᵉ et XVIᵉ siècles, à des rois et à des ducs de Bavière et d'Autriche, dont Maximilien d'Autriche, empereur du Mexique de 1864 à 1867.

Dans les pays de langue allemande, l'aura impériale favorisa le prénom Maximilien qui eut de nombreuses illustrations. Pensons au boxeur Maximilian « Max » Schmeling (1905-2005), qui fut champion du monde des poids lourds après avoir battu nul autre que Joe Louis. Pensons aussi à Maximilian Schell (né en 1930), héros oscarisé du film *Jugement à Nuremberg* (1961), et à Maximilian Berlitz (1852-1961), l'émigré allemand qui fonda aux États-Unis une célèbre école de langues. Diminutif ou prénom autonome, Max aussi a connu de belles illustrations, grâce aux Allemands Max Planck (1858-1947), physicien ; Max Ernst (1891-1976), peintre ; Max Ophüls (1902-1957), cinéaste. Pareille vitalité allait bien sûr déborder des frontières de l'Allemagne, comme en témoignent, au nord du pays, l'acteur suédois Max von Sydow (né Carl Adolf von Sydow en 1929) et à l'est, en Pologne, un prêtre franciscain né en 1894, Maximilian Kolbe, mort à Auschwitz en 1941, canonisé en 1982.

Des Maximilien, il y en eut aussi en France, aux extrémités du spectre politique : Sully (1560-1641), le grand conseiller qui aimait les rois, et Robespierre (1758-1794), le révolutionnaire qui ne les aimait pas. Plus près de nous, mentionnons le géographe Maximilien Sorre (1880-1962). Il y eut aussi en France des Max, dont le plus connu est peut-être le poète Max Jacob (1876-1944), mort au camp de Drancy dans l'attente de sa déportation à Auschwitz.

Quant à Maxime lui-même, populaire dans les premiers siècles de la chrétienté et qui donna quelques toponymes (Sainte-Maxime sur la Côte d'Azur) et quelques saints à l'Église, il s'éclipsa pendant plusieurs siècles. On ne le revit qu'au XIXe siècle, d'abord bien modestement (au-delà du 100e échelon des prénoms), quand il fut porté par l'écrivain Maxime Du Camp (1822-1894) et par le général Maxime Weygand (1867-1965). Cependant, les choses changèrent pour ce prénom vers la fin du XXe siècle, quand il se classa onze fois parmi les cinq premiers, dont une fois au 3e rang, en 1992.

Très discret en Nouvelle-France (27 mentions seulement au PRDH, moins encore pour les prénoms dérivés), il le fut aussi au Québec au XIXe siècle. Mais, au XXe siècle, il prit place parmi les plus populaires, au point d'occuper le 1er rang de 1988 à 1992, ce qui fit de lui en l'an 2000 le 29e prénom au Québec. Il est représenté par les députés Maxime Arseneau (né en 1949) et Maxime Bernier (né en 1963), et par le joueur de hockey Maxim Lapierre (né en 1985). Auparavant, il avait été illustré par Maxime Raymond (1883-1961), député à Ottawa, qui, lors de la crise de la conscription en 1942, quitta son parti et prit la tête du Bloc populaire.

Par ailleurs, le prénom Maximilien, porté par le militaire Maximilien Globensky (1793-1866) qui prit part à la bataille de Saint-Eustache en 1837, fut illustré plus récemment par un doyen de la Faculté de droit de l'Université de Montréal, Maximilien Caron (1901-1967), dont le nom a été donné au pavillon de cette faculté. Max Gros-Louis (né en 1931) est un ancien chef de la nation huronne-wendat de Wendake, près de Québec, et Maxence Bilodeau est journaliste à Radio-Canada.

Ces prénoms sont absents de la toponymie de nos villages, à une exception près : Mont-Louis, en Gaspésie, ainsi nommé en l'honneur de Louis XIV, s'appelle officiellement Saint-Maxime-du-Mont-Louis, du nom de la paroisse dont l'origine remonte à 1867. Maxime, c'est-à-dire « le plus grand » : voilà qui sied bien à un village qui tient son nom d'un roi qu'on appelait « le Grand ». Le hasard fait parfois bien les choses.

MICHEL

Grand champion du milieu du XXe siècle. 19 fois médaillé d'or.
Prénoms du voisinage : JEAN-MICHEL, MICHAEL, MIKAEL.
Prénoms féminins : MICHAËLLA, MICHAËLLE, MICHELINE, MICHELLE.

Le nom de Michel nous vient de l'hébreu. Dans la Bible, Michel n'est pas un homme, mais un esprit, un archange, comme Gabriel et Raphaël, le premier d'entre eux et le chef des armées célestes. Le guerrier que l'on voit représenté avec un glaive à la main, terrassant le dragon (Satan), c'est lui, l'archange Michel (voir Apocalypse 12, 7-9).

Ce grand manieur d'épée, mieux vaut l'avoir de son côté, car c'est aussi lui qui, au Jugement dernier, sera le peseur d'âmes, celui qui décidera du sort de chacun. L'Église le célèbre le 29 septembre, une fête importante que le calendrier liturgique place à la saison des récoltes, « la Saint-Michel », comme on disait jadis. Plus tard, d'autres saints (en chair et en os, ceux-là) portèrent ce nom, dont un Catalan qui vécut au XVIIe siècle, que tous les chasseurs du Québec connaissent sous le nom de saint Michel des Saints.

Le prénom est bien connu dans les pays de l'ouest de l'Europe : Michaël en Allemagne, Miguel en Espagne et au Portugal, Michele en Italie. Mais il s'était d'abord répandu chez les chrétiens orientaux, où plusieurs têtes couronnées l'avaient porté, dont neuf empereurs byzantins, du IXe au XIVe siècle. En Russie, le tsar qui fonda la dynastie des Romanov au XVIIe siècle s'appelait Michel III Fedorovitch (ou Mikhaïl, comme les Souslov et Gorbatchev de notre époque). Plus près de nous, vécut un prince Mihailo en Serbie au XIXe siècle et un roi Mihai en Roumanie au XXe. Il y eut aussi des rois de ce nom parmi les peuples catholiques : Michal en Pologne au XVIIe siècle, Miguel au Portugal au XIXe.

Michel, ce guerrier, avait la cote chez les Normands. Ceux-ci construisirent une forteresse qu'ils appelèrent le Mont-Saint-Michel et apportèrent ce prénom avec eux en Angleterre, où il se répandit généreusement – *a favourite from the 12th Century onwards*, nous dit l'*Oxford*, qui ajoute que pas moins de 687 églises en Angleterre ont été consacrées à saint Michel. Au XVIe siècle, la rupture d'avec Rome affaiblit le prénom chez les protestants, mais non chez les catholiques. On l'a bien vu, ici à Montréal au XIXe siècle, chez les anglophones, où Michael (parfois orthographié Micheal), 6e chez les Irlandais avec plus de 6 % des prénoms, était inexistant chez les protestants (5 mentions seulement sur 7700). Ce contraste, semblable à celui qui a marqué Patrick, a donné à ce prénom, dans les pays anglophones, une valeur de représentation collective, le diminutif Mick étant souvent un synonyme péjoratif de « catholique » ou d'« Irlandais ».

Connu depuis le Moyen Âge en France, où il fut illustré au XVIe siècle par l'écrivain Michel de Montaigne (1533-1592) et par l'astrologue Michel Nostradamus (1503-1566), au XVIIIe par le compositeur Michel Corrette (1709-1795), Michel prit, après la Réforme, une dimension nouvelle aux yeux des catholiques, pour qui il « symbolisait le combattant de la foi », selon le *Larousse*. Au XIXe siècle, il se classa au modeste 26e rang – et Michelle fut plus discrète encore. Les Français devront attendre le XXe siècle pour voir surgir sur scène les Michel Simon (1895-1975), Michel Piccoli (né en 1925) et Michel Serrault (1928-2007).

En Nouvelle-France, Michel fut le 8e prénom masculin (quelque 5700 mentions au PRDH) et laissa sa marque parmi nos villages, à Saint-Michel-de-Bellechasse (1678) et à Saint-Michel-de-Yamaska (1722). Puis, au XIXe siècle, il y eut trois autres villages baptisés Saint-Michel (près de Napierville, de Rougemont et de Squatec), sans oublier Saint-Michel-des-Saints, au nord de Montréal, fondé en 1863, l'année suivant la canonisation de ce saint catalan du XVIIe siècle.

Au XIXe siècle, ce prénom, qui avait pourtant été un des plus courants en Nouvelle-France et qui atteignit près de 2 % de représentation en 1820, allait se faire plutôt discret jusqu'en 1890 et même au-delà. Rien qui aurait pu annoncer son formidable succès de la seconde moitié du XXe siècle, quand il fut le plus populaire 19 fois, de 1945 à 1964, ce qui fit de lui le prénom le plus répandu dans la population en l'an 2000. Récemment, son cousin Michael a fait son apparition (voir **Pouponnières, garderies et maternelles,** p. 176).

Naturellement, ce prénom a connu et connaît encore de très belles et nombreuses illustrations, depuis les premiers, Michel Chartrand (1916-2010), Michel Noël (1922-1993) et Michel Normandin (1913-1963), le premier avec son personnage de syndicaliste tonitruant, le deuxième avec son Capitaine Bonhomme, et le dernier avec son inaltérable verve et ses descriptions de matchs de hockey, de baseball et de lutte. Le chanteur Michel Louvain (né en 1937) appartient aussi au groupe des premiers. Curieusement, il avait commencé sa carrière en se donnant une allure d'anglophone, se faisant appeler Mike Mitchell, puis Mike Poulin, avant de comprendre que quelque chose avait peut-être changé au Québec depuis 1960.

Une fois le mouvement lancé, c'est à un foisonnement de Michel qu'on assisterait : au hockey, chez les Nordiques de Québec, le joueur Michel Goulet (né en 1960) et l'entraîneur Michel Bergeron (né en 1946), « le Tigre » ; sur la scène de l'humour, Michel Barrette (né en 1957), Michel Courtemanche (né en 1964) et Michel Mpambara (né au Rwanda en 1973). Dans le monde du spectacle, les acteurs Michel Côté (né en 1950) et Michel Dumont (né en 1941), et le réalisateur Michel Brault (né en 1928), dont le film *Les Ordres* nous a fait voir la face cachée des « mesures de guerre » d'octobre 1970. Dans les lettres, le poète Michel Garneau (né en 1939), le conteur Michel Faubert (né en 1959) et le dramaturge Michel Tremblay (né en 1942). Dans le journalisme et l'information, Michel Roy (né en 1929), Michel Vastel (1940-2008), Michel David (né en 1951), Michel Jasmin (né en 1945) et les deux Michel Auger, l'un qui s'intéresse au crime (né en 1944) et l'autre (Michel C. Auger), à la politique. Tous les habitués de la radio de radio-Canada connaissent la voix de Michel Désautels.

La politique aussi est un haut lieu de scènes et de mises en scène. Michel Bélanger (1929-1997), haut fonctionnaire puis banquier, coprésida une pièce de maîtres, la commission Bélanger-Campeau, créée dans la ferveur des lendemains de l'échec de Meech. Celle-ci réunit la fine fleur, conscrit les plus beaux cerveaux, convoqua le ban et l'arrière-ban de la nation, puis accoucha d'un fier projet de société qui, vingt ans après, n'a toujours pas donné le moindre résultat.

Moïse

Prénom de la première moitié du XIXe siècle.
Prénoms du voisinage : Aggée, Caleb, Enoch, Sinaï.

Parmi les prénoms donnés aux Québécois au XIXe siècle, pas moins d'une quarantaine rappellent des personnages de l'Ancien Testament, des très confidentiels Caleb, Enoch et Aggée, jusqu'aux plus connus, David, Élie, Benjamin. Mais, de tous, c'est Moïse qui fit le mieux. Ce nom (Mosheh, qui a donné Mouses et Moyse) serait d'origine égyptienne, car Moïse naquit en Égypte. Juif né en captivité au XIIIe siècle av. J.-C., il prendra la tête de son peuple pour le libérer du joug étranger et le conduire jusqu'à la Terre promise, Canaan, l'Israël d'aujourd'hui. Pour réussir, il fallut certes 40 ans d'errance dans le désert du Sinaï, mais au cours de ces années il fonda la religion des Juifs à laquelle nous devons le monothéisme et le décalogue. Il mourut – à 120 ans, dit-on ! – à portée de vue du pays de ses rêves, sans avoir pu lui-même y mettre les pieds. Les dix commandements, la sortie d'Égypte, la Terre promise ; un chef religieux doublé d'un chef politique. « Un libérateur de peuple », dirait Félix Leclerc.

Ce héros de l'Ancien Testament est aussi une grande figure de la chrétienté, et Rome au IXe siècle en a fait un saint de l'Église. Certes, il y eut plusieurs saints appelés Moïse, prêtres, ermites ou martyrs des premiers siècles du christianisme, mais le premier de tous, dans l'ordre du temps et dans l'ordre spirituel, c'est celui de l'Ancien Testament, à qui Michel-Ange a consacré une statue célèbre. Qu'on puisse donner à un chrétien du XIXe siècle le nom d'un héros juif qui vécut 13 siècles avant Jésus-Christ n'étonne plus quand on lit ce qu'en disait Mgr de Saint-Vallier dans son *Rituel* de 1703 : « L'on recevra au Baptême les noms des Saints et Saintes de l'Ancien Testament, pourvû [*sic*] qu'on les accompagne d'un nom d'un Saint ou d'une Sainte du Nouveau Testament, qui précédera celuy de l'Ancien Testament. »

Ce prénom est évidemment usité par les Juifs, avec toutes les variations orthographiques qu'on peut imaginer : Moïse, Moyse, Moses, Moshé, Moché, Moishes, Moe. Parfois, il prend la couleur locale et s'appelle Morris chez les Anglais ou Maurice chez les Français. L'illustrèrent, chez les sépharades, Moïse Maïmonide (1138-1204), médecin, théologien et philosophe né en Espagne, mais ayant vécu en Égypte (dont une école et un centre hospitalier de Montréal portent le nom) ; et Moses Ben Nahman (1194-1270), rabbin, kabbaliste et philosophe. Chez les ashkénazes d'Allemagne, Moses Mendelssohn (1729-1786), le philosophe des Lumières (et grand-père du compositeur Félix Mendelssohn) ; et Moses Hess (1812-1875), philosophe du socialisme et du sionisme. Chez les ashkénazes d'Angleterre, Sir Moses Montefiore (1784-1885), financier, philanthrope et sioniste (dont un club sélect de Montréal porte le nom) ; et, chez ceux de France, l'homme politique Isaac Moïse, dit Adolphe Crémieux (1796-1880). Au XXe siècle, ce nom fut illustré par le général et homme politique israélien Moshe Dayan (1915-1981).

Peu usité en France (il n'était que le 135e prénom au XIXe siècle), il était plus courant en Angleterre, les prénoms bibliques ayant gagné la faveur des premiers protestants, plus spécialement des puritains. Cela dit, ou bien ce nom n'était plus populaire au XIXe siècle, ou bien il n'y avait guère de puritains parmi les anglo-protestants du Québec, toujours est-il que je n'en ai relevé que six au cimetière du Mont-Royal. Et guère plus chez les irlando-catholiques. Membre de la communauté juive, Moses Judah Hays (1789-1861) fut chef de la police de Montréal dans les années 1850.

Moïse ne se fit guère connaître en Nouvelle-France (60 entrées seulement au PRDH, loin derrière Benjamin et Abraham). Mais, au Québec, dans la première moitié du XIXe siècle, il réussit à se démarquer. En 1820 et 1830, il se maintenait autour du 12e rang ; en 1840 et 1850, autour du 22e. Sinaï, le nom du désert où Moïse reçut les dix commandements, fut aussi un prénom (rarissime) au XIXe siècle.

Ce prénom fut porté en politique par Moïse Houde (1811-1885) et par Moïse O'Bready (1864-1923), députés à Québec, et par le maire de Valleyfield Moïse Plante (1830-1892). Avant eux, il y eut Jean-Moïse Raymond (1787-1843), député du Parti patriote. Le père de l'ancien premier ministre Louis Saint-Laurent se prénommait Jean-Baptiste-Moïse.

Il a aussi sa place dans notre toponymie, en Gaspésie, où des pionniers partis de Sainte-Flavie jetèrent en 1870 les fondements de Saint-Moïse, un village de la vallée de la Matapédia, situé entre Saint-Noël au nord et La Rédemption au sud. Moïse, placé entre le petit Jésus et le Christ ressuscité; le tableau ne manque pas de puissance symbolique!

Napoléon

Prénom très sonore pendant plus de 60 ans au XIXe siècle, notamment dans les années 1850-1870.
Prénom du voisinage: Nelson.

Ce prénom renvoie immédiatement à Napoléon Ier, l'empereur des Français. Le personnage fut immense et controversé, un des grands de l'histoire, mais le prénom lui-même ne fut guère en usage en France (où il ne connut « qu'une fréquence très faible », nous dit le *Larousse*) ni ailleurs en Europe.

Par contre, les Québécois, eux, ont fait de Napoléon, au XIXe siècle, un de leurs prénoms-vedettes. Certes (était-ce par pudeur devant l'immensité du personnage ou par prudence devant la méfiance des autorités?), il fallut, pour que le prénom prenne son essor, attendre que l'empereur lui-même quitte la scène politique (1815), et même la vie (1821), car il semble bien que, sauf de rares exceptions, il n'y avait pas de Napoléon au Québec avant le milieu des années 1820.

Mais vedette il sera, et c'est la décennie 1830, où il figure déjà au 15e rang, qui marque le point de départ de cette belle carrière. Puis, pendant 30 années, il se classera à chaque décennie parmi les dix plus populaires: 9e en 1840, 3e en 1850, 5e en 1860. En 1870, il est toujours 12e, mais le déclin est amorcé (22e en 1880, il ne sera plus que 36e en 1890), déclin que viendront confirmer les résultats de 1900 et de 1910.

1840, 1850, 1860: voilà la période de ses plus grands succès. En 1840, c'est le retour des cendres de Napoléon à Paris, aux Invalides plus précisément. Puis, en 1848, c'est le retour du nom de Napoléon au sommet du pouvoir, quand le neveu de l'empereur, Louis-Napoléon, se fait élire président de la République et instaure quatre ans plus tard le régime du Second Empire, dont il sera l'empereur sous le nom de Napoléon III. De ce règne qui durera 18 ans (1852-1870), deux faits ont frappé les esprits sur les rives du Saint-Laurent. D'une part, le rapprochement avec l'Angleterre, qui permit aux deux pays d'aller ensemble faire la guerre à la Russie en Crimée (mars 1854 – septembre 1855) et d'en revenir victorieux. D'autre part, le soutien que l'armée française apporta au Vatican dans l'affrontement avec les partisans de l'unité italienne. Le régime disparaîtra abruptement en 1870, mais ses belles années et ses faits d'armes auront conforté les cœurs et achevé de « dédouaner » le prénom de Napoléon aux yeux des autorités locales, naguère encore si méfiantes.

Mais revenons au Québec et au prénom Napoléon, qui n'aura pas manqué de personnalités pour l'illustrer sur la scène publique. Dans les lettres, Napoléon Bourassa (1827-1916) et Napoléon Legendre (1841-1907). Sur la scène politique, Simon-Napoléon Parent (1855-1920), premier ministre, Olivier-Napoléon Drouin (1862-1934), maire de Québec, et Joseph-Napoléon Francœur (1880-1965), député, ministre et juge. Et, à l'extérieur du Québec, chez les Franco-Américains, Napoléon « Nap » Lajoie (1874-1959), étoile du baseball, champion des frappeurs au début du XXe siècle, dont le prénom fut donné à son club, les Cleveland Indians d'aujourd'hui, qui, en son honneur, se fit appeler les Cleveland Naps pendant quelques années.

Tout cela n'est pas rien et constitua même, à l'époque, un des traits distinctifs du Québec – en tout cas, par rapport à la France et aux voisins anglophones –, trait qui apparaît d'autant plus marquant que la popularité du prénom Napoléon dépassait les limites des baptistères, puisqu'on le donna même à des navires (le *Napoléon* sur le Saint-Laurent), à des clubs de baseball (à Lévis, à Upton), et sans doute aussi dans d'autres domaines. (Signalons par ailleurs que le prénom Nelson, qui rappelle le nom du célèbre amiral vainqueur de Napoléon, n'eut guère de succès parmi les anglophones du Québec – ni, bien entendu, chez les Canadiens français.)

Dans la toponymie, on ne trouvera aucun village du nom de Saint-Napoléon, puisque l'Église ne reconnaît aucun saint de ce nom. Mais, dans l'ensemble de nos villes et de nos villages, on relève une quarantaine de noms de rues, de parcs et d'avenues Napoléon, auxquels on peut ajouter une autre quarantaine de lieux appelés ainsi – non pas en hommage explicite à l'empereur, mais plutôt en souvenir de personnalités locales. Ainsi, la rue Napoléon, à Montréal, ouverte en 1834, doit son nom au propriétaire des lieux qui voulait rappeler le souvenir d'un de ses petits-fils.

Mais, fait étonnant et probablement unique au monde, on trouve aujourd'hui encore au Québec un Saint-Napoléon, nom que la ville d'Amqui a donné à l'un de ses chemins de rang. Sans doute quelqu'un là-bas, dans la vallée de la Matapédia, savait-il que Napoléon avait réussi à obtenir que l'Église lui « donne » un saint qui porterait son nom et qui serait fêté le 15 août, date de son propre anniversaire de naissance – ce qui fut fait tout simplement en prenant le nom d'un obscur saint du IIIe siècle, saint Neopolis (ou Neapolis), fêté le 2 mai, en en modifiant l'orthographe et en déplaçant la fête au 15 août ! Les gens d'Amqui ont eu raison : il y a bel et bien eu, pendant une douzaine d'années, un saint Napoléon (ce qui fut corrigé dès la chute de Napoléon)[18]. Tout le monde savait que Napoléon avait le bras long. Mais tout le monde ne savait peut-être pas qu'à Amqui on avait aussi la mémoire longue !

NARCISSE

Prénom discret, présent surtout dans la première moitié du XIXe siècle.

Ce prénom tire son origine du mot grec *narkè*, qui veut dire « engourdissement », « torpeur ». Il nous vient de la mythologie grecque, plus précisément d'un jeune homme d'une grande beauté, mort de l'admiration qu'il se portait à lui-même : en voyant le reflet de son visage dans l'eau, il tomba en pâmoison et fut transformé en fleur. Ce prénom fut porté dans les premiers siècles de notre ère, à Rome notamment, où un affranchi du nom de Narcisse, mort en l'an 54, fut secrétaire de l'empereur Claude. Parmi les premiers saints de l'Église, on relève aussi quelques Narcisse, dont un Grec né en Palestine, qui fut évêque de Jérusalem au IIe siècle.

En France, bien que connu en littérature et en musique, Narcisse n'apparut dans l'usage qu'à la fin du XVIIIe siècle, mais resta « rarissime » selon le *Larousse*. Sa notoriété moderne lui vient du domaine de la psychologie, où le narcissisme désigne « l'amour de soi, la contemplation de soi-même » (*Le Grand Robert*). D'où le sens de « celui qui se contemple, s'admire », donné au prénom Narcisse. Un narcisse, c'est aussi le nom d'une fleur, celle-là même, dit-on, qui poussa à l'endroit où mourut le héros mythologique.

18. Voir Hippolyte Delehaye, S.J., *La légende de St. Napoléon*, Bruxelles, Cabinet des estampes, 1926, p. 81-88.

En Nouvelle-France, il ne fut guère connu (à peine une soixantaine d'occurrences). Il réussit toutefois à se démarquer au Québec dans la première moitié du XIXe siècle, plus précisément dans les années 1820, 1830 et 1840. Après deux décennies (1850 et 1860) où il se maintint autour du 30e rang, il amorça son déclin à partir de 1870.

Il fut illustré dans le domaine des affaires par Joseph-Narcisse Dupuis (1859-1932), propriétaire du grand magasin Dupuis Frères de Montréal (fondé en 1868 par son frère Nazaire) ; dans le domaine des lettres, par Narcisse-Eutrope Dionne (1848-1917) et par Narcisse-Henri-Édouard Faucher de Saint-Maurice (1844-1897) ; et, dans le domaine politique, par deux lieutenants-gouverneurs du Québec, Narcisse-Fortunat Belleau (1808-1894) et Narcisse Pérodeau (1851-1932), ainsi que par le député et chef patriote Joseph-Narcisse Cardinal (1808-1838), condamné à mort et exécuté à Montréal en décembre 1838. Enfin, trois villages au Québec portent le nom de Saint-Narcisse : le premier, qui date du début du XIXe siècle, au nord-est de Trois-Rivières ; le deuxième, du milieu du XIXe siècle, près de Lotbinière ; et le troisième, du début du XXe siècle, près de Rimouski.

Narcisse est le seul nom de la mythologie grecque à s'être démarqué parmi nos prénoms masculins. Certes, il n'atteignit pas les premiers rangs et sa présence fut relativement brève, mais il venait de loin et voyagea vers nous sans le relais de la France ni celui de l'Angleterre. Saluons-le donc. Si vous le rencontrez, dites-lui que vous avez remarqué la « beauté » de sa prestation. Cela lui fera plaisir.

NICOLAS

Un prénom du dernier tiers du XXe siècle.
Prénoms du voisinage : Colin, NICÉPHORE, NICHOLAS, NICODÈME, NICOLA.
Prénoms féminins : COLETTE, NICOLE, NICOLETTE.

Le prénom Nicolas vient du latin *nicolaus*, lequel vient lui-même du grec *nikolaos*, « victoire du peuple » – tout comme Nicodème, qui a exactement le même sens en grec. Cette idée de « victoire » (*nikê* en grec) se retrouve aussi dans le prénom Nicéphore (« qui porte la victoire »), nom donné à un village près de Drummondville. Le prénom Nicole, qui fut à une époque masculin, est bien entendu aujourd'hui féminin – tout comme Nicolette, beaucoup plus rare. Colette est un dérivé de ce dernier et appartient donc aussi à la famille de Nicolas – comme le dérivé masculin Colin, rarissime au Québec.

Le saint Nicolas (270-345) qui fixa son nom dans la mémoire collective fut évêque de Myre (Turquie actuelle) et se distingua par sa bonté envers les enfants et les écoliers, dont il devint le patron. Il est souvent représenté sous la forme d'un vieillard à barbe blanche, vêtu d'un manteau à capuchon ou d'habits épiscopaux, distribuant bonbons et autres aménités aux enfants qui l'entourent. On l'aura reconnu : c'est l'ancêtre en blanc du père Noël en rouge.

Assez naturellement, le culte du saint (et, par conséquent, son prénom) se répandit d'abord au Levant, à Chypre, parmi les marins de la mer Égée (qui se saluaient d'un fraternel « Que saint Nicolas soit à ta barre ! »), en Grèce continentale, dans les Balkans et jusqu'en Russie. Patron de la Grèce et de la Russie, son nom fut porté au début du XIXe siècle par le tsar Nicolas Ier et, au début du XXe, par Nicolas II, le dernier des tsars, fusillé par les bolcheviks en 1918. Parmi les dirigeants soviétiques qui prirent la place ainsi libérée, nous connaissons Nicolaï Boukharine (1888-1938), Nicolaï Boulganine (1895-1975) et Nicolaï Podgorny (1903-1983), mais aussi Nikita Khrouchtchev (1894-1971) – Nikita étant un dérivé ukrainien. Dans les arts et les lettres russes, mentionnons l'écrivain Nicolaï Gogol (1809-1852) et le compositeur Nicolaï Rimsky-Korsakov (1844-1908). Le dernier dirigeant de la Roumanie communiste s'appelait Nicolae Ceausescu (1918-1989). Lui aussi est mort fusillé.

Le prénom se fit connaître aussi parmi les chrétiens occidentaux, surtout après la translation des restes du saint à Bari, dans le sud de l'Italie, au XIe siècle, qui devint ainsi un haut lieu de pèlerinage. Cinq papes portèrent ce nom de 858 à 1455 ; le premier fut canonisé. Le prénom se répandit aussi plus au nord, dans les pays germaniques, en Flandre, en Allemagne, en Alsace. De là, des émigrés hollandais l'apporteront en Amérique au XVIIe siècle et transformeront la Saint-Nicolas d'origine (*Sinterklaas*) en fête de *Santa Claus*, le père Noël que nous connaissons tous maintenant. Chez les chrétiens de l'Ouest, le prénom prit différentes formes : en Italie, Nicola ou Niccolo, comme Niccolo Machiavelli (1469-1527), Machiavel, ou le violoniste Niccolo Paganini (1782-1840) ; en Allemagne, Nikolaus, Niklaus ou simplement Klaus, qui fut porté par l'acteur Klaus Kinski (1926-1991) et par le chanteur Klaus Nomi (1944-1983), et illustré naguère par le comte Claus von Stauffenberg (1907-1944), héros du putsch raté du 20 juillet 1944 contre Hitler. L'astronome polonais Copernic (1473-1543) se prénommait Nicolas (Nicolaj ou Mikolaj en polonais).

En Angleterre, où Nicolas s'est d'abord appelé Nicol, il se répandit dès le XIIe siècle – *a favourite*, dit l'*Oxford*. Ce nom fut donné à plus de 400 églises, puis il finit par trouver le *h* qui le distingue aujourd'hui de la graphie française, mais perdit toutefois de sa vigueur après la Réforme. Parmi les anglo-protestants du Québec au XIXe siècle, il était à peu près inexistant (2 mentions sur 7700), mais fit mieux chez les irlando-catholiques (22 mentions sur 5000). Nicole, le prénom féminin français, était connu en Angleterre. Il est aujourd'hui illustré par la comédienne australienne Nicole Kidman (née en 1967). Le dérivé Colin est porté à notre époque par le chef d'orchestre britannique Sir Colin Davis (né en 1927) et par le général américain Colin Powell (né en 1937), ancien secrétaire d'État des États-Unis.

En France, ce prénom était courant au Moyen Âge et fut illustré, au long des siècles, par le peintre Nicolas Poussin (1594-1665) et par les écrivains Nicolas Boileau (1636-1711) et Nicolas de Chamfort (1741-1794). Au XIXe siècle, il occupa le 27e rang des prénoms, mais c'est au XXe siècle, plus précisément à partir des années 1960, qu'il se démarqua réellement, se retrouvant parmi les 10 plus populaires pendant tout le dernier quart du siècle, dont 19 fois parmi les 5 premiers. En outre, il occupa le 1er rang de 1980 à 1982, puis de nouveau en 1995. Il fut porté par Nicolas de Staël (1914-1955), peintre français d'origine russe, et il l'est actuellement par Nicolas Sarkozy (né en 1955), le président de la République. Dans son ascension en France, le prénom Nicolas fut précédé par sa « sœur » et par sa « cousine » : Nicole, qui se classa parmi les 10 plus populaires de 1935 à 1954, et Colette, qui figura parmi les 15 premiers de 1933 à 1948.

Nicolas fut parmi les prénoms les plus connus en Nouvelle-France, s'étant classé 16e pour l'ensemble de la période (quelque 2200 mentions au PRDH). Côté féminin, on relève des Nicole, des Nicolette et des Colette, mais en quantité infinitésimale (24 mentions au total). Nicolas fut porté par Nicolas Denys (1598-1688), gouverneur de l'Acadie et de la Gaspésie ; ainsi que par le missionnaire récollet Nicolas Viel (1600-1625), par le navigateur Nicolas Godbout (1634-1674) et par l'explorateur et commandant Nicolas Perrot (1644-1717), dont les noms ont été donnés respectivement à un parc à Ahuntsic, à une ville de la Côte-Nord et à une île voisine de Montréal. Le nom de Saint-Nicolas fut donné à un village de la rive-sud, non loin de Québec, dont la paroisse d'origine remonte à 1668.

Au XIXe siècle au Québec, Nicolas et ses vis-à-vis féminins furent bien discrets. En tout cas, à CDN, je n'en ai trouvé guère – et aucun village de ce nom n'est venu s'ajouter à notre paysage. C'est au XXe siècle que ces prénoms se sont imposés. Précédé par Nicole, qui connut le succès à partir de 1940, Nicolas se fit remarquer à partir des années 1960, mais c'est vers la fin du siècle qu'il réussit son meilleur score, en 1999, avec 2,5 % de représentation, et il est encore bien en vue en ce début du XXIe siècle (voir **Pouponnières, garderies et maternelles,** p. 176). Dans la population de l'an 2000, il se situait au 40e rang des prénoms masculins, alors que Nicole, dont les succès sont plus anciens, occupait le 9e rang des prénoms féminins et Colette, le 78e. De nombreux Nicolas au Québec se préparent à illustrer bientôt leur prénom, à l'exemple du juriste et professeur de droit Nicholas Kasirer (né en 1960), juge à la Cour d'appel, le chanteur Nicola Ciccone (né en 1973) et Nicolas Gill (né en 1972), champion de judo, médaillé de bronze et d'argent aux Jeux olympiques.

Normand

Prénom qui atteignit son sommet au lendemain de la Seconde Guerre mondiale.
Prénom féminin : Normande.

La Normandie abonde en Normands, et tout ce qui est rattaché à cette ancienne province de France s'appelle « normand » (ou normande), aussi bien le fameux « trou » que l'escalope. On sait aussi qu'on appelle « réponse de Normand » (« p'têt' ben qu'oui, p'têt' ben qu'non ») une réponse si évasive qu'elle n'en est pas vraiment une.

Mais une chose est claire : dans cet univers de Normands, personne ne se prénomme Normand. Ailleurs en France non plus. « Inconnu en France », dira de ce prénom Louis Duchesne. Plus exactement, il l'était jusqu'à tout récemment, quand l'on vit débarquer en France, en provenance d'outre-Manche (et d'outre-Atlantique), le prénom Norman (orthographié à l'anglaise), accompagné d'autres prénoms de même allure et de même prononciation – Brian, Donovan, Ryan.

Et, si ce prénom vient d'outre-Manche, c'est que l'Angleterre, qui avait été conquise par ces mêmes Normands en 1066, avait fait grand cas de ce prénom, qui a été longtemps chez elle un signe de distinction pour ceux qui descendaient – ou prétendaient descendre – de ces nouveaux maîtres des lieux. En fait, le prénom tire ses origines du mot *Northmen* (ou *Nordmann*), « hommes du Nord », qui désignait les Vikings, venus de Scandinavie pour conquérir la Normandie au IXe siècle, qui sont les ancêtres des Normands.

Après une longue éclipse de plusieurs siècles (du XIVe au XIXe, selon l'*Oxford*), ce prénom reprit vie en Angleterre, puis se répandit dans les pays de langue anglaise, illustré aux États-Unis par le peintre Norman Rockwell (1894-1978) et par l'écrivain Norman Mailer (1923-2007) ; et, en Ontario, par le célèbre Dr Norman

Bethune (1890-1939), héros de la guerre d'Espagne, puis compagnon de Mao (une place lui est consacrée au centre-ville de Montréal). Au Québec même, il fut illustré par Norman McLaren (1914-1987), cinéaste né en Écosse, qui travailla longtemps à l'Office national du film où il devint une vedette du cinéma d'animation, oscarisé pour son film *Voisins* (1952). Ce prénom est actuellement porté par un député de l'Assemblée nationale, Norman MacMillan (né en 1947).

C'est sans doute cette présence du prénom Norman chez nos voisins anglophones qui incita certaines de nos familles à baptiser ainsi leurs enfants. Elles le firent tout naturellement en français (en l'orthographiant avec un *d* final), et si abondamment que ce prénom ne cessa de croître, depuis ses premières années, vers 1920, jusqu'à son sommet atteint pendant la guerre et dans l'immédiat après-guerre – propulsé par tout ce qui se disait alors sur la Normandie et ses Normands. En 2000, il était le 46e prénom masculin. Le prénom Normande fut plus discret et ne figure pas au tableau des 100 prénoms les plus populaires.

Naturellement, cette faveur lui permit de récolter de très belles illustrations, dont la première est sans conteste celle de Normand Hudon (né en1929), le caricaturiste qui occupa le devant de la scène dans les journaux, à la télé et jusque dans les cabarets de Montréal. Il fut ensuite illustré par les comédiens Normand Chouinard (né en 1948) et Normand d'Amour (né en 1962), et par les journalistes Normand Girard (né en 1932), Normand Harvey (1940-1998) et Normand Lester (né en 1945).

On ne saurait terminer ce tour d'horizon sans donner un coup de chapeau à Normand Legault (né en 1955), le promoteur des courses de Formule 1 à Montréal, ainsi qu'à l'animateur Normand Brathwaite (né en 1958). On passera ensuite à la table de Normand Laprise, le grand chef cuisinier, le « toqué du *Toqué !* ». Je suis sûr qu'il nous préparera une escalope normande qu'on n'oubliera pas de sitôt.

OCTAVE

Prénom discret, présent surtout dans la première moitié du XIXe siècle.
Prénom du voisinage : OCTAVIEN.
Prénom féminin : OCTAVIE.

Octave – plus exactement Octavius – était un nom connu dans les milieux du pouvoir à Rome, avant de devenir celui d'un empereur qui, après avoir partagé un moment le pouvoir à trois, s'en empara et devint seul maître de l'Empire. Pour souligner cette victoire, le sénat lui décerna le titre d'Auguste, que porteront après lui presque tous les empereurs. Octave avait une sœur qui s'appelait... Octavie, dont le nom aussi a été en usage au Québec. Le diminutif Octavianus donna Octavien, rare au Québec.

Un saint Octave, qui vécut au IIIe siècle, fut martyrisé à Turin, ville dont il deviendra l'un des patrons. Le prénom Octave (Octavie chez les filles) était souvent donné au huitième enfant d'une famille.

En France, ce prénom apparaît timidement aux XVIIe et XVIIIe siècles, souvent comme personnage littéraire. Au XIXe siècle, il se classa au lointain 95e rang, mais fut illustré par deux écrivains, Octave Feuillet (1821-1890) et Octave Mirbeau (1848-1917).

Inconnu en Nouvelle-France (une seule petite mention au PRDH), ce prénom sera tout de même présent tout au long du XIXe siècle au Québec, mais modestement, ses meilleures années se situant dans la première moitié du siècle. Il fut illustré par un personnage considérable, Joseph-Octave Plessis (1763-1825), qui fut évêque de Québec de 1806 à 1825. Il fut également porté par Joseph-Octave Villeneuve (1836-1901), qui fut maire de Montréal à la fin du siècle, et par Octave Crémazie (1827-1879), notre « poète national », dont le souvenir est célébré à Montréal par un imposant monument au carré Saint-Louis. Un grand boulevard de Montréal porte aussi son nom – ainsi qu'une modeste rue à Québec, sa ville natale.

Ce prénom a laissé sa marque sur trois de nos villages : Saint-Octave-de-Métis, dans le Bas-Saint-Laurent, fondé en 1855 et nommé en souvenir de Mgr Joseph-Octave Plessis ; Saint-Octave-de-Dosquet, dans Lotbinière, fondé en 1912 ; et Saint-Octave-de-l'Avenir, fondé pendant la grande dépression en 1935, mais qui a été fermé en 1971. Ce village n'aura donc vécu que 36 ans. Au XXe siècle, le prénom Octave se conjuguait mal, semble-t-il, avec le mot « avenir ».

OLIVIER

Prénom discret de la première moitié du XIXe siècle, réapparu en force à la fin du XXe.

Prénoms du voisinage : JEAN-OLIVIER, LOUIS-OLIVIER, OLIER, OLIVAR, PIERRE-OLIVIER.
Prénoms féminins : OLIVA, OLIVE, OLIVINA, OLIVINE.

Il y eut bien un saint de ce nom, un moine bénédictin ayant vécu en Italie au XIe siècle – ainsi que quelques saintes Olive –, mais c'est à la littérature qu'Olivier doit sa carrière, plus précisément à *La chanson de Roland*, la plus ancienne chanson de geste, écrite au XIe siècle. Situé à l'époque de Charlemagne, ce texte fait d'Olivier un modèle de sagesse et de modération, qu'il oppose au turbulent Roland, son compagnon. Les deux mourront à la bataille de Roncevaux.

Selon certains, Olivier est d'origine germanique, comme l'étaient tous les prénoms de l'entourage de Charlemagne. Mais d'autres lui attribuent une origine gréco-latine, *olivarius*, l'arbre qui produit l'olive, dont la valeur symbolique remonte au plus haut de l'histoire de l'humanité, dans la Genèse, où le rameau d'olivier était un signe de paix. On trouve aussi le mont des Oliviers dans le Nouveau Testament.

En Angleterre, le prénom était connu depuis le Moyen Âge, aussi bien sous la forme d'Olivier que sous celle d'Oliver, mais il était de fréquence moyenne, nous dit l'*Oxford*. Il fut illustré par l'Irlandais Oliver Plunkett, martyrisé en 1681 parce qu'il était catholique (il sera canonisé en 1975). À la même époque vécut Oliver Cromwell (1599-1658), personnage politique considérable, qui fit sur les esprits une impression si forte et si désagréable que le prénom Oliver fut déconsidéré en Angleterre et exclu de l'usage des familles anglaises pendant deux siècles – *it went completely out of fashion*, nous apprend l'*Oxford*. Il ne retrouvera la faveur populaire qu'à la fin du XIXe siècle, après l'apparition sur la scène littéraire du personnage d'Oliver Twist, créé par Dickens au début des années 1840. Plus près de notre temps, il fut illustré par l'homme de théâtre anglais Laurence Olivier (1907-1989) et par le comique américain Oliver Hardy (1892-1957), le « gros » du duo Laurel et Hardy. Le réalisateur de cinéma Oliver Stone est né aux États-Unis en 1946.

Chez les anglo-protestants du Québec au XIXe siècle, il fut rare (13 mentions sur 7700, moins de 0,2 %), et plus rare encore chez les irlando-catholiques. Il fut illustré par le musicien et pianiste de jazz Oliver Jones, né à Montréal en 1934, dans la Petite-Bourgogne. Au XIXe siècle, en Ontario, ce prénom fut porté par Sir Olivier Mowat (1820-1903), qui fut le premier ministre de sa province.

En France, où l'on trouve la forme Olier, notamment en Bretagne, Olivier (et Olive) fut « courant dans la noblesse » jusqu'au XVIe siècle, nous dit le *Larousse*. Mais, au XIXe siècle, son classement était des plus modestes. Il fut illustré par l'homme politique Émile Ollivier (1825-1913), par le compositeur Olivier Messiaen (1908-1992) et par le peintre et sculpteur Olivier Debré (1920-1999), à qui Montréal doit le monument à Charles de Gaulle de la rue Sherbrooke.

En Nouvelle-France, Olivier fut un prénom d'usage moyen : près de 300 mentions en prénoms simples et près de 500 en prénoms multiples, selon le PRDH. Au Québec, on le relève tout au long du XIXe siècle, mais il demeura discret, ses meilleurs scores se situant dans la première moitié du siècle : 8e en 1820 avec près de 2 % des prénoms, 13e en 1840, avec 1%. Au xxe siècle, après une longue période de silence, il se démarquera fortement dans les 25 dernières années, atteignant 2,5% de représentation en 1997. Il poursuivra sur cette lancée et deviendra l'un des prénoms les plus courants des dix dernières années (voir **Pouponnières, garderies et maternelles,** p. 176). On rencontre aussi le prénom Pierre-Olivier, mais il est moins populaire.

Absent de la toponymie de nos villages et de la nomenclature de nos paroisses, Olivier se retrouve tout de même dans le nom de plusieurs rues, parcs ou boulevards, et Saint-Olivier dans le nom de routes et de chemins de rang. Olier, qui est un diminutif d'Olivier, a été porté en patronyme par le sulpicien Jean-Jacques Olier (1608-1657), dont le nom a été donné à un parc et à une école de Montréal. Sur la scène publique, deux Jean-Olivier l'illustrèrent dans les premières décennies de notre histoire politique : l'évêque de Québec Jean-Olivier Briand (1715-1794) et le patriote Jean-Olivier Chénier (1806-1837), qui fut tué lors de la bataille de Saint-Eustache le 14 décembre 1837. Il sera aussi porté par le sénateur Laurent-Olivier David (1840-1926) et par deux premiers ministres du Québec, Pierre-Joseph-Olivier Chauveau (1820-1890) et Louis-Olivier Taillon (1840-1923). Le sulpicien Olivier Maurault (1886-1968) a été recteur de l'Université de Montréal de 1934 à 1955. Olivar Asselin (1874-1937) était une personnalité du journalisme et de la vie politique. Selon son biographe, son prénom serait une contraction d'Olivier et de Bolivar.

Sur d'autres scènes, nous connaissons deux comédiens du même nom, Olivier Guimond, le père (1893-1954) et le fils (1914-1971). Le premier fut connu sous le nom de « Ti-Zoune » ; le second fut une vedette de la télé, notamment de la comédie *Cré Basile* (1965-1970), et il laissa son nom aux prix d'excellence en humour décernés au gala des Olivier. Bel hommage de la culture de notre époque à un prénom issu de la plus haute littérature classique.

Omer

Prénom de la seconde moitié du xixe siècle.
Prénom du voisinage : Adhémar.

C'est du nom germanique Odomar, latinisé en Audomarus, que vient le prénom français Omer – tout comme Adhémar, également connu au Québec mais beaucoup plus rare, qu'illustra Adhémar Raynault (1891-1984), maire de Montréal de 1936 à 1938, puis de 1940 à 1944.

Un saint Omer vécut au VIIe siècle. Moine dans les Vosges, il fut envoyé par le roi Dagobert en Artois, où il fonda l'abbaye de Thérouanne dans la ville qui porte aujourd'hui le nom de Saint-Omer, dans le département du Pas-de-Calais. Demeuré rarissime en France, le prénom fut porté par Omer Talon (1595-1652) et par Antoine-Omer Talon (1760-1811), deux magistrats. Dans la Belgique toute proche vécut au XIXe siècle le peintre Omer Coppens (1864-1926).

Le prénom Omer était inconnu en Nouvelle-France (pas une seule mention au PRDH). C'est vers 1850 qu'on le vit apparaître au Québec. En 1860 et 1870, il représentait environ 0,5 % des prénoms, et en 1880, sa meilleure décennie, il se classa 16e avec 1,4 %. En 1890, il représentait encore 1 % des prénoms, se situant alors au 30e rang. Un déclin continu le mènera à la disparition vers 1930.

Il est présent à deux endroits dans notre toponymie : en Gaspésie, où la ville de Carleton, qui s'appelait jusqu'à tout récemment Carleton-Saint-Omer, fut fondée à partir du village de Saint-Omer qui datait des années 1900 ; et, dans la région de Montmagny-L'Islet, où fut fondé en 1954 un village auquel on donna le nom de Saint-Omer. Le prénom fut illustré dans les arts et les lettres par l'architecte Jean-Omer Marchand (1872-1936) de Montréal, par le compositeur et organiste de Québec Omer Létourneau (1891-1983) et par le violoneux Omer Dumas (1889-1980), dont le groupe se fit connaître à la radio dans l'émission *Le réveil rural*. Du côté de la politique, il fut porté par le journaliste du *Devoir* Omer Héroux (1876-1963) et par Omer Côté (1906-1999), député, ministre et magistrat. Mais, si ce prénom est encore bien présent dans nos mémoires, c'est grâce à l'homme d'affaires Omer DeSerres (1879-1949) – « Monsieur Omer », comme l'appelaient ses employés – qui donna son nom à une quincaillerie de la rue Sainte-Catherine, fondée au début du XXe siècle. Une chaire de l'École des hautes études commerciales porte aussi son nom.

Onésime

Prénom discret de la première moitié du XIXe siècle.
Prénoms féminins : Onésima, Onésime (mixte).

Les plus jeunes ignorent sans doute jusqu'à l'existence de ce prénom, mais les autres le connaissent bien grâce à deux personnages de notre culture populaire qui eurent leurs heures de gloire dans les années 1950.

Onésime est d'origine grecque, *onésimos*, qui signifie « serviable », « charitable ». Il était d'usage chez les premiers chrétiens de donner aux enfants des noms de vertus ou de qualités morales. Un saint Onésime vécut au Ier siècle : ami et disciple de saint Paul, il occupa le siège de Byzance (aujourd'hui Istanbul) et fut martyrisé en l'an 95.

Par contre, il n'y a guère de traces de ce prénom en France. Au XIXe siècle, il apparut dans des listes de prénoms recommandés, mais rien n'y fit et sa présence demeura imperceptible. Il fut toutefois illustré par le géographe Onésime Reclus (1837-1916), à qui l'on doit le mot « francophonie », si courant de nos jours.

Le prénom Onésime était inconnu en Nouvelle-France (une seule mention en prénom simple, trois en prénoms multiples). Au Québec, on le vit apparaître dans la première moitié du XIXe siècle, mais il redevint discret après 1860. Il se fit une place dans la toponymie de nos villages grâce à Saint-Onésime-d'Ixworth, fondé au milieu du XIXe siècle, à huit kilomètres au sud-est de La Pocatière. Sur la scène politique, nous connaissons Louis-Onésime Loranger (1837-1917), député, ministre, juge, et Onésime Gagnon (1888-1961), député, ministre, puis lieutenant-gouverneur de 1958 jusqu'à son décès.

Mais, si tant de Québécois connaissent ce prénom, c'est grâce à deux personnages de fiction : Onésime Ménard, créé par Roger Lemelin (1919-1992) dans *La famille Plouffe*, chauffeur d'autobus de son état, qu'a si bien interprété à la télé le comédien Rolland Bédard dans les années 1950 ; puis l'Onésime de la bédé du même nom, créée par Albert Chartier (1912-2004) en 1944 dans le but de « faire diversion aux bandes dessinées américaines ». Et, pour se distinguer, quoi de mieux, pensa Chartier, qu'« un Québécois typique » d'un village des Laurentides, affublé d'un prénom choisi pour « sa bizarre consonance et sa totale exclusivité » ? Onésime, une exclusivité québécoise ? Et pourquoi pas ?

Oscar

Prénom de la seconde moitié du XIXe siècle.
Prénom du voisinage : Oswald.

Les origines de ce prénom (de la même famille qu'Osmond et Oswald) remontent à la vieille Angleterre d'avant les Normands, mais c'est après une éclipse de plusieurs siècles qu'il parvint jusqu'à nous, et ce, grâce à l'imagination du poète écossais James Macpherson (1736-1796) qui le fit revivre dans ses *Poèmes d'Ossian*. Parue en 1760, cette œuvre jouit « d'une immense influence » (*Le Petit Robert des noms propres*) en Angleterre et sur le continent. Napoléon lui-même fut pris d'admiration pour les poèmes ossianiques et fit donner le prénom d'Oscar (un des héros de l'œuvre de Macpherson) à son filleul né en 1799, le fils du maréchal Bernadotte, qui, 40 ans plus tard, accéda au trône de Suède. C'est ainsi qu'au XIXe siècle ce pays eut deux rois Oscar (le premier régna de 1844 à 1859; le second, de 1872 à 1907).

Ce prénom fut en usage dans les pays nordiques, ainsi qu'en Allemagne et en Autriche, où il fut illustré par le peintre Oskar Kokoschka (1886-1980), par l'industriel Oskar Schindler (1908-1974), qui sauva la vie de nombreux Juifs pendant la guerre, et par l'acteur de cinéma Oskar Werner (1922-1984), le « Jules » du célèbre *Jules et Jim* de Truffaut. Il fut également en usage dans les îles Britanniques, illustré par l'écrivain irlandais Oscar Wilde (1854-1900). Au Canada, nous connaissons le haut fonctionnaire fédéral Oscar D. Skelton (1878-1941) et le célèbre jazzman Oscar Peterson (1925-2007), natif de Montréal. Ce nom du Nord a aussi voyagé dans le Sud, où il fut illustré par l'architecte brésilien Oscar Niemeyer (né en 1907), par l'archevêque salvadorien Mgr Oscar Romero, assassiné dans son église en 1980, et par l'homme politique costaricain Oscar Arias Sanchez (né en 1940), Nobel de la paix en 1987. Aux États-Unis, voire dans le monde entier, le nom Oscar renvoie immédiatement aux trophées du cinéma américain – mais personne ne sait vraiment qui était cet Oscar devenu si célèbre en 1928.

Le prénom Oscar n'eut guère de succès en France et il était totalement inconnu en Nouvelle-France. Au Québec, c'est dans la seconde moitié du XIXe siècle qu'il entra dans l'usage. Son meilleur résultat à CDN : en 1890, 24e, avec 1,25 % des prénoms. Au XXe siècle, il connut un long déclin jusqu'à sa disparition vers 1940. Dans son sillage, on vit aussi quelques rares Oswald, prénom qu'illustra en politique Oswald Parent (né en 1925), député et ministre à Québec.

Parce qu'il n'y a pas de saint de ce nom, on ne trouvera pas d'Oscar dans la toponymie de nos villages. Il fut tout de même illustré dans la vie publique par le journaliste et écrivain Oscar Dunn (1845-1885), par l'homme politique Oscar Drouin (1890-1953), député et ministre à Québec, et par l'homme d'affaires et propriétaire de journaux, le colonel Oscar Gilbert (1888-1971). Oscar Dufresne (1875-1936), industriel et homme politique de la Cité de Maisonneuve, fit construire avec son frère Marius le célèbre château Dufresne (sur la rue Sherbrooke à Montréal) qui leur servit de résidence.

Ovila

Prénom de la seconde moitié du XIXe siècle.
Prénom du voisinage : Avila.

Qui est ce drôle de moineau ? J'ai cherché partout, je n'ai rien trouvé. Pas la moindre petite référence. Aucune en Nouvelle-France (absolument inconnu au PRDH). Aucune en France, ni chez Dupâquier ni ailleurs. Du côté de l'Église, pas le moindre saint ou bienheureux. Rien en Italie ni en Espagne. Et ne parlons pas de l'Angleterre. Louis Duchesne, qui dans son ouvrage donne toujours quelques éléments sur l'origine, n'en a trouvé aucun pour le prénom Ovila. Celui-ci serait-il une particularité québécoise, un signe identitaire ? Vous vous appelez Ovila ? C'est donc que vous êtes Québécois. Ou Canadien français, car on sait qu'il y eut des Ovila en Ontario et en Nouvelle-Angleterre, par exemple le boxeur Ovila Chapdelaine (1900-1948), né au Québec mais devenu un Franco-Américain, qui fut champion du monde des mi-lourds en 1926 sous le nom d'emprunt de Jack Delaney.

Risquons une hypothèse : Ovila nous viendrait tout simplement d'une évolution phonétique d'Avila, qui était en usage au Québec à la même époque. Or Avila est assez facile à retracer. D'abord, une ville porte ce nom en Espagne, surnommée « ville des saints et des pierres ». Cela suffirait déjà, car on sait que certains prénoms étaient, à l'origine, des noms de lieux géographiques (voir **Gaétan,** p. 109).

Mais Avila n'est pas seulement une ville, c'est aussi un nom que portèrent plusieurs personnages de l'histoire de l'Espagne – Luis de Avila y Zuniga (1490-1560), Jean d'Avila (v. 1502-1569), Sancho d'Avila (1523-1583), etc. –, dont sainte Thérèse d'Avila (1515-1582), de loin la plus connue au Québec, qui fut canonisée en 1622 et à qui trois de nos paroisses sont dédiées.

C'est dans la seconde moitié du XIXe siècle qu'on vit apparaître ces deux prénoms à CDN. Ovila, toujours au-dessus de 0,6 %, et même une fois, en 1880, au-dessus de 1 % ; et Avila, qui connut le même parcours, mais à 60 % de la hauteur d'Ovila. Si on devait additionner ces deux prénoms, on atteindrait, pour la seconde moitié du siècle, une représentation de 1,2 %, ce qui n'est pas rien. Leur meilleure décennie ? En 1880 : 1,7 % de représentation.

Avila s'est donné par lui-même un petit coin dans notre toponymie : le mont Avila, connu des skieurs de la région de Montréal. Mais, là où sa place est plus importante, c'est dans la nomenclature ecclésiastique, qui compte trois paroisses dédiées à sainte Thérèse d'Avila : la première, fondée en 1789 à Sainte-Thérèse même, au nord de Montréal, et deux autres qui datent du début du XXe siècle, l'une à Amos, fondée en 1922, dont l'église, désignée cathédrale en 1939, fut classée monument historique en 2004, et l'autre à Dolbeau, au Lac-Saint-Jean, fondée en 1929. Ce prénom a été porté sur la scène publique par Avila Farand (1870-1941) et par Avila Turcotte (1882-1968), deux députés à Québec dans l'entre-deux-guerres, et par Avila Bédard (1884-1960), ingénieur forestier et sous-ministre à Québec dans les années 1940 et 1950. Par ailleurs, le chanoine Avila Roch (1871-1940), curé à Joliette, fonda en 1921 la branche québécoise de la Société des missions étrangères, qu'il dirigea jusqu'à sa mort.

Dans notre toponymie, il n'y a aucune trace d'Ovila, à l'exception de quelques rues ou parcs. En revanche, celui-ci s'est trouvé des porte-étendards fortement typés : Ovila Bergeron (1903-1985), maire de Magog et l'un des quatre députés du Bloc populaire, et Ovila Légaré (1901-1978), figure marquante de la radio et de la télé. Mais, la grande illustration de ce prénom pour les générations d'aujourd'hui, c'est Ovila Pronovost, le mari d'Émilie dans *Les filles de Caleb*. Chapeau à Arlette Cousture – et à Roy Dupuis.

PATRICK

Prénom en ascension dans les années 1950,
qui atteignit son sommet en 1975.
Prénom du voisinage : PATRICE.
Prénom féminin : PATRICIA.

Patrick vient du latin Patricius, qui veut dire « le patricien », « le noble », et qui a donné Patrice en français, Patricio en italien. Patrick en est la version anglaise, avec ses diminutifs Pad, Paddy, Pat et Patsy. Le saint qui l'a inscrit dans la mémoire collective naquit en Angleterre au Ve siècle dans une famille romaine, fut élevé à la prêtrise en France, puis envoyé en Irlande pour évangéliser le pays. Canonisé, saint Patrick est le patron de l'Irlande. En gaélique, on l'appelle Padraig. On le fête le 17 mars.

Ce prénom a eu – et a toujours – une grande importance en Irlande et dans le cœur des Irlandais catholiques du monde entier. Ainsi, au Québec, au XIXe siècle, chez les anglophones, Patrick se classa toujours, à chaque décennie, parmi les premiers chez les irlando-catholiques (troisième pour l'ensemble du siècle), mais demeura presque absent chez les anglo-protestants (neuf Patrick et une Patricia sur 15 000, aussi bien dire rien du tout).

Ce vif contraste s'explique aisément : le nom Patrick a toujours été chargé d'une valeur symbolique de représentation collective – un peu à la manière de Jean-Baptiste chez les Canadiens français. Patrick, c'est l'Irlandais, le fils de l'Irlande, ce pays catholique longtemps dominé par l'Angleterre antipapiste. Curieusement, cette valeur symbolique ne se retrouve pas, nous dit l'*Oxford*, dans le féminin Patricia. Une des petites-filles de la reine Victoria, née en 1886, se prénommait Patricia, et c'est elle qui a laissé son nom au régiment *Princess Patricia* de l'armée canadienne.

En France, c'est Patrice qui était seul présent, et non Patrick, inexistant. Telle était la situation depuis toujours, y compris au XIXe siècle et pendant la première moitié du XXe. Patrice Chéreau (né en 1944) peut en témoigner, comme aurait pu le faire aussi en Afrique francophone Patrice Lumumba (1925-1961), héros de l'indépendance de la République démocratique du Congo. Pour Patrick, c'est à partir des années 1940 que tout va changer. Rapidement, il deviendra un prénom-vedette, comme l'illustreront l'écrivain Patrick Modiano (né en 1945), le journaliste Patrick Poivre d'Arvor (né en 1947) et le chanteur Patrick Bruel (né en 1959).

Même situation de ce côté-ci de l'Atlantique. En Nouvelle-France, il n'y eut aucun Patrick. Dans le Québec du XIXe siècle non plus (du moins à CDN). Il n'y avait alors que quelques rares hommes prénommés Patrice. Et l'on ne trouvait aucun Saint-Patrick parmi nos noms de villages, mais trois Saint-Patrice : près de Rivière-du-Loup (1792), dans Chaudière-Appalaches et près de Napierville (ces deux derniers fondés au milieu du XIXe siècle).

Puis, au XXe siècle, à partir des années 1950-1960, comme en France, on assiste à l'ascension vertigineuse du prénom Patrick qui se répand chez les Canadiens français, au point d'atteindre 5 % de représentation, loin devant Patrice (1 %). Patrick Norman (né en 1946), Patrick Roy (né en 1965) et Patrick Huard (né en 1969) sont là pour en témoigner. Comme peuvent également témoigner de la belle vitalité de leur prénom le hockeyeur Patrice Brisebois (né en 1971), le comédien Patrice L'Écuyer (né en 1960) et le journaliste Patrice Roy (né en 1963).

Patrick, chez nous, notamment dans les milieux anglophones, garde des éléments de la valeur symbolique qu'il tient de son pays d'origine. Ainsi, on trouve des paroisses à Montréal, à Québec et à Sherbrooke qui portent ce nom pour la raison qu'elles devaient à l'origine servir les Irlandais. Comme il y eut des écoles et des *high schools* de ce nom pour les mêmes raisons. Par ailleurs, il y a toujours, bien vivante, une *St. Patrick Society*, fondée à Montréal en 1834 (la même année que la Société Saint-Jean-Baptiste), avec mission de défendre le nom irlandais. Cette société organise chaque année, en mars, le fameux défilé de la Saint-Patrick.

Tout le monde au Québec sait que ce jour est celui des Irlandais. Mais tout le monde sait aussi que ce défilé n'est plus réservé aux seuls Irlandais, mais qu'il rassemble tous ceux qui veulent y participer. Cette évolution reflète bien celle qu'a connue Patrick, ce prénom qui, hier encore, appartenait aux seuls Irlandais, mais qui aujourd'hui appartient à tous ceux qui veulent le porter.

Saint Patrick était parti convertir l'Irlande au Ve siècle. Depuis lors, la foi qu'il professait s'est répandue bien au-delà de l'île verte. Son nom aussi.

PAUL

Une présence assez importante à la fin du XIXe siècle, et plus encore au début du XXe.
Prénoms du voisinage : JEAN-PAUL, LÉO-PAUL, PAOLO, PAUL-ÉMILE, PAUL-MARIE.
Prénoms féminins : MARIE-PAULE, PAULA, PAULE, PAULETTE, PAULINE.

Paul nous vient du latin Paulus, qui signifie « petit ». Il fut porté à Rome par les consuls Paul Émile (Aemilius Paullus), père et fils – le premier mourut à la bataille de Cannes (216 av. J.-C.), l'autre fit la conquête de la Macédoine (168 av. J.-C.).

Dans les pays de la chrétienté, ce nom renvoie à saint Paul, « l'apôtre des Gentils ». Celui-ci, né Saül à Tarse (aujourd'hui en Turquie), fut élevé dans la tradition juive, mais il se convertit sur le « chemin de Damas » et choisit alors de s'appeler Paul et de consacrer sa vie à répandre sa foi chez les non-juifs – d'où son surnom. Martyrisé vers l'an 65, il est fêté le 29 juin, le même jour que saint Pierre, car l'Église a toujours pris soin de réunir la mémoire de ces deux grands bâtisseurs des années de fondation.

Vu l'importance de saint Paul dans l'expansion du christianisme, son prénom se répandit avec la foi nouvelle et fut porté par plusieurs saints, dont Paul de Thèbes (ou Paul Ermite, le premier ermite chrétien), qui vécut en Égypte et mourut vers 345. Un village près de Montréal (Saint-Paul-l'Ermite) porta longtemps son nom. De plus, il y eut six papes qui ont porté le nom de Paul, le premier au VIIIe siècle, les quatre suivants de 1464 à 1621, et Paul VI, de 1963 à 1978.

Paul fut illustré dans les pays de tradition orthodoxe par un tsar de Russie (Pavel en russe), un prince régent de Yougoslavie (Pavle en serbe), et un roi de Grèce, Paul Ier, qui régna de 1947 à 1964. Dans les pays de langue allemande, il fut porté par le maréchal Paul von Hindenburg (1847-1934), par le peintre Paul Klee (1879-1940) et par le compositeur Paul Hindemith (1895-1963). Et, dans la péninsule ibérique et les pays qui en sont issus, par le peintre espagnol Pablo Picasso (1881-1973), par le violoncelliste catalan Pablo Casals (1876-1973) – Pau en catalan – et par le poète chilien Pablo Neruda (1904-1973), Prix Nobel de littérature. En revanche, selon l'*Oxford*, ce prénom fut peu usité en Angleterre. D'où sans doute sa rareté chez les anglo-protestants du Québec au XIXe siècle. Je n'en ai relevé que huit sur les quelque 7700 noms recensés au cimetière du Mont-Royal, et à peine neuf sur les 5000 noms irlando-catholiques. Paul n'en compte pas moins, aujourd'hui, de brillantes illustrations en Angleterre, avec le chanteur Paul McCartney (né en 1942), et aux États-Unis, avec l'acteur Paul Newman (1925-2008) et l'écrivain Paul Auster (né en 1947).

En France, courant depuis le Moyen Âge jusqu'au XVIIe siècle, plus discret ensuite, le prénom Paul reprit de la vigueur vers le milieu du XIXe siècle, se classant 8e en 1890. L'ont illustré Paul Dukas (1865-1935) en musique, Paul Cézanne (1839-1906) et Paul Gauguin (1848-1903) en peinture, et puis Verlaine (1844-1896), Claudel (1868-1955), Valéry (1871-1945) et Eluard (1895-1952) en littérature. Au XXe siècle, Paul continua sur sa lancée et se classa parmi les 20 premiers pendant plus de 40 ans, dont plus de 20 fois autour du 10e rang (1901-1922). Il fut illustré en politique par Paul Reynaud (1878-1966) et Paul Ramadier (1888-1961), tous deux chefs de gouvernement, et par le grand chef cuisinier Paul Bocuse (né en 1926). Le prénom Jean-Paul connut aussi un certain succès, mais après la Seconde Guerre mondiale seulement, et de moindre importance (meilleur score : 29e en 1950). Jean-Paul Sartre (1905-1980) en littérature et Jean-Paul Belmondo (né en 1933) au cinéma l'ont illustré. Marat (1743-1793), le révolutionnaire, se prénommait Jean-Paul. Côté féminin, Paulette a eu un succès certain, avec 2,5 % de représentation dans les années 1920.

En Nouvelle-France, Paul jouit d'une belle présence, se classant au 18e rang (avec 1750 entrées). Il fut illustré par le fondateur de Montréal, Paul de Chomedey de Maisonneuve (1612-1676), ainsi que par les jésuites Paul Le Jeune (1591-1664) et Paul Ragueneau (1608-1680), deux des auteurs des *Relations des jésuites*. Et, déjà, nous le verrons, son nom apparaissait sur nos cartes géographiques et sur les plans de nos villes.

Au Québec, à CDN, après une brève et discrète présence dans les années 1820 et 1830, puis un décrochage de 30 ans, Paul remonta en scène : 24e en 1870, 13e en 1880, 8e en 1890. Il poursuivit sur cette lancée dans les premiers temps du XXe siècle, réalisant ses meilleurs scores en 1914 et en 1915. Le prénom composé Paul-Émile commença sa carrière dans les années 1890 et plafonna dans les mêmes années que son grand frère. Entré en scène le dernier, Jean-Paul atteignit son sommet au cours des années 1920. Dans l'ensemble de la population, Paul se situait en l'an 2000 au 45e rang et Jean-Paul, au 76e. Côté féminin, Pauline fit bonne figure dans les années 1920 et occupait le 51e rang en 2000.

Paul et ses composés reçurent de nombreuses illustrations dans plusieurs domaines. Dans la guerre, par le brigadier général Paul Triquet (1910-1980) du Royal 22e Régiment, décoré de la croix de Victoria pour le courage dont il fit preuve lors de la bataille de Casa Berardi en 1943. Dans les affaires, par les deux Paul Desmarais, le père (né en 1927) et le fils (né en 1954), grands patrons de Power Corporation. Dans la politique, par les deux Paul Martin, le père (1903-1992) et le fils (né en 1938), tous deux députés et ministres à Ottawa – où le fils fut premier ministre. À Québec, par le lieutenant-gouverneur Paul Comtois (1895-1966), par le premier ministre Paul Sauvé (1907-1960) et par le ministre de l'Éducation Paul Gérin-Lajoie (né en 1920). Parmi les comédiens, nous connaissons Paul Guèvremont (1902-1979), Paul Dupuis (1916-1976), Paul Berval (1924-2004), Paul Hébert (né en 1924) et, plus près de nous, Paul Ahmarani (né en 1972). Dans les lettres, les poètes Paul Morin (1889-1963), Paul-Marie Lapointe (né en 1929) et Paul Chamberland (né en 1939). Dans la chanson, Paul Piché (né en 1953) et Tex Lecor, de son vrai nom Paul Lecorre (né en 1933). À la radio et à la télé, les animateurs et journalistes Paul Larocque, Paul Houde (né en 1954) et Paul Arcand (né en 1960).

Le composé Paul-Émile fut illustré par le cardinal Paul-Émile Léger (1904-1991) et par le peintre Paul-Émile Borduas (1905-1960) ; et, Jean-Paul, par les peintres Jean Paul Lemieux (1904-1990), Jean-Paul Riopelle (1923-2002) et Jean-Paul Mousseau (1927-1991), ainsi que par Jean-Paul Nolet (1924-2000), de son vrai nom Jean-Paul Wawanoloat, animateur de radio et de télé d'origine abénaquise. La version italienne du prénom Paul est illustrée par le chanteur québécois Paolo Noël (né en 1929).

Paul laissa de nombreuses marques sur la carte du Québec. En pénétrant dans le golfe du Saint-Laurent par le détroit de Belle Isle, entre Terre-Neuve et le Québec, on aperçoit à tribord le petit village de Rivière-Saint-Paul, à l'embouchure de la rivière Saint-Paul nommée en 1706. Plus haut, en amont de Baie-Comeau, le village de Saint-Paul-du-Nord, jadis appelé Saint-Paul-de-Mille-Vaches[19]. Plus haut encore, et toujours sur la rive nord du fleuve, le village de Baie-Saint-Paul, dont l'origine remonte au XVIIe siècle, longtemps appelé Saint-Pierre-et-Saint-Paul. En s'approchant de Montréal, sur la rive sud cette fois, et légèrement à l'intérieur des terres, non loin du lac Saint-Pierre, face à Trois-Rivières, le lac Saint-Paul, qui reçut son nom dans les années 1640. Et, plus loin, rive nord du Saint-Laurent, le village de Saint-Paul-l'Ermite, aujourd'hui Repentigny.

19. En raison de l'abondance des morses, qu'on appelait « vaches marines ».

Arrivé devant Montréal, on aperçoit vers l'ouest l'île des Sœurs, que les premiers Montréalais appelaient île Saint-Paul. Comme ils appelèrent aussi, sur l'île de Montréal, la « coste » Saint-Paul, devenue le village de Côte-Saint-Paul, puis la ville de Saint-Paul, enfin, le quartier Saint-Paul aujourd'hui annexé à Montréal. Le quartier Saint-Paul est bien sûr situé près de Ville Saint-Pierre, selon la tradition de rapprocher ces deux saints, tradition qui poussa les premiers Montréalais à nommer d'un même souffle, en 1673, les rues Saint-Pierre et Saint-Paul et de les faire se croiser dans ce qu'on appelle aujourd'hui le Vieux-Montréal.

Et si, par l'imagination, on s'élevait au-dessus de Montréal, on pourrait voir encore, vers Mont-Laurier, le village de Lac-Saint-Paul, et vers Joliette, Saint-Paul-de-Lavaltrie, du début du XVIIIe siècle. On verrait aussi du côté sud du fleuve, vers Granby, Saint-Paul-d'Abbotsford, puis, vers le lac Champlain, Saint-Paul-de-l'Île-aux-Noix, enfin, près de Beauharnois, Saint-Paul-de-Châteauguay. Ces villages, ajoutés à ceux de Saint-Paul-de-Montminy, au sud de Montmagny, et de Saint-Paul-de-la-Croix, près de Rivière-du-Loup, forment un ensemble de marqueurs de la présence de Paul aux quatre coins du Québec. Soit une quinzaine de villages. La place de Paul dans notre toponymie est donc du même ordre que celle de Pierre. De toute évidence, au Québec, on n'a pas cherché à déshabiller l'un pour habiller l'autre.

PHILÉAS

Prénom discret, présent surtout au milieu du XIXe siècle.
Deux graphies : PHILÉAS, PHILIAS.

Nous trouvons l'origine de ce prénom en Grèce, où vécut au Ve siècle av. J.-C. le géographe Philéas, et en Égypte, où vécut au IVe siècle de notre ère, à Thmuis, ville dont il fut l'évêque, le saint Philéas que nous connaissons et qui fut mis à mort à l'époque de Dioclétien. Ces références peuvent sembler minces, mais elles ont suffi pour « lancer » le prénom et lui donner quelque consistance, sans attendre l'apparition du plus célèbre d'entre eux, Phileas Fogg, le héros que Jules Verne envoya en 1873 faire un *Tour du monde en 80 jours.*

Fogg a beau avoir été Anglais, son prénom fut inconnu de ses compatriotes. L'*Oxford* n'en souffle mot et, pour ma part, je n'en ai trouvé aucune trace, ni chez les anglo-protestants ni chez les irlando-catholiques. Par ailleurs, Jules Verne était certes célèbre, mais son Phileas semble n'avoir laissé aucun souvenir chez ses compatriotes : le *Larousse* l'ignore complètement et c'est à peine s'il apparaît furtivement dans les relevés de Dupâquier.

Inconnu en France, il l'était aussi en Nouvelle-France (le PRDH n'a relevé aucun Philéas, et un seul Philias, en composé). Au Québec, au XIXe siècle, sa présence demeura discrète, ses meilleures années se situant au milieu du siècle, en 1850, quand il se classa 20e avec 1 % des prénoms. Ce 20e rang, il le partagea alors avec Hormisdas, tout juste derrière Cléophas, comme pour illustrer que cette décennie a bien été l'âge d'or de ces prénoms aux terminaisons en « as », qui, ensemble, représentaient 3,7 % des prénoms.

Notre toponymie a connu un Saint-Philéas, près de Plessisville, absorbé depuis dans la municipalité de Villeroy. Le prénom a été illustré sur les scènes de théâtre par Joseph-Philéas Filion (1871-1940) et sur celles de la guerre, de la diplomatie et de la politique par Georges Philéas Vanier (1888-1967), qui fut gouverneur général du Canada de 1959 à 1967. Philéas Gagnon (1854-1915), archiviste et bibliographe, donna son nom à la salle Gagnon de l'ancienne bibliothèque centrale de Montréal (aujourd'hui l'édifice Gaston-Miron), rue Sherbrooke.

PHILIPPE

Présent surtout dans la seconde moitié du XIXe siècle,
ce prénom eut une belle poussée dans les années 1980.
Prénoms du voisinage : JEAN-PHILIPPE, LOUIS-PHILIPPE.

C'était le nom d'un des douze apôtres, ce qui, déjà, suffisait à lui donner un statut particulier. Mais, bien avant d'être un nom de saint, il a été nom de rois, fort brillamment illustré au IVe siècle av. J.-C. par Philippe II de Macédoine (le père d'Alexandre le Grand), qui fit la conquête de la Grèce. Son nom grec, Philippos, veut dire « qui aime les chevaux », ce qui n'est pas rien : s'appeler ainsi, c'était annoncer son appartenance aux classes supérieures, les chevaux étant l'apanage des nobles.

Cette fière allure se confirmerait au long des siècles et se révélerait dans plusieurs pays : un empereur romain au IIIe siècle, un empereur germanique au XIIIe siècle, un comte de Flandre, trois ducs de Bourgogne, dont Philippe III le Bon (1396-1467), « le plus puissant souverain d'Europe » (*Le Petit Robert des noms propres*). En Espagne, pas moins de six rois de ce nom se succédèrent sur le trône entre le XVe et le milieu du XVIIIe siècle. Parmi eux, Philippe II, le fils de Charles Quint, qui régna pendant toute la seconde moitié du XVIe siècle, accumulant de nouvelles possessions aux quatre coins du monde – c'est de lui que les Philippines tiennent leur nom, si bien que, aujourd'hui encore, plus de 90 millions d'Asiatiques portent dans leur nom collectif le prénom d'un roi d'Espagne.

Philippe II avait épousé Marie Tudor, reine d'Angleterre, mais cela n'empêcha pas les deux pays de se faire la guerre – c'était l'époque de l'Invincible Armada. Il y eut entre les deux pays une rivalité si profonde que Philippe II devint l'ennemi juré (*the enemy par excellence*, dira l'*Oxford*) et que son prénom, jusque-là fort bien porté, perdit de son éclat aux yeux des Anglais, ce qui allait se faire sentir jusque chez nous. Au XIXe siècle, parmi les anglo-protestants du Québec, Philippe fut en effet fort discret (26 sur 7700, soit 0,3 %), et il ne fut guère plus connu chez les irlando-catholiques (21 sur 5000, soit 0,4 %).

La France eut elle aussi six rois Philippe, du XIIe au XVe siècle, dont Philippe Auguste (1165-1223) et Philippe le Bel (1268-1314). Un autre roi viendra s'ajouter, mais d'une autre famille, et beaucoup plus près de nous dans le temps : Louis-Philippe, qui fut « roi des Français » de 1830 à 1848 et qui laissa son nom à une époque et à un style – ainsi qu'à une ville d'Algérie, Philippeville, fondée sous son règne en 1838, qui s'appelle aujourd'hui Skikda. Au XIXe siècle, en France, le prénom Philippe se classait, pour l'ensemble de la période, au 34e rang. Il fut porté par le psychiatre Philippe Pinel (1745-1826), dont le nom a été donné à un institut médicolégal à Montréal, et par le maréchal Philippe Pétain (1856-1951), de controversée mémoire. Plus récemment, il fut illustré par le comédien Philippe Noiret (1930-2006), et il est actuellement porté par l'écrivain Philippe Sollers (né en 1936). Un autre grand comédien français l'avait illustré par son patronyme, Gérard Philipe (1922-1959).

En Nouvelle-France, le PRDH relève près de 500 Philippe et quelques Louis-Philippe. Au Québec, au XIXe siècle, Philippe se manifesta surtout à partir de 1850. Sa meilleure décennie : 1890, 29e, avec un peu plus de 1 % de représentation. Après s'être maintenu à ce niveau au début du XXe siècle, il subit un long fléchissement vers le milieu du siècle.

Mais, dans le dernier quart du siècle, il se redressa, atteignant et même dépassant les 2 % de représentation au début des années 1980. Il est encore bien présent parmi les prénoms du XXIe siècle (voir **Pouponnières, garderies et maternelles**, p. 176). Dans son ascension, il fut accompagné un moment par Jean-Philippe qui atteignit près de 2 % en 1986. Pour sa part, Louis-Philippe, apparu en 1870, fut surtout populaire à la fin du XIXe siècle et au début du XXe. Lui aussi connut un revif dans le dernier quart du XXe siècle. Dans la population de l'an

2000, Philippe se trouvait au 31e rang. Si on lui ajoutait les effectifs de Jean-Philippe et de Louis-Philippe, il serait dans les 20 premiers.

Philippe est présent dans notre toponymie grâce aux villages de Saint-Philippe, près de La Prairie; de Saint-Philippe-de-Néri (du nom d'un saint italien, Philippe Néri [1515-1595], fondateur de la congrégation de l'Oratoire), près de La Pocatière; et de Philipsburg, village fondé par des loyalistes en 1812. Il fut illustré par les écrivains Philippe Aubert de Gaspé (1786-1871), Mgr Philippe Perrier (1870-1947) et Philippe Panneton (1895-1960), mieux connu sous le nom de Ringuet. En politique, nous connaissons le Dr Philippe Hamel (1884-1954), député à Québec, qui milita dans les années 1930 pour la nationalisation de l'électricité. Pour sa part, Louis-Philippe a été illustré par le sculpteur Louis-Philippe Hébert (1850-1917) et par trois juges de la Cour suprême: Louis-Philippe Brodeur (1862-1924), Louis-Philippe Pigeon (1905-1986) et Louis-Philippe de Grandpré (1917-2008).

Pierre

Prénom marquant de la première moitié du XIXe siècle, revenu à la mode à compter des années 1930, jusqu'à son sommet dans les années 1950.
Prénoms du voisinage: Jean-Pierre, Pierre-Luc.
Prénoms féminins: Marie-Pier, Pétronille, Pierrette.

Pierre vient du nom grec Petros et du nom latin Petrus. Nous connaissons tous celui qui fut le premier à le porter: Pierre, l'apôtre, le fondateur de l'Église, le premier pape – et le seul qui porta ce nom. Pierre n'était pas son vrai nom: il s'appelait en réalité Simon, un nom hébreu. Petros, c'était son surnom, celui que lui avait donné Jésus, traduction grecque d'un vieux mot araméen qui signifie «pierre», «rocher». «Tu es Pierre, et sur cette pierre je bâtirai mon Église.» (Matthieu, 16,18.)

Reçu de si haut, le prénom se répandit rapidement parmi les premiers chrétiens: à Rome (dont Pierre sera le premier évêque et où il sera mis à mort en l'an 64) et ailleurs en Italie, dans les Balkans, en Turquie, à Alexandrie... De là, il se diffusa ensuite aux quatre coins de la chrétienté. Des souverains le portèrent. Au Moyen Âge, plusieurs rois dans la péninsule ibérique; aux XVIIe et XVIIIe siècles, en Russie, trois tsars, dont le célèbre Pierre le Grand (1672-1725); au XIXe siècle, deux empereurs du Brésil, Pierre Ier (1798-1834) et Pierre II (1825-1891); en Serbie, Pierre Ier (1844-1921), et en Yougoslavie, Pierre II (1923-1970).

Les Normands l'apportèrent avec eux en Angleterre, où il se répandit immédiatement. Au total, plus de 1140 paroisses anglaises porteront son nom, deux fois plus que son plus proche « concurrent » ecclésial, saint Michel. Mais, à partir de la Réforme, il y subit une éclipse de deux siècles et fut même déconsidéré – « *rustic and old-fashioned* », selon l'*Oxford* –, car, aux yeux des Anglais, il apparaissait trop intimement associé à l'Église de Rome, celle que, justement, on appelle l'« Église de Pierre ». Il ne sortira de cette fâcheuse position qu'au XIXe siècle, mais il restera discret. C'est ainsi que ce nom se rencontre chez les anglo-protestants du Québec, mais il n'occupe au XIXe siècle qu'une place modeste (environ 0,6 % de tous les prénoms).

En France, il apparaît au XIe siècle et figurera toujours, au long des siècles, dans le peloton de tête des grands prénoms. De nombreux écrivains l'illustreront, Pierre de Ronsard (1524-1585) et Pierre Corneille (1606-1684), mais aussi Marivaux (1688-1763), Beaumarchais (1732-1799) et Laclos (1741-1803), tous prénommés Pierre. Au XIXe siècle, il se classa au 2e rang, après Jean. L'illustrèrent alors Pierre Larousse (1817-1875), l'homme du dictionnaire, Pierre Curie (1859-1906), l'homme du radium, Pierre de Coubertin (1863-1937), l'homme des Jeux olympiques. Dans la première moitié du XXe siècle, il fut l'un des prénoms les plus populaires. Il fut illustré par un homme politique de premier plan, Pierre Mendès France (1907-1982), et par le comédien Pierre Richard (né en 1934), le « grand blond avec une chaussure noire ». L'abbé Pierre (1912-2007), de son vrai nom Henri Grouès, est le fondateur du Mouvement Emmaüs.

Tout naturellement, en Nouvelle-France, Pierre se trouve au sommet, exactement au 3e rang selon le PRDH, après Jean-Baptiste et Joseph. L'ont illustré le gouverneur de Trois-Rivières Pierre Boucher, seigneur de Boucherville (1622-1717), l'explorateur Pierre-Esprit Radisson (1640-1710), le soldat Pierre Le Moyne d'Iberville (1661-1706), fondateur de la Louisiane, « le plus illustre homme de guerre de la Nouvelle-France ». Le dernier gouverneur de la Nouvelle-France s'appelait Pierre de Rigaud de Vaudreuil (1698-1778).

Au Québec, le prénom Pierre sera au XIXe siècle l'un des cinq plus populaires, mais jusqu'en 1850 seulement, car ensuite s'amorce son repli. Il fut illustré en politique par Pierre-Amable De Bonne (1758-1816) et Pierre Bédard (1763-1829), deux députés du premier parlement en 1792, et par Pierre Garneau (1823-1905), député, ministre et maire de Québec de 1870 à 1874. Deux des patriotes pendus en 1839 portaient son nom : Pierre-Rémi Narbonne (né en 1807) et Pierre-Théophile Decoigne (né en 1808). Comme leur lointain saint patron, eux aussi auront été mis à mort pour leurs idées.

Au XXe siècle, après le premier quart de siècle où il parut somnoler, il se mit en mouvement, poursuivit son ascension pendant 20 ans et connut ses meilleures années dans la décennie 1950, quand il atteignit près de 6 % de représentation, ce qui est considérable. Dans la population de l'an 2000, le prénom Pierre était le second prénom masculin, après Michel. Si on lui adjoignait Jean-Pierre, 54e, et Pierre-Luc, 95e, il serait le prénom le plus populaire.

Ses illustrations sont évidemment abondantes. Pierre Péladeau (1925-1997) et son fils Pierre Karl (né en 1961) dans les affaires. En politique, Pierre Elliott Trudeau (1919-2000) à Ottawa, Pierre Laporte (1921-1970) à Québec et Pierre Bourque (né en 1942) à Montréal. Dans le journalisme, Pierre Foglia (né en 1940) à *La Presse*, Pierre Nadeau (né en 1936) à Radio-Canada et Pierre Bruneau (né en 1952) au réseau TVA. Dans le monde de la chanson, Pierre Létourneau (né en 1938), Pierre Harel (né en 1944), Pierre Flynn (né en 1954) et Pierre Lapointe (né en 1981), sans oublier celui qu'on appelle tout simplement par son prénom, Jean-Pierre Ferland (né en 1934).

Dans les arts et les lettres, l'essayiste de *La ligne du risque*, Pierre Vadeboncœur (1920-2010), le cinéaste d'*Au pays de Neufve-France* et de *Pour la suite du monde*, Pierre Perrault (1927-1999), et le comédien Pierre Curzi (né en 1946), président de l'Union des artistes et député à Québec, tous engagés dans la défense et l'illustration du peuple québécois. Tout comme le cinéaste du *15 février 1839*, Pierre Falardeau (1946-2009), et Pierre Bourgault (1934-2003), le brillant orateur des tribunes politiques, universitaires et radiophoniques. « N'abandonnez jamais vos rêves de jeunesse : ce sont les seuls. » Tel est le message que laissa à ses compagnons de route celui qui fut un des grands pionniers du mouvement indépendantiste.

Le nom Pierre laissa sa marque sur notre territoire. En s'engageant dans le golfe du Saint-Laurent, après avoir laissé Saint-Pierre-et-Miquelon derrière soi, on aperçoit sur la Côte-Nord Havre-Saint-Pierre, ainsi nommé en l'honneur du saint patron des pêcheurs, et, plus en amont, sur l'autre rive, en Gaspésie, le village de Mont-Saint-Pierre, adossé à la montagne du même nom. Plus haut encore, vers Québec, on rencontre l'île d'Orléans, et, sur cette île, on aperçoit le village de Saint-Pierre, fondé en 1679. En aval de Trois-Rivières, sur la rive sud, le village de Saint-Pierre-les-Becquets, puis, plus loin, le lac Saint-Pierre qu'avait exploré et nommé Champlain en 1603. Enfin, sur l'île de Montréal, Ville Saint-Pierre, jadis appelée Coste-Saint-Pierre (aujourd'hui intégrée à l'arrondissement de Lachine de la ville de Montréal).

On trouve également d'autres villages appelés Saint-Pierre dans diverses régions du Québec : au Témiscouata, près de Montmagny, dans les Bois-Francs, en

Montérégie, près de Joliette, dans la région de Gatineau. Avec le village de Pierreville, au sud de Nicolet, et celui de Rivière-à-Pierre dans Portneuf, c'est 14 villes ou villages du Québec (les plus anciens datant du XVIIe siècle, le plus récent du XXe) qui illustrent le prénom de Pierre. À Montréal, outre quelques rues Pierre, ainsi que la rue Saint-Pierre dans le Vieux-Montréal, se dressent les églises de trois paroisses: Saint-Pierre-Apôtre (1904), Saint-Pierre-aux-Liens (1906) et Saint-Pierre-Claver (1914), ainsi nommée en mémoire d'un jésuite martyrisé au XVIIe siècle, canonisé en 1888.

RAOUL

Prénom remarqué au dernier tiers du XIXe siècle et dans les premières années du XXe.
Prénom du voisinage: RODOLPHE.

Ce prénom tire ses origines du nom germanique Radwulf, lequel a également donné l'allemand Rauff, l'anglais Ralph, l'espagnol Raúl. La forme latinisée de Radwulf, Radolphus, a pu faire se rapprocher les prénoms français Raoul et Rodolphe, mais cette confusion ne se fait plus.

Le prénom Raoul apparut au Moyen Âge et fut populaire pendant toute cette période de l'histoire. Un Raoul de Bourgogne (mais on l'appelait aussi Rodolphe) fut roi de France de 923 à 936. Saint Raoul (ou saint Rodolphe), évêque de Bourges, vécut au IXe siècle. Diverses personnalités du nord de la France s'appelaient de ce nom: Raoul de Caen, l'historien des croisades de la fin du XIe siècle; Raoul de Coucy, le chef de guerre mort au cours de la troisième croisade, à la fin du XIIe siècle; Raoul de Beauvais, le moine érudit du XIIIe siècle. L'une de ces figures inspira la chanson de geste *Raoul de Cambrai*, dont le *Grand Dictionnaire universel du XIXe siècle* dit qu'elle est «l'un des monuments les plus précieux de notre ancienne poésie héroïque».

Raoul s'est effacé de l'usage au XVe siècle et n'est réapparu que dans la seconde moitié du XIXe siècle. En France, il se classait alors modestement autour du 50e rang et fut illustré par le peintre havrais Raoul Dufy (1877-1953). En Belgique, il fut porté par le peintre et sculpteur Raoul Ubac (1910-1985).

Le prénom Raoul était inconnu en Nouvelle-France (aucune mention au PRDH), tout comme en France à la même époque. Au Québec, il n'apparut pas avant le milieu du XIXe siècle, et ce n'est qu'au dernier tiers qu'il se démarqua. À compter de 1870, pendant trois décennies, il se classa autour du 20e rang, dépassant chaque fois la barre du 1 %. Il obtint son meilleur résultat en 1870, 19e, à près de 1,5 % de la population. Le prénom Rodolphe, arrivé dans les mêmes années, fut deux fois moins répandu que le prénom Raoul.

On ne trouvera pas de Raoul (ni de Rodolphe) dans la toponymie de nos villages. En revanche, le point culminant des Laurentides, dans Charlevoix, s'appelle le mont Raoul-Blanchard, du nom du géographe français (1877-1965) qui a consacré au Québec d'importantes recherches. On relève des rues Raoul dans quelques-unes de nos villes. À Montréal, la place Raoul-Wallenberg rappelle le souvenir d'un diplomate suédois, en poste à Budapest pendant la Seconde Guerre mondiale, dont le courage contribua à sauver de nombreux Juifs. Par ailleurs, on trouve à Saint-Irénée le Domaine Forget, haut lieu de l'expression musicale et artistique, dont le nom rappelle Rodolphe Forget (1861-1919), financier et homme politique.

Raoul fut illustré dans la première moitié du XXe siècle par le sénateur Raoul Dandurand (1861-1942), par l'homme d'affaires et conseiller législatif Raoul-Ovide Grothé (1879-1969) et par le chanteur Raoul Jobin (1906-1974), ténor de l'Opéra de Paris et du Met de New York. Et, dans la seconde moitié du siècle, par le penseur indépendantiste Raoul Roy (1914-1996), par son homonyme le folkloriste Raoul Roy (1936-1985), dont un belvédère du Bic porte le nom, et par le poète de *La Bittt à Tibi*, Raôul Duguay, né à Val-d'Or en 1939. On imagine que nos Raoul ont dû être nombreux, il y a 50 ans, à applaudir à la victoire de leur homonyme Raúl Castro, le demi-frère de Fidel.

RAYMOND

Prénom de la première moitié du XXe siècle, surtout populaire vers 1930.
Prénom féminin : RAYMONDE.

Le profil de Raymond s'apparente aux Alphonse et aux Ferdinand. Il s'agit d'un prénom d'origine germanique, Raginmund, qui s'est fait connaître dans les pays du sud de l'Europe, plus précisément le sud de la France, la péninsule ibérique et l'Italie.

La plupart des saints de ce nom proviennent de ces contrées. Deux d'entre eux ont occupé la fonction de maître général des dominicains, le Catalan Raymond de Penyafort (mort en 1275) et l'Italien Raymond de Capoue (v. 1330-1399). Il y eut aussi saint Raymond Nonnat (1204-1240), né en Catalogne, que les Québécois apprendront à connaître par leur toponymie. Parmi les têtes couronnées ayant porté ce nom, mentionnons cinq comtes de Provence (entre la fin du XIe siècle et le milieu du XIIIe) et les sept comtes de Toulouse (entre le milieu du IXe siècle et le milieu du XIIIe), dont Raymond IV (1042-1105), l'un des chefs de la première croisade. « Un des princes les plus puissants du midi de l'Europe », dit de lui le *Grand Larousse du XIXe siècle.*

En se répandant, le prénom Raymond prit différentes formes. En Catalogne, il s'appelle Raimon ; en Espagne, Ramon ; en Italie, Raimondo. Au Pays basque, c'est Ramuntcho, prénom triplement illustré en France par la littérature, le cinéma et la chanson – notamment la chanson de Jean Rodor et Vincent Scotto, *Ramuntcho* (1944), dont André Dassary se fit le champion. « … le roi de la montagne/… quand il appelle sa compagne… »

Assez naturellement, ce prénom d'origine germanique s'est aussi fait connaître plus au nord. En Allemagne et en Autriche, c'est Raimund, comme l'illustra le philosophe Karl Raimund Popper (1902-1994). En Angleterre et dans les pays anglo-saxons, c'est Raymond, comme en français, ou plus simplement Ray, comme le jazzman américain Ray Charles (1930-2004). Il fut porté par deux acteurs de cinéma canadiens-anglais, Raymond Massey (1896-1983), le frère du gouverneur général, et Raymond Burr (1917-1993), qui incarna l'avocat Perry Mason. Au Québec, au XIXe siècle, il y eut quelques Raymond chez les anglophones, mais ils furent peu nombreux (13 sur 12 700).

En France, au XIXe siècle, le prénom Raymond se classait à la très discrète 67e place. Nous connaissons tout de même Raymond Poincaré (1860-1934), président de la République de 1913 à 1920. Dans les premières décennies du XXe siècle, ce prénom connaîtra ses grands succès. Pendant 40 ans, de 1900 à 1940, il naviguera entre la 15e et la 20e place (mais son pendant féminin sera plus discret). Il fut illustré en littérature par Raymond Queneau (1903-1976) et par Raymond Radiguet (1903-1923) ; dans la pensée politique, par Raymond Aron (1905-1983) ; et, dans l'action gouvernementale, par Raymond Barre (1924-2007), premier ministre de 1976 à 1981. L'humoriste Raymond Devos (1922-2006) était d'origine belge.

En Nouvelle-France, Raymond était usité, mais peu répandu. Quant au prénom féminin Raymonde, il fut totalement inconnu. Le prénom Raymond resta discret au Québec au XIXe siècle, aussi bien dans l'usage des familles que dans la toponymie. Un seul village, certes bien connu, porte sa marque : Saint-Raymond-de-Portneuf. Il fut alors illustré par le libraire Édouard-Raymond Fabre (1799-1854), par le prêtre et critique littéraire Henri-Raymond Casgrain (1831-1904) et par l'homme politique Raymond Préfontaine (1850-1905), maire de Montréal et ministre à Ottawa. Baptisé Félix, le prélat Raymond-Marie Rouleau (1866-1931), qui allait devenir archevêque de Québec et cardinal de l'Église, prit le nom de Raymond au moment où il devint dominicain.

Au Québec, c'est dans la première moitié du XXe siècle, plus précisément dans les années 1915-1945, que ce prénom, jusqu'alors discret, allait se démarquer et se classer parmi les plus populaires, réalisant son meilleur score au début des années 1930 avec 3 % de représentation. Dans la population de l'an 2000, il était le 41e prénom. Resté plus discret, le prénom Raymonde est absent du tableau des 100 plus populaires.

Ses illustrations seront nombreuses, diverses et, pour certaines, controversées. Par exemple, dans la rue, pour la défense de la langue française, mentionnons Raymond Lemieux de la Ligue pour l'intégration scolaire. À l'Assemblée nationale, Raymond Garneau (né en 1935) et Raymond Bachand (né en 1947), tous deux ministres des Finances. Dans la haute administration, Raymond Chrétien (né en 1942), ancien ambassadeur du Canada.

Sur nos patinoires, Raymond Bourque (né en 1960), le joueur de hockey. Sur nos scènes, les comédiens Raymond Cloutier (né en 1944) et Raymond Bouchard (né en 1945). Dans nos foyers, Raymond Charette (1929-1983), l'animateur de télé de Radio-Canada dont un prix d'excellence du Conseil supérieur de la langue française porte le nom. Et, dans nos cœurs, Raymond Lévesque (né en 1928) : sa chanson *Bozo les culottes* lui fut inspirée par les Raymond Villeneuve des premières années du FLQ, mais sa plus grande chanson, du moins sa plus célèbre, lui fut inspirée par nous tous : « Quand les hommes vivront d'amour/Il n'y aura plus de misère/Et commenceront les beaux jours/Mais nous, nous serons morts, mon frère. »

René

Prénom du premier tiers du XXe siècle, déjà connu à la fin du XIXe.
Prénom du voisinage : Jean-René.
Prénom féminin : Renée.

L'origine de ce prénom se trouve à Rome, chez les premiers chrétiens, pour qui il avait une forte valeur mystique : le mot latin *renatus* signifie « celui qui renaît », non pas au sens de ressuscité, mais au sens de « celui qui renaît à une vie nouvelle » grâce au baptême (comme les *reborn christians* américains ?). Il fut usité surtout dans les pays de langue romane – René en France, Renato (ou Renata) en Italie, en Espagne et au Portugal.

En France, il fut, nous dit le *Larousse*, « largement diffusé au XVIe siècle », et, s'il fut moins courant par la suite, il resta cependant « bien en usage » et se classait au XIXe siècle autour du 25e rang. Ses grandes années se situent au XXe siècle : pendant les 40 premières années, il se maintint parmi les 10 plus populaires et fut 17 fois parmi les 5 premiers. Il fut illustré par « le bon roi René », René Ier (1409-1480), duc d'Anjou, comte de Provence, roi de Naples et de Sicile, dont une rue de Montréal rappelle le souvenir. Par le philosophe René Descartes (1596-1650), par l'écrivain François-René de Chateaubriand (1768-1848), auteur d'un roman autobiographique, *René*, paru en 1802, et par René Laennec (1781-1826), l'inventeur du stéthoscope (un boulevard de Laval, un centre médical de Montréal et une clinique pédiatrique de Québec portent son nom). Plus près de nous, le prénom René fut porté par le juriste et Prix Nobel de la paix René Cassin (1887-1976), par les réalisateurs de cinéma René Clair (1898-1981) et René Clément (1913-1996), par le bédéiste René Goscinny (1926-1977), connu de tous les lecteurs d'*Astérix*. René Coty (1882-1962) fut président de la IVe République de 1954 à 1958.

En Nouvelle-France, le prénom René était assez bien connu : 750 mentions en prénoms uniques, 600 en prénoms multiples, selon le PRDH. Le féminin Renée était moins connu. Il fut illustré par René Gaultier de Varennes (1635-1689), gouverneur de Trois-Rivières, par René-Robert Cavelier de La Salle (1643-1687), l'explorateur du Mississippi, et par le frère jésuite René Goupil, né en 1608, martyrisé en 1642 et canonisé en 1930 avec sept autres « saints martyrs canadiens ». Ce dernier inspira la toponymie de deux de nos villages : un Saint-René en Beauce, l'autre près de Matane, tous deux fondés au XXe siècle, après la canonisation de Goupil, et la dénomination de quatre paroisses.

Au Québec, c'est vers la fin du XIXe siècle, surtout dans les années 1890, que le prénom René se fit connaître. Dans les premières décennies du XXe, il s'affirma, réussissant ses meilleurs scores autour de 1920, représentant 2 % des prénoms. Dans la population de l'an 2000, il était au 38e rang. Dans le domaine des arts et des spectacles, nous connaissons le peintre René Richard (1895-1982), l'imprésario René Angélil (né en 1942) et le comédien et dramaturge René-Daniel Dubois (né en 1955). À la radio et à la télé, l'animateur René Homier-Roy (né en 1940), le journaliste sportif René Lecavalier (1918-1999) et l'animateur Jean-René Dufort (né en 1967). En politique, René-Édouard Caron (1800-1876), lieutenant-gouverneur du Québec, René Hamel (1910-1982), député, ministre et juge, et, plus près de nous, René Lévesque (1922-1987), premier ministre de 1976 à 1985.

René, « celui qui renaît à une vie nouvelle ». Beau prénom pour un premier ministre qui a rêvé d'une vie nouvelle pour le Québec.

RICHARD

Prénom du deuxième tiers du XXe siècle, surtout populaire vers 1950.
Prénom du voisinage : RICARDO.

Il y eut bien un saint de ce nom, un évêque anglais, Richard de Chichester, mort en 1253 et canonisé en 1262, mais ce n'est pas à lui, généralement, que fait penser ce prénom, mais bien plutôt à celui qui fut roi d'Angleterre un demi-siècle plus tôt, Richard Cœur de Lion (1157-1199), *The Lionheart,* comme l'appellent les Anglais, le premier de trois rois anglais de ce nom. Un Anglais qui était aussi un Français, fils d'Aliénor d'Aquitaine, duc de Normandie, d'Aquitaine, de Poitiers, et comte d'Anjou. Il prit part à la troisième croisade où ses faits d'armes en firent un héros, ce qui contribua à répandre son nom partout en Europe. Ce prénom d'origine germanique (Ricohard : « dur », « fort », « puissant ») est naturellement courant en Allemagne, où il fut illustré par deux musiciens célèbres, Richard Wagner (1813-1883) et Richard Strauss (1864-1949). Le chef d'orchestre Riccardo Muti (né en 1941) illustre la forme italienne de ce prénom.

En Angleterre, où il fut introduit par la conquête normande de 1066, ce prénom se répandit immédiatement et se maintint, avec quelques fluctuations, parmi les plus populaires, et ce, jusqu'au XXe siècle – *one of the half-dozen favourite men's names,* selon l'*Oxford.* Il eut ses surnoms, Rick, Dick et Hick, dont certains sont encore en usage – l'ancien président américain Richard « Dick » Nixon (1913-1994) aurait pu en témoigner.

Cette forte position de Richard en Angleterre eut son effet au Québec au XIXe siècle, où ce prénom occupa une place plus qu'honorable chez les anglophones catholiques et protestants (1,2 % et 1,4 %). Il fut illustré par l'homme d'affaires Richard B. Angus (1831-1922), président de la Banque de Montréal et l'un des fondateurs du Canadien Pacifique ; et il est représenté de nos jours par Richard French (né en 1947), qui fut député et ministre à Québec, et par Richard « Dick » Pound (né en 1942), ancien champion nageur, membre du Comité international olympique et président de l'Agence mondiale antidopage de 1999 à 2007.

Implanté en Normandie, où quatre ducs le portèrent du Xe au XIIe siècle, dont Richard le Bon et Richard sans Peur, il fut en France l'un des prénoms les plus courants du Moyen Âge, mais il déclina assez rapidement par la suite, nous dit le *Larousse*, si bien qu'il devint pratiquement invisible au XIXe siècle. Il fera mieux au XXe siècle, sans jamais réussir toutefois à se classer parmi les plus grands. Il est actuellement illustré par les acteurs Richard Bohringer (né en 1942) et Richard Berry (né en 1950). En France, Richard est aussi connu comme patronyme, illustré par le comédien Pierre Richard (né en 1934), vedette du film *Le Grand Blond avec une chaussure noire* (1972).

En Nouvelle-France, sa position fut des plus discrètes (40 occurrences au PRDH), comme elle le fut aussi au Québec au XIXe siècle, époque où il fut presque absent de l'usage des familles. Mais il allait s'affirmer au XXe siècle, plus précisément à partir des années 1940. En 1952, son année record, il dépasserait la barre des 3 %. Dans le tableau général de l'an 2000, c'est le 15e prénom masculin.

Absent de la toponymie des villages, il est en revanche bien représenté par le peintre-graveur Richard Lacroix (né en 1939), par les anciens députés Richard Guay (né en 1943) et Richard Legendre (né en 1953), et par le cinéaste Ricardo Trogi (né en 1970), le réalisateur de *Québec-Montréal*, d'*Horloge biologique* et de *1981*. Cela dit, ce prénom ne serait pas aussi « sonore » sans le ténor Richard Verreau (1926-2005) et les chanteurs-compositeurs Richard Desjardins (né en 1948) et Richard Séguin (né en 1952). Quant à Richard Garneau (né en 1930) de Radio-Canada, sa voix éveille chez les amateurs de sport plus de 50 ans de souvenirs et d'émotions.

Robert

Prénom du XXe siècle, surtout populaire au lendemain de la Seconde Guerre mondiale.
Prénom du voisinage : Robin.
Prénoms féminins : Roberta, Roberte, Robertine.

Il y eut un Robert Courtecuisse et un Robert Grosseteste. Il y eut un Robert le Pieux et un Robert le Vieux. Il y eut le Fort et le Vaillant, mais aussi l'Avisé et le Sage. Il y eut Robert le Diable, dont on ne sait trop s'il fut réel ou légendaire. Et Robert le Frison, qui n'était pas frisé, mais qui venait de la Frise (province du nord des Pays-Bas). Il y eut aussi Robert le Hiérosolymitain, surnommé ainsi parce qu'il était allé croiser le fer à Jérusalem – comme plusieurs autres au temps des croisades. Et il y eut nombre d'autres Robert, comme nous l'apprend *Le Grand Robert*.

Robert est un prénom d'origine germanique – Hrodberht – qui s'est d'abord répandu en Normandie (le père et le fils de Guillaume le Conquérant se prénommaient Robert) et dans les populations du nord-est de la France. Il fut porté par des ducs et des comtes, et par deux rois de France, Robert Ier (866-923) et Robert II (972-1031) – c'était lui, Robert II, le Pieux. Bien entendu, il y eut aussi des saints, dont des moines qui fondèrent des abbayes à La Chaise-Dieu (1043), à Molesmes (1075), à Fontevraud (1101). Le théologien Robert de Sorbon (1201-1274), chapelain de saint Louis, donna son nom à ce qui s'appelle aujourd'hui La Sorbonne.

Naturellement, ce prénom s'est répandu sur le continent européen, illustré par le compositeur allemand Robert Schumann (1810-1856) et par le jésuite italien Roberto Bellarmino (1542-1621), théologien, archevêque et docteur de l'Église, que les Québécois connaissent sous le nom de saint Robert Bellarmin. Plus récemment vécut le réalisateur de cinéma italien Roberto Rossellini (1906-1977). Roberto Benigni (né en 1952) remporta en 1999 l'Oscar du meilleur acteur pour son rôle dans son film *La Vie est belle*, Oscar du meilleur film étranger la même année.

L'arrivée des Normands en Angleterre y avait fait accroître la fréquence de ce prénom déjà connu en vieil anglais. Dès le Moyen Âge, Robert s'affirma parmi les prénoms les plus courants et il conservera ce statut jusqu'à notre époque – *a favourite one ever since*, constate l'*Oxford*. En Écosse, trois rois l'ont porté aux XIVe et XVe siècles, et deux grands écrivains l'ont illustré : Robert Burns (1759-1796), le « poète national », et Robert Louis Stevenson (1850-1894), l'auteur de *L'Étrange cas du Dr Jekyll et de Mr. Hyde* et de *L'île au trésor*.

En Angleterre même, il fut porté par Robert Peel (1788-1850), qui fut premier ministre, et dont une rue du centre-ville de Montréal rappelle le souvenir. Ayant institué à Londres la première force policière, son prénom est resté attaché à son œuvre, puisque, aujourd'hui encore, en anglais, on appelle *bobbies* les policiers (*bobby* au singulier) de la capitale britannique. Le fondateur du mouvement scout, le général Baden-Powell (1857-1941), se prénommait Robert. En Irlande, la position du prénom Robert fut plus modeste. À notre époque, il évoque la figure de Bobby Sands (1954-1981), héros des grèves de la faim et de la lutte des catholiques d'Irlande du Nord. Avec ce Bobby, on est très loin des *bobbies* de Londres.

Le succès de Robert en Angleterre et en Écosse s'est reflété tout naturellement au XIXe siècle chez les anglo-protestants du Québec qui en firent l'un de leurs prénoms-vedettes (5e avec plus de 5 % de représentation). Sa position était plus discrète toutefois chez les irlando-catholiques. Il fut illustré par l'homme politique canadien-anglais Robert Baldwin (1804-1858), l'associé de La Fontaine – une rue, un parc et une circonscription électorale de l'île de Montréal portent son nom.

En France, ce prénom, qui avait connu de grandes heures au Moyen Âge, s'estompa par la suite. Au XIXe siècle, il n'était plus qu'au lointain 90e rang. Il fut alors illustré par l'écrivain Félicité Robert de Lamennais (1782-1854) et par le magicien Jean-Eugène Robert-Houdin (1805-1871). À la fin des années 1860, l'industriel Édouard Robert mit au point le « biberon Robert » à soupape. Ces biberons de verre étaient si beaux que les « roberts » désignent aujourd'hui encore les seins d'une femme. Ce Robert-là aussi laissa donc sa marque sur la langue.

En Nouvelle-France, où ce prénom demeura discret (117 mentions au PRDH), il fut porté par un des premiers colons du pays, l'apothicaire-chirurgien Robert Giffard (1589-1668), grand recruteur d'immigrés et fondateur de Beauport (des rues de Québec et de Montréal rappellent sa mémoire, de même qu'un centre hospitalier de Québec).

Au Québec, au XIXe siècle, Robert ne fut guère visible : pas une seule fois, à CDN, n'approcha-t-il du 0,5 % de représentation. Mais il commença à s'affirmer au début du XXe siècle, jusqu'à devenir un prénom-vedette des années 1930-1950. Dans l'ensemble de la population, il occupait en l'an 2000 le 12e rang des prénoms masculins. Vers les années 1950 apparut un diminutif de Robert, Robin, resté discret.

Nous connaissons deux villages : Saint-Robert, près de Sorel, apparu au milieu du XIXe siècle, et Saint-Robert-Bellarmin, en Estrie, fondé en 1944, quelques années après la canonisation (1930) de ce saint italien (1542-1621). Après avoir été illustré, dans une première vague, par le juge en chef de la Cour suprême Robert Taschereau (1896-1970), par les écrivains Robert de Roquebrune (1889-1978), Robert Choquette (1905-1991) et Robert Élie (1915-1973), puis par le caricaturiste Robert LaPalme (1908-1997), ce prénom fut porté par Robert Bourassa (1933-1996), premier ministre, et par le juge Robert Cliche (1921-1978). Il est actuellement illustré par Robert Lepage (né en 1957) et Robert Lalonde (né en 1947) sur la scène culturelle, ainsi que par Robert Charlebois (né en 1944), dont la chanson *Qué-Can blues* est un salut à Robert Giffard et aux pionniers de la Nouvelle-France : « Faut s'appuyer, faut s'entraider/Bâtir une grande armée d'idées/Et faire de la Nouvelle-France/La terre promise de l'espérance. »

Roch

Prénom resté discret, aussi bien au XIXe siècle qu'au XXe.
Deux graphies : Roch, Rock.

Ce prénom vient du Nord, des pays de langue germanique et du mot *hrok*, qui signifie « corneille ». Mais c'est dans le Sud, en France, en Italie et en Espagne, qu'il se répandit, selon un itinéraire qui rappelle les destinées des prénoms Alphonse et Ferdinand. Notons qu'on le trouve aussi dans l'Ancien Testament (Genèse 46, 21) – Rosch (ou Rosh), un des fils de Benjamin.

La vie de celui qui « lança » ce prénom, saint Roch, demeure mal connue. Il serait né au milieu du XIVe siècle à Montpellier. Élevé dans l'aisance matérielle et dans la foi, il partit en pèlerinage vers Rome et se trouva quelque part en Italie lorsqu'une épidémie de peste éclata. Il décida alors de se consacrer aux malades, mais fut lui-même atteint par la maladie. Réfugié dans une forêt où, dit-on, un chien lui apportait de la nourriture, il réussit à se guérir, mais il mourut quelques années plus tard à Montpellier, où il était revenu après son pèlerinage.

Ce simple pèlerin, qui ne connut ni le pouvoir des chaires universitaires ni celui des sièges épiscopaux, devint « un des saints les plus vénérés de la chrétienté », et, selon un hagiographe, l'un des cinq saints les plus invoqués en Italie, avec François d'Assise, Antoine de Padoue, Padre Pio et Don Bosco. C'est lui qu'on priait pour se préserver des maladies infectieuses.

Saint Roch inspira de nombreux artistes, dont Le Tintoret au XVIe siècle, Rubens au XVIIe, David au XIXe. On le représentait presque toujours avec un chien et vêtu de son manteau de pèlerin. Il influença aussi le langage populaire, les locutions « mal de saint Roch » désignant la peste et « Saint Roch et son chien », deux personnes inséparables (*Le Grand Larousse du XIXe siècle*).

Ce nom laissa sa marque dans de nombreuses villes et à plusieurs endroits du monde, par exemple à Venise, qui était en première ligne face aux contagions venues du Levant, où une « confrérie de Saint-Roch » se forma et où se trouve aujourd'hui la *Scuola San Rocco*, devenue musée du Tintoret. En France, saint Roch laissa son nom à des communes, lieux-dits, églises, paroisses et quartiers, notamment à Montpellier, mais aussi à Nice et à Amiens (chacune avec sa gare Saint-Roch), à Paris (église Saint-Roch de la rue Saint-Honoré). À l'époque des empires coloniaux européens, Espagnols et Portugais répandirent le nom sur la mappemonde : San Roque en Argentine et aux Philippines ; São Roque à Madère, aux Açores, au Brésil. Les Français ne furent pas en reste, comme en témoignent les quartiers Saint-Roch de La Nouvelle-Orléans et de Québec (du nom d'une chapelle construite par les récollets au XVIIe siècle).

Au Québec, on trouve quatre villages de ce nom : Saint-Roch-des-Aulnaies (près de L'Islet), le plus ancien (1722) ; Saint-Roch-de-l'Achigan (dans Lanaudière), Saint-Roch-de-Mékinac (en Mauricie) et Saint-Roch-de-Richelieu (près de Sorel), tous trois fondés au XIXe siècle. Établirons-nous un jour un lien entre la multiplication de ce nom dans nos paroisses et les épidémies de choléra en 1832 et de typhus en 1847 ?

Le prénom Roch est évidemment connu dans les pays latins. En Catalogne, il se décline en Roc et, en Espagne et au Portugal, en Roque. En Italie, Rocco rappelle le film de Luchino Visconti *Rocco et ses frères* (1960). Par ailleurs, le boxeur américain Rocky Marciano (1923-1969) était d'origine italienne et s'appelait Rocco Marchegiano. Aux États-Unis, il y eut aussi l'acteur Rock Hudson (1925-1985).

Saint Roch était universellement connu, mais dans l'usage des familles de France son prénom resta discret, nous dit le *Larousse* (parce que trop identifié au souvenir de la peste ?). En Nouvelle-France, il n'était pas inconnu (164 mentions au PRDH), mais c'est surtout comme second prénom qu'il fut donné. Il demeura d'usage modeste aux XIXe et XXe siècles.

Malgré tout, il est bien illustré dans les arts et les lettres par le réalisateur et producteur de cinéma Rock Demers (né en 1933), par l'écrivain Roch Carrier (né en 1937) et par le chanteur Roch Voisine (né en 1963 au Nouveau-Brunswick). En politique, par Roch Boivin (1912-1979), député et ministre de l'Union nationale, par Roch Bolduc (né en 1928), haut fonctionnaire à Québec et sénateur à Ottawa, et par Jean-Roch Boivin, chef de cabinet de René Lévesque. Député de Joliette à Ottawa, Roch La Salle (1928-2007) est passé à l'histoire pour avoir été le seul député de la Chambre des communes à voter « oui » au référendum de 1980.

Roger

Prénom du premier tiers du XXe siècle. Médaillé d'or en 1923.
Prénoms du voisinage : Rodger, Rodrigue.
Prénom féminin : Rogère.

Roger nous vient du germanique Hrodgar, lequel a donné Rüdiger en allemand et Ruggiero (ou Ruggero) en italien, prénom qui fut illustré par le compositeur

Ruggero Leoncavallo (1858-1919), l'auteur de *Paillasse*. Il a aussi donné en espagnol Rodrigo, qui nous est revenu sous la forme de Rodrigue.

Le nom s'est répandu en Angleterre après la conquête normande et il demeura courant jusqu'au XVIIIe siècle, donnant lieu à plusieurs patronymes, ainsi qu'aux surnoms Hodge, Dodge et Rodge. Au long des siècles, il fut illustré par le philosophe Roger Bacon (1214-1294) et, plus près de nous, par le chanteur Roger Whittaker (né en 1936) et par l'acteur Roger Moore (né en 1927), interprète de Simon Templar et de James Bond. Au XIXe siècle, chez les anglophones du Québec, il fut très discret. Il est représenté aujourd'hui au Canada anglais par l'entreprise Rogers Communication.

En France, ce prénom fut courant au Moyen Âge, notamment en Normandie où il fut illustré par Roger de Hauteville (1031-1101), futur Roger Ier de Sicile, qui conquit la Sicile sur les Arabes, et par son fils Roger II de Sicile (1095-1154), qui fonda le royaume de Sicile en 1130, souvent appelé Sicile normande. Après la Renaissance, ce prénom devint plus rare, mais il réapparut au début du XXe siècle et réussit à s'imposer. Il fut illustré dans les arts et les lettres par Roger Martin du Gard (1881-1958), Roger Peyrefitte (1907-2000) et Roger Planchon (1931-2009), et au cinéma par Roger Hanin (né en 1925) et Roger Vadim (né en 1928). L'architecte Roger Taillibert (né en 1926) est sans doute au Québec le plus connu des Français de ce nom.

En Nouvelle-France, où on relève aussi le rarissime prénom féminin Rogère, Roger demeura discret (36 mentions au PRDH), comme il le fut aussi au Québec au XIXe siècle. Mais, au XXe siècle, il gagna en popularité et eut ses meilleurs résultats dans les années 1920, à plus de 3 % de représentation. Il fut même le médaillé d'or de l'année 1923. Au tableau général de la population de l'an 2000, il était le 34e prénom.

Ce prénom est absent de la toponymie de nos villages et de la nomenclature de nos paroisses. En revanche, il a connu et connaît toujours des illustrations nombreuses et diverses. Dans les lettres, les écrivains Roger Duhamel (1916-1985) et Roger Lemelin (1919-1992), l'auteur des *Plouffe*. Au théâtre et au cinéma, les comédiens Roger Lebel (1923-1994) et Roger Joubert (né en 1929), et le producteur Roger Frappier (né en 1945). Roger Baulu (1909-1997), animateur de radio et de télé célèbre, nous rappelle *La poule aux œufs d'or* et *Les couche-tard*. Le ténor Roger Doucet (1919-1981) chantait l'hymne national du Canada au Forum de Montréal et Rodger Brulotte (né en 1947) commentait les matchs de baseball. Roger D. Landry (né en 1934) a dirigé le journal *La Presse* et a été immortalisé par la caméra de Pierre Falardeau dans le film *Le temps des bouffons*.

* * *

Ce prénom se retrouve dans l'expression « roger-bontemps », qui se dit « d'un personnage jovial, d'un joyeux gaillard » (*Le Grand Robert*). À l'origine de cette expression, on trouve l'ecclésiastique Roger de Collerye (1470-1536), homme « de l'humeur la plus joviale » (*Wikipédia*). À Auxerre, où il était le secrétaire de l'évêque, il présida une société facétieuse et se fit appeler l'« abbé des fous ». On trouve à Québec, dans le quartier Lac-Saint-Charles, une rue Roger-Bontemps.

ROLAND

Prénom du premier tiers du XXe siècle. Médaillé d'or des années 1920.
Deux graphies : ROLAND, ROLLAND.
Prénom féminin : ROLANDE.

Ce prénom vient du germanique Hrodland, mot qui associe les notions de « gloire » et de « pays ». Saint Roland, que l'Église honore le 15 septembre, naquit en Angleterre et vécut en France dans une abbaye cistercienne à la fin du XIIe siècle.

Si ce prénom est si connu en Occident, ce n'est pas en raison des mérites de saint Roland, mais grâce aux faits d'armes légendaires du paladin Roland qui vécut au VIIIe siècle, le neveu de Charlemagne – ce qui, déjà, n'était pas rien. À l'origine de sa renommée, un combat qui aurait eu lieu dans les Pyrénées, à Roncevaux, en l'an 778, et qui aurait opposé Roland et ses compagnons, dont son fidèle ami Olivier (voir **Olivier**, p. 191), à une armée mauresque venue d'Espagne. Roland et ses compagnons se battirent avec courage, mais furent tués. Leur sacrifice cependant ne fut pas vain, car il permit de sauver l'armée de Charlemagne.

Cette histoire (par conséquent le prénom Roland) se répandit parmi les nombreux pèlerins qui passaient par cette région, en route pour Compostelle. À cela s'ajouta au XIe siècle le poème épique *La chanson de Roland*, ce qui renforça la notoriété du personnage et le prestige de son nom. Au long des siècles, des textes littéraires et des œuvres musicales viendront entretenir cette renommée.

Répandu partout, du moins en Europe occidentale, ce nom prit différentes formes : en Catalogne, Rollta ; en Espagne, Roldan (ou, plus couramment, Rolando) ; en Italie, Rolando aussi, mais surtout Orlando, répandu grâce à deux grands textes littéraires : l'*Orlando Innamorato* de Boiardo (fin du XVe siècle) et l'*Orlando Furioso* de l'Arioste (début du XVIe siècle). En Allemagne, c'est Roland, comme en France, et une statue à la mémoire du héros de Roncevaux se dresse dans le port de Brême. Par ailleurs, le président du tribunal nazi chargé de la répression politique s'appelait, de sinistre mémoire, Roland Freisler. Celui-ci trouva la mort en 1945 dans un bombardement aérien à Berlin – loin, très loin de Roncevaux.

Introduit en Angleterre par les Normands et courant au Moyen Âge, le prénom Roland évolua peu à peu vers la forme plus proprement anglaise de Rowland. Au XVIe siècle, les Anglais importèrent d'Italie le prénom Orlando, à la fois dans leurs usages, comme l'illustra le compositeur et organiste Orlando Gibbons (1583-1625), et dans leur littérature, comme le fit Shakespeare dans *As You Like It* (*Comme il vous plaira*), dont le héros s'appelle Orlando. L'usage de la forme italianisante ne fut pas qu'une simple mode passagère : trois siècles plus tard, Virginia Woolf en ferait le titre d'un roman, *Orlando* (1927) ; et de nos jours il est illustré par l'acteur britannique Orlando Bloom (né en 1977). Assez naturellement, Orlando traversa les océans et vint prendre racine chez nos voisins du Sud : la ville d'Orlando (Floride), que bien des Québécois connaissent, doit en effet son nom à un certain Orlando Reeves, qui vécut dans cette région au XIXe siècle. Toutefois, ces prénoms semblent avoir été absents chez les anglophones du Québec. En tout cas, je n'en ai trouvé aucune trace au cimetière du Mont-Royal. Rappelons tout de même qu'un gouverneur général du Canada des années 1960, né en Alberta en 1900, s'appelait Roland Michener.

Courant au Moyen Âge en France, Roland perdit de son influence après la Renaissance et n'était plus au XIXe siècle qu'un prénom « rare », nous dit le *Larousse*. Certes, il y eut au XVIe siècle un compositeur du nom de Roland de Lassus (1532-1594), mais il était né en Belgique et vécut en Italie et à Munich, se faisant souvent appeler Orlando di Lasso. Roland devait refaire surface au XXe siècle, autour des années 1925-1940, sans jamais toutefois compter parmi les 25 prénoms les plus populaires. Il fut porté en littérature par Roland Dorgelès (1885-1973), auteur du roman de guerre *Les croix de bois*, et par l'écrivain et sémiologue Roland Barthes (1915-1980). Nous connaissons aussi l'aviateur Roland Garros (1888-1918), mort à la guerre, qui laissa son nom à un stade de tennis de Paris, puis aux Internationaux de France, un des quatre tournois du Grand Chelem.

Il n'y eut pas de Roland en Nouvelle-France (deux petites mentions). Au XIXe siècle, il n'y en eut qu'à la toute fin du siècle, cinq occurrences à CDN sur 2400 en 1890. Mais, allez savoir pourquoi, ce prénom allait surgir d'un coup et atteindre des sommets de popularité. À CDN, dès la décennie 1900 : 2,5 % de représentation. Et plus de 3,5 % dans les années 1910, si bien qu'il occupa, pour l'ensemble du Québec, le 1er rang en 1919 et en 1920, et le 2e rang pendant sept ans. Rolande aussi fit bonne figure, sans atteindre toutefois les mêmes valeurs. En 2000, dans l'ensemble de la population, Roland était le 69e prénom et Rolande, le 99e.

Est-ce la faible présence de saint Roland dans la mémoire collective ou l'arrivée tardive de Roland dans nos familles ? Toujours est-il que ce prénom est absent de la toponymie de nos villages, à l'exception de Mont-Rolland, issu en réalité d'un patronyme, tout comme le village voisin de Val-David. Il fut illustré dans les arts et les lettres par le comédien Roland Chenail (1921-2010), par le poète et graveur Roland Giguère (1929-2003) et par l'homme de théâtre Roland Lepage (né en 1928), auteur de *La complainte des hivers rouges*, à qui l'on a décerné en 2009 le prix Denise-Pelletier pour l'ensemble de sa carrière. Ce prénom fut aussi illustré par Roland Giroux (1913-1991), financier, haut fonctionnaire, conseiller des premiers ministres et président d'Hydro-Québec dans les années 1970. Un commerçant de Montréal, Roland Gagné, s'était fait connaître du grand public comme étant le « père du meuble ». Et plusieurs se rappelleront « la mère à Roland », que personne n'a jamais vue, mais que le comédien et humoriste Gilles Pellerin faisait vivre dans ses monologues.

Roméo

Prénom de la fin du XIXe siècle et du début du XXe.
Prénoms du voisinage : Antonio, Lorenzo, Roma, Romain, Romulus, Rosario, Sylvio.
Prénom féminin : Juliette.

Dans la seconde moitié du XIXe siècle apparaissent chez les Canadiens français, timidement d'abord, quelques prénoms italiens se terminant en « o ». Sauf peut-être Roméo, aucun de ces prénoms ne fut spécialement populaire, mais, regroupés, ils forment une famille d'une dizaine de prénoms, assez nombreux pour se faire remarquer et pour mériter qu'on les salue.

Roméo arrive en tête de ce groupe. Son identité italienne est indiscutable, le nom souche Romaeus désignant en latin du Moyen Âge « celui qui a fait le pèlerinage de Rome ». Indiscutable aussi est l'origine italienne de celui qui fut le premier à le fixer dans la mémoire collective : le personnage créé en 1554 par l'Italien Matteo Bandello et qui inspira à Shakespeare sa pièce *Roméo et Juliette* (première moitié des années 1590), dont le thème sera repris en musique au XIXe siècle par Berlioz (1839), Gounod (1867) et Tchaïkovski (1869). Son caractère italien nous apparaît plus encore marqué du fait qu'il n'est pas la traduction italienne d'un prénom français connu, comme le sont Antonio, Rosario et Lorenzo. On trouve en français, il est vrai, des prénoms qui, comme Roméo, se rapportent à la ville de Rome – Roma, Romain, Romulus –, mais ils sont à peine connus, n'ayant eu qu'une existence confidentielle à CDN, où je n'en ai relevé que cinq au total. Soulignons enfin que le prénom Roméo est aujourd'hui encore usité en Italie.

Le cheminement de Roméo au XIXe siècle dans l'usage des Canadiens français fut semblable à celui des autres prénoms italiens de l'époque. Inexistant dans la première moitié du siècle, Roméo fit ses premiers pas dans les années 1860 et 1870. En 1880, il progressa au 33e rang (0,8 % des prénoms) et s'imposa en 1890, se hissant au 14e rang (près de 2 % des prénoms). Là ne s'arrêta pas son ascension, puisqu'il se classa en 1900 au 6e rang, représentant 3 % des prénoms masculins.

Ce pur produit de la littérature, et non pas de l'histoire ou de la religion (il n'y a pas de saint Roméo, seulement un bienheureux, Roméo de Limoges, qui vécut au XIVe siècle), a été et demeure bien visible sur la scène publique. En témoignèrent naguère les « deux Roméo » de l'Union nationale, deux députés des années 1950, Roméo Lorrain (1901-1967) et Roméo Gagné (1905-1959), ainsi que l'Acadien Roméo LeBlanc (1927-2009), gouverneur général du Canada dans les années 1990. De nos jours, nous connaissons Roméo Bouchard (né en 1939), président fondateur de l'Union paysanne, et le général Roméo Dallaire (né en 1946), devenu sénateur. Roméo Saganash (né en 1962) est un des leaders de la nation crie.

Il n'y a pas de Roméo dans nos noms de villages – ni de Juliette ! –, mais on trouve, en Estrie, Saint-Romain, fondé au milieu du XIXe siècle par des Canadiens français partis vivre parmi les protestants et qui, pour mieux affirmer leur appartenance à l'Église de Rome, ont choisi ce nom pour leur paroisse et leur village.

Rosaire et Rosario

Deux prénoms discrets de la fin du XIXe siècle et des premières années du XXe.
Prénom féminin : Rosaria.

Rosaire et son compagnon Rosario viennent du latin *rosa*, la fleur. Rosaire est probablement le seul prénom masculin qui tienne son nom d'une fleur[20]. D'une guirlande de fleurs, plus exactement, celle qu'on voit dans certains tableaux,

20. Pour Narcisse, c'est le mouvement inverse, la fleur a pris le nom du personnage de la mythologie grecque.

autour du cou de la Vierge Marie, et que le latin appelle *rosarium*. C'est de là qu'est venue l'idée du chapelet.

Ce culte à Marie, dont l'origine remonte au Moyen Âge, atteignit son apogée au XIXe siècle, sous le règne du pape Léon XIII. Au cours des 25 années de son pontificat, de 1878 à 1903, celui-ci consacra sept encycliques à Marie et au rosaire. On ne s'étonnera pas qu'on l'appelle le « pape du rosaire ».

Cet activisme romain autour du rosaire ne resta pas sans effet ici, sur les rives du Saint-Laurent, où deux nouveaux villages reçurent ce nom : Notre-Dame-du-Rosaire, près de Montmagny, en 1883, et Saint-Rosaire, en Beauce, en 1893. Un troisième fut fondé en 1936, Saint-Dominique-du-Rosaire, en Abitibi. Et ce qui se passa dans la toponymie se passa aussi dans les usages des familles, où l'on vit apparaître, à partir de 1880 (du moins selon le relevé fait à CDN), les premiers prénoms Rosaire.

Or, ces années de la fin du siècle sont aussi celles où commencent à apparaître chez nous des prénoms d'origine italienne (Roméo, Antonio, Lorenzo, etc.). Tout naturellement, Rosario se joignit à ce groupe, si bien qu'il se démarqua de Rosaire lui-même. À CDN, j'ai relevé trois fois plus de Rosario que de Rosaire pour les années 1880-1899, et deux fois plus pour l'ensemble de la période 1880-1919.

Le nom Rosaire fut illustré sur la scène publique par Rosaire Morin (1923-1999), l'âme dirigeante des États généraux du Canada français des années 1960 ; par Rosaire Gendron (1920-1986), qui fut député à Ottawa et maire de Rivière-du-Loup de 1956 à 1968 ; et, plus près de nous, par Rosaire Bertrand (né en 1936), qui fut député de Charlevoix à l'Assemblée nationale de 1994 à 2007.

Un dernier mot sur le rosaire. Celui-ci connut un temps fort à la fin du XVIe siècle, se retrouvant lié aux rivalités entre les grandes puissances. C'était l'époque où s'affrontaient les Ottomans et les chrétiens de l'Europe. Pour contenir les ambitions de l'ennemi, le pape Pie V prit la tête d'une coalition formée pour l'essentiel de Venise et de l'Espagne, qui remporta à Lépante, le 7 octobre 1571, une brillante bataille navale qui est considérée comme un fait important de l'histoire des relations internationales. Or, comme l'issue de cet affrontement lui avait paru un moment incertaine, et pour appeler en renfort les forces du Ciel, le pape avait invité la chrétienté à prier la Vierge Marie et à « se mettre au rosaire ». Tout naturellement, le pape attribua sa victoire à Marie et déclara le mois d'octobre « mois du Rosaire » (ce qu'il est toujours), et il fit du 7 octobre la fête de Notre-Dame-du-Rosaire (ou Notre-Dame-de-la-Victoire), qu'on fête aujourd'hui encore. Dans un simple rosaire, il n'y a pas que des fleurs, il y a parfois aussi des fusils.

SAMUEL

Prénom du dernier tiers du XXe siècle. Médaillé d'or des années 1990 et 2000.
Prénom du voisinage : SAM.
Prénom féminin : SAMUELLE.

Ce prénom remonte à l'Ancien Testament et à l'hébreu Shemuel, « mon nom est Dieu ». Un des prénoms hébreux qui, comme Élie, Daniel et Ézéchiel, contiennent la forme *el*, « Dieu ».

Samuel, le premier à le porter et à l'illustrer il y a plus de 3000 ans, n'était pas un roi, mais un « faiseur de roi », ce qui était peut-être aussi bien, en tout cas plus sûr. C'est lui qui institua la royauté et qui choisit Saül comme premier roi des Hébreux, puis qui, dix ans plus tard (Saül ayant désobéi à Dieu), lui substitua David qui devint un grand roi. Dans la vie de tous les jours, Samuel était prophète et l'un des douze juges d'Israël – « juge » au sens de « chef militaire ». Serait-ce de là que l'allégorie de la Justice tient son glaive ?

Ce nom a toujours été courant chez les Juifs, sous différentes formes – Shmuel, Sam, Sammy, Chemouel, etc. En Israël, il a été illustré par l'écrivain Samuel Joseph Agnon (1888-1970), Prix Nobel de littérature en 1966 ; aux États-Unis, par Samuel Goldwyn (1879-1974), le pionnier du cinéma hollywoodien ; et, en France, par le comédien Sami Frey (né en 1937). Au Québec, nous connaissons les hommes d'affaires et philanthropes Samuel Steinberg (1905-1979) et Samuel Bronfman (1889-1971). À l'Université de Montréal, le pavillon Samuel-Bronfman abrite une grande bibliothèque et voisine avec le pavillon Lionel-Groulx.

Ce prénom a aussi été porté dans les milieux anglo-protestants, en Angleterre, par les hommes de lettres Samuel Johnson (1709-1784), Samuel Coleridge (1772-1834) et Samuel Butler (1835-1902). Aux États-Unis, par l'inventeur du télégraphe et du code morse, Samuel Morse (1791-1872), par les hommes politiques Samuel Adams (1722-1803) et Sam Houston (1793-1863), par le syndicaliste Samuel Gompers (1850-1924) et par le compositeur Samuel Barber (1910-1981). Sans oublier Sam Jethro, le joueur de baseball, dont le patronyme, ainsi que le prénom, est d'origine biblique (Jéthro était le beau-père de Moïse).

Le prénom Samuel fut présent chez les anglo-protestants du Québec tout au long du XIXe siècle, se classant 19e dans l'ensemble (avec près de 1,4 % de représentation), troisième parmi les prénoms bibliques, après David et Joseph, obtenant ses meilleurs résultats en 1820 et en 1840 avec 2,2 %. Il fut illustré par le patron des Canadiens de Montréal, Sam Pollock (1925-2007), au cours des belles années des conquêtes de la coupe Stanley, et il avait été porté, dans les moins belles années de la conquête anglaise, par Samuel Holland (1728-1801), militaire et haut fonctionnaire britannique d'origine néerlandaise, dont une rue de Québec rappelle la mémoire.

La ville de Québec fut fondée par Samuel de Champlain (v. 1567-1635), mais ce prénom fut presque inexistant en Nouvelle-France (11 mentions au PRDH). Celui-ci donna son nom au lac Champlain qui, pour l'essentiel, se trouve maintenant aux États-Unis. Au XIXe siècle, au Québec, le prénom Samuel demeura discret, même parmi les prénoms bibliques, où il n'occupa que le 6e rang. Il fut tout de même donné en 1866 à un village près de Victoriaville, Saint-Samuel. Dans le roman de Louis Hémon, le père de Maria Chapdelaine s'appelle Samuel.

Ce prénom, qui somnola en France, en Nouvelle-France et au Québec, allait surgir, pour ainsi dire de nulle part, dans les années 1970, avec une telle force qu'il fut le plus populaire cinq ans de suite dans les années 1990, puis en 2004 et en 2005. Dans la population de l'an 2000, c'était le 57e prénom. Et, pour les dix dernières années, il est le 2e (voir **Pouponnières, garderies et maternelles,** p. 176). Parions qu'apparaîtront bientôt au Québec plusieurs belles illustrations de ce très vieux prénom, trois fois millénaire. Déjà, le porte le député et ministre québécois Sam Hamad, qui naquit à Damas en 1958.

SÉBASTIEN

Prénom du dernier quart du XXe siècle.
Prénom du voisinage : BASTIEN.
Prénom féminin : SÉBASTIENNE.

Sébastien vient du mot grec *sebastos*, qui veut dire « vénéré », « vénérable » – même sens qu'Auguste. Sans en avoir l'air, ces deux prénoms, Sébastien et Auguste, sont donc intimement liés. Sébastien a un dérivé, Bastien, très rare au Québec et mieux connu comme patronyme, ainsi qu'un équivalent féminin, Sébastienne.

Le premier à l'avoir illustré est saint Sébastien, dont la vie est mal connue. Nous savons tout de même qu'il fut tué à coups de bâton au IIIe siècle sur l'ordre de Dioclétien, dont il était pourtant le protégé. La célèbre scène où on le voit ligoté à un poteau (ou à un arbre), le corps lardé de flèches (supplice dont il ne mourut pas, puisque les archers, dont Sébastien était le chef aimé, évitèrent de toucher le cœur), a inspiré plusieurs grands artistes, dont Botticelli et Mantegna au XVe siècle, Eugène Delacroix et Honoré Daumier au XIXe siècle. Il a aussi inspiré une œuvre à Claude Debussy, *Le martyre de saint Sébastien*, composée au début du XXe siècle. Saint Sébastien fut « l'un des saints les plus populaires en Occident ». Il devint l'un des patrons de la ville de Rome, le troisième après saint Pierre et saint Paul, et, pendant des siècles, il fut invoqué contre la peste. En rappel de ses souffrances, il fut proclamé saint patron des archers. Être le héros de ses bourreaux est l'ultime victoire de la victime.

En Italie, prend la forme de Sebastiano, représenté par le peintre du XVIe siècle Sebastiano del Piombo. En Espagne, c'est Sebastian, et son nom fut donné à une ville du Pays basque, San Sebastian (Donostia en basque). En Allemagne, où il s'appelle aussi Sebastian, il a donné son nom à celui qui est devenu sa plus célèbre illustration : le compositeur Johann Sebastian Bach (1685-1750). Plus près de notre époque, en Angleterre, il fut illustré dans les sports par le coureur de demi-fond Sebastian Coe (né en 1956), médaillé olympique à Moscou et à Los Angeles.

En France, le prénom fut courant au XVIe siècle, selon le *Larousse*. Après un très long silence, il réapparut dans la seconde moitié du XXe siècle et se classa parmi les premiers. En 1976, sa meilleure année, il atteignit 5 % de représentation. Il fut illustré par l'écrivain Sébastien Japrisot (1931-2003), de son vrai nom Jean-Baptiste Rossi, auteur d'*Un long dimanche de fiançailles*. Jean-Marie Bastien-Thiry (1927-1963), lieutenant-colonel de l'armée de l'air, fut fusillé en 1963 pour avoir participé à un attentat contre le général de Gaulle.

En Nouvelle-France, Sébastien demeura modeste, alors que Sébastienne et Bastien furent presque inexistants. Au Québec, au XIXe siècle, du moins à CDN, il fut même totalement absent. Son nom fut cependant donné à deux villages : l'un en Estrie, fondé en 1846, qui s'est longtemps appelé Saint-Sébastien-de-Frontenac ou Saint-Sébastien-de-Beauce ; l'autre, dans le Haut-Richelieu, près de Henryville, Saint-Sébastien fondé en 1864.

Sébastien sortit d'une longue disette historique au cours de la seconde moitié du XXe siècle, atteignant son sommet dans les années 1970, à 4 % de représentation. Porté par les comédiens Sébastien Dhavernas (né en 1950) et Sébastien Delorme, il est actuellement illustré sur la scène de la chanson engagée par Sébastien Fréchette (né en 1974) et Sébastien Ricard – Biz et Batlam du groupe Loco Locass.

SERGE

Prénom du deuxième tiers du XXe siècle.
Prénom du voisinage : SERGIO.

Le prénom Serge est d'origine latine et vient du nom de famille Sergius. Quatre papes, du VIIe au XIe siècle, se sont appelés Sergius. Beaucoup plus près de nous, Serge fut illustré en version italienne par le réalisateur Sergio Leone (1929-1989).

Né à Rome, c'est toutefois dans les régions orientales du bassin méditerranéen que ce prénom prit racine, plus précisément en Asie mineure (actuelle Syrie), où, vers l'an 300, fut décapité saint Serge, le premier saint de ce nom. Ce prénom connaîtra ses heures de gloire dans les pays orthodoxes, notamment en Russie grâce au moine Serge de Radonège (v. 1314-1392), fondateur d'un monastère qui deviendra un haut lieu de pèlerinage. Lui-même deviendra l'un des patrons de la Russie, contribuant ainsi à la renommée de son prénom. À une époque plus récente, ce nom fut illustré par les compositeurs Sergueï Rachmaninov (1873-1943) et Sergueï Prokofiev (1891-1953), et par le réalisateur de cinéma Sergueï Eisenstein (1898-1948), « une personnalité de créateur hors pair », selon *Le Petit Robert des noms propres*, qui « a marqué de sa forte empreinte le cinéma soviétique ».

Ce prénom tarda à se faire connaître dans les pays de l'Ouest. Inconnu en Angleterre (l'*Oxford* n'en parle pas), il l'était aussi en France au XIXe siècle. En 1920, il était absent de la liste des 60 prénoms les plus populaires, mais, dix ans plus tard (avec l'immigration des « Russes blancs » fidèles au tsar, est-ce un hasard ?), il commença à se signaler. Puis, au lendemain de la Seconde Guerre mondiale, il s'imposa parmi les 20 premiers de 1946 à 1961. Sa meilleure année : 1952, 15e rang. Dans le milieu des affaires et de la politique, il est porté par le sénateur et chef d'entreprise Serge Dassault (né en 1925), et il fut brillamment illustré dans la chanson par Serge Reggiani (1922-2004), Serge Gainsbourg (1928-1991) et Serge Lama (né en 1943). Reggiani, né en Italie, s'appelait Sergio ; et Gainsbourg s'appelait en réalité Lucien Ginsburg. Serge Poliakoff était un peintre né à Moscou en 1900 et arrivé à Paris en 1923, où il mourut en 1969.

Inconnu en France, le prénom Serge l'était aussi en Nouvelle-France (aucune mention au PRDH) et il n'a laissé aucune trace à CDN pour le XIXe siècle. Ce n'est qu'au XXe siècle, à partir des années 1930-1940, qu'il apparut dans nos contrées. Il réussit son meilleur score chez nous en 1952, comme en France ! En 2000, dans l'ensemble de la population, il était le 22e prénom masculin.

Serge est absent de la toponymie de nos villages et de la nomenclature de nos paroisses. En revanche, il est fort bien illustré sur la scène publique. Dans les arts et les lettres, par le musicien Serge Garant (1929-1986) et par l'écrivain Sergio Kokis (né à Rio en 1944). Sur la scène et dans le monde du spectacle, par les animateurs Serge Bélair (né en 1940) et Serge Laprade (né en 1941), et par les comédiens Serge Turgeon (1946-2004), Serge Thériault (né en 1948) et Serge Postigo (né en 1968). Dans les sports, par le joueur de hockey Serge Savard (né en 1946), surnommé le « sénateur ». Et, en politique, par Serge Joyal (né en 1945), un vrai sénateur, et par Serge Ménard (né en 1941), avocat à Montréal, député à Ottawa et ministre à Québec.

SIMON

Prénom du dernier quart du XXe siècle,
avec ses meilleurs résultats dans la décennie 1980.
Prénom du voisinage : SIMÉON.
Prénom féminin : SIMON(N)E.

Un des douze fils de Jacob, Shimeon, a donné en français deux prénoms, Siméon et Simon. Pierre, le chef des apôtres, s'appelait à l'origine Simon. Chez les premiers chrétiens, on relève les saints Simon le Zélote et Simon de Cyrène dans le Nouveau Testament, et au Ve siècle Siméon le Stylite, célèbre pour avoir passé les 40 dernières années de sa vie au sommet d'une haute colonne ! « Un sujet d'étonnement pour tout l'Empire romain », fit remarquer l'un de ses biographes.

Ces prénoms bibliques sont naturellement demeurés courants parmi les Juifs, aussi bien en Israël (l'actuel président de l'État s'appelle Shimon Peres, né en 1923) qu'ailleurs dans le monde. Rescapé des camps, Simon Wiesenthal (1908-2005) consacra sa vie à traquer les criminels de guerre nazis. Le Centre Simon-Wiesenthal poursuit son œuvre.

Chez les chrétiens slaves, Siméon fut porté par un grand prince de Moscou et par deux tsars de Bulgarie. Quant au prénom Simon, il fut illustré par le chef indépendantiste Simon Bolivar (1783-1830), le « Libertador » de plusieurs pays d'Amérique du Sud. Il fut aussi très courant en Angleterre, nous dit l'*Oxford*, presque à l'égal de Peter, mais vit sa popularité décroître après la séparation d'avec Rome (voir **Pierre,** p. 206). Rarissime chez les anglophones du Québec au XIXe siècle, Simon fut illustré à Montréal par Simon McTavish (1750-1804), important homme d'affaires d'origine écossaise (une rue du centre-ville de Montréal rappelle son souvenir). Le nom de l'explorateur Simon Fraser (1776-1862) a été donné à une université de la Colombie-Britannique fondée en 1963.

En France, le prénom Simon, courant au Moyen Âge, fut illustré par Simon de Montfort (1150-1218), un guerrier qui, après les croisades, revint en France et retourna ses armes contre les Albigeois. Après un XIXe siècle discret, Simon retrouva un peu de sa force au XXe siècle, mais ses résultats furent incomparables avec ceux du prénom Simone (ou Simonne) qui, lui, connut le succès dès le début du siècle et en jouit pendant une trentaine d'années, se classant parmi les dix premiers (parfois même parmi les cinq premiers) de 1908 à 1938.

Simon eut un certain succès en Nouvelle-France, ses 768 mentions au PRDH le classant autour du 30e rang, très loin devant Siméon. Ces deux prénoms demeurèrent discrets au XIXe siècle. Siméon fut illustré par Siméon Lesage (1835-1909), haut fonctionnaire à Québec, et par Siméon Pagnuelo (1840-1915), juge à Montréal.

C'est dans les années 1960 que Simon commença à se démarquer, et dans les années 1985-1989 qu'il réalisa ses meilleurs scores, parmi les dix meilleurs, avec 2,5 % de représentation. Dans l'ensemble de la population de l'an 2000, il se situait au 36e rang des prénoms masculins. De nos jours, il est encore populaire (voir **Pouponnières, garderies et maternelles,** p. 176). Comme en France, il fut précédé dans la voie du succès par le prénom Simone, le prénom féminin le plus populaires de 1912 à 1914. Simon est illustré par l'animateur de télé Simon Durivage (né en 1944) et par Simon Brault, haut fonctionnaire et animateur des milieux culturels. Simon-Napoléon Parent (1855-1920) fut le premier ministre du Québec de 1900 à 1905.

Ces deux prénoms sont présents dans notre toponymie. Siméon a inspiré le nom de deux villages fondés vers 1869, l'un en Gaspésie, près de Bonaventure, l'autre dans Charlevoix, au nord-est de La Malbaie. Deux autres portent le nom de Saint-Simon, l'un près de Trois-Pistoles, l'autre près de Saint-Hyacinthe, fondés vers 1830, auxquels s'ajoutent le village de Lac-Simon, dans l'Outaouais, et la réserve indienne (Algonquins) du même nom en Abitibi, au sud-est de Val-d'Or.

STANISLAS

Présent mais discret au XIXe siècle.
Prénoms du voisinage : LADISLAS, STAN, WENCESLAS.

Trois prénoms slaves avec terminaison en « as » ont été observés à CDN pour le XIXe siècle : Stanislas, Wenceslas et Ladislas. Seul le premier a connu un certain succès.

Contrairement à Stanley, qui vient d'Angleterre et avec lequel il partage le diminutif Stan, le prénom Stanislas vient de Pologne, comme les premiers saints de ce nom. Nous connaissons l'évêque de Cracovie, saint Stanislas (1030-1079), qui, assassiné par le roi qu'il venait d'excommunier, fut canonisé au XIIIe siècle et proclamé patron de la Pologne. Un autre saint polonais, Stanislas Kostka (1550-1568), bien connu des Québécois (spécialement des habitants de Saint-Stanislas-de-Kostka en Montérégie), était parti à Rome pour devenir jésuite, mais il mourut des privations et de l'ascèse qu'il s'était imposées. Il n'avait que 18 ans. Canonisé en 1726, il fut proclamé patron de la jeunesse.

Au XVIIIe siècle, deux rois de Pologne portèrent ce nom. Le premier, Stanislas Leszczyński (1677-1766), était connu et estimé en France pour avoir reçu deux duchés qu'il sut bien gouverner (il fut donc duc de Lorraine et de Bar), mais surtout parce que sa fille Maria épousa Louis XV, devenant ainsi reine de France. Ces événements firent connaître en France le prénom Stanislas, qui demeura toutefois discret. Au XIXe siècle, il ne figurait pas parmi les 100 prénoms les plus populaires. Il est illustré aujourd'hui par la place Stanislas de Nancy (voulue par Leszczyński, l'ancien roi de Pologne), inscrite au patrimoine mondial de l'UNESCO, ainsi que par une maison privée d'enseignement de Paris, le Collège Stanislas, fondé en 1804, le grand frère de notre propre « Stan » de Montréal.

Pour la Nouvelle-France, le PRDH relève 80 occurrences pour Stanislas, deux pour Wenceslas, aucune pour Ladislas. Situation très semblable au XIXe siècle au Québec, où seul Stanislas fut quelque peu usité (ses meilleurs résultats : 0.5 % en 1840 ; 0,6 % en 1860). Peu courant au XXe siècle, il disparut dans les années 1920. On le retrouve cependant dans notre littérature populaire sous les traits (et sous la forme diminutive) de Stan Labrie, un des personnages de *La famille Plouffe*, interprété par Jean Duceppe à la télé et par Donald Pilon au cinéma.

Stanislas a trouvé place dans la dénomination de nos villages, place qu'il doit entièrement, selon la Commission de toponymie du Québec, au jésuite Stanislas Kostka qui inspira la fondation des trois Saint-Stanislas que compte le Québec. Le village de la Mauricie date du XVIIIe siècle ; celui de la Montérégie, du XIXe ; et, celui du Lac-Saint-Jean, du XXe. Dans la région de Nicolet, on relève aussi le village de Saint-Wenceslas (Vaclav en tchèque), du nom du patron de la Bohême, qui vécut au Xe siècle et qui laissa aussi son nom à une célèbre place de Prague. La forme tchèque du prénom a été illustrée à notre époque par l'écrivain et homme politique Vaclav Havel (né en 1936), qui fut président de la République tchèque de 1990 à 2003.

Stanislas fut illustré en politique par Pierre-Stanislas Bédard (1762-1829), député au parlement du Bas-Canada, chef du Parti canadien et fondateur du journal *Le Canadien*; et par l'abbé Stanislas Lortie (1869-1912), prêtre et écrivain, l'un des dirigeants de la Société du parler français au Canada (SPFC).

Par ailleurs, le rarissime Ladislas (une seule occurrence sur plus de 12 000 observations) fut illustré par Jacques-Ladislas-Joseph de Calonne (1743-1822), prêtre catholique, frère d'un ministre de Louis XVI, qui, chassé de France par la Révolution, et après un séjour à Londres, aboutit à Trois-Rivières où il vécut de 1807 à 1822. Aumônier des Ursulines, curé et vicaire général de sa ville d'adoption, il fut un prédicateur recherché sur les deux rives du Saint-Laurent. On peut penser que les idées qu'il propageait n'étaient pas celles que répandaient à la même époque Pierre-Stanislas Bédard et les patriotes du Parti canadien.

SYLVAIN

Prénom de la seconde moitié du XXe siècle.
Médaillé d'or dans les années 1960.
Prénoms du voisinage : DASYLVA, SILVÈRE, SYLVA, SYLVESTRE, SYLVIO.
Prénoms féminins : SYLVA, SYLVAINE, SYLVANIE, SYLVANNE, SYLVETTE, SYLVIA, SYLVIANE, SYLVIE, SYLVINA.

Silvanus, chez les Romains, était le dieu des Forêts et de la Végétation, symbole de fertilité et d'élan de vie. C'est lui qui est à la source de notre Sylvain (*silva* en latin signifie « bois », « forêt »). Par son aspect champêtre, le dieu Silvanus rappelle Pan, ce dieu grec qui avait une flûte – la flûte de Pan – et qui aimait la musique et les choses de l'amour.

D'autres prénoms dérivent du même mot latin : Sylva et Dasylva, les plus approchants ; Sylvio, le cousin italianisant ; Silvère et Sylvestre, qui, loin des représentations mythologiques grecques ou latines, nous rappellent plutôt d'austères papes des premiers siècles, saint Sylvestre au IVe, saint Silvère au VIe, tous deux représentés dans notre toponymie, près de Victoriaville et de Bécancour, contrairement à Sylvain, qui en est absent. Côté féminin, au XIXe siècle, quelques rares Sylvia, Sylvina et Sylvanie ; et, au XXe siècle, Sylvie, de loin la plus connue, elle aussi de haute mémoire, Silvia étant, dans la mythologie romaine, la mère des fondateurs de Rome, Romulus et Remus.

En Angleterre, à la place de Sylvain, inconnu, trois prénoms : Silas, Sylvester et Forrest. Le premier, porté par un personnage du temps de saint Paul, fut en usage au XVIIe siècle dans les milieux de dissidence religieuse. Le deuxième, Sylvester, connu au Moyen Âge, devint rare après la rupture d'avec Rome. (Sylvester Stallone, le comédien américain né en 1946, pourrait sans doute en témoigner, mais, d'origine italienne, peut-être a-t-il été baptisé Silvestro ?) Enfin, le prénom Forrest eut son heure de gloire à Hollywood dans les années 1990, grâce au film *Forrest Gump*, dont le titre évoque un général sudiste, chef du Ku Klux Klan, Nathan Bedford Forrest (1821-1877). Il est actuellement porté par l'acteur américain Forest Whitaker (né en 1961). Chez les anglo-protestants du Québec au XIXe siècle, ces prénoms furent rares : quatre Silas et cinq Forrest sur 7700.

En France, Sylvain était connu au XIXe siècle, mais demeura discret, au 75e rang. Il devra attendre vers les années 1980 pour se donner de la visibilité, naviguant pendant quelques années autour du 20e rang. En revanche, Sylvie, pourtant plus discrète encore que Sylvain au XIXe siècle, fut parmi les dix prénoms les plus populaires de 1956 à 1972, et fut la plus populaire de 1961 à 1964. Nous connaissons la chanteuse Sylvie Vartan (née en 1944).

En Nouvelle-France, Sylvain était à peine connu (19 mentions au PRDH), et Sylvestre fit un peu mieux que lui. Au XIXe siècle, le prénom Sylvain devint même invisible : aucune mention à CDN, ni la moindre place dans la toponymie de nos villages. De tous les prénoms qui lui sont apparentés, seul Sylvio finit alors par se faire remarquer, grâce à la vague de prénoms italiens apparus au Québec vers 1890. Sylvio (avec un *y*, contrairement aux Italiens, qui l'écrivent avec un *i*, par exemple Silvio Berlusconi) fut illustré chez nous par le hockeyeur Sylvio Mantha (1902-1974), qui laissa son nom à un aréna de Montréal ; et par le musicien Sylvio Lacharité (1914-1983), qui laissa son nom à une salle de spectacle de Sherbrooke et à une colline près de Magog, le mont Sylvio-Lacharité. Par ailleurs, le journaliste et écrivain Sylva Clapin (1853-1928) publia un *Dictionnaire canadien-français* en 1894.

Par la suite, le prénom Sylvain, qui n'avait été qu'un petit arbuste, allait devenir, au cours des années 1960, une haute futaie, atteignant le 1er rang deux fois au cours de cette décennie. S'étant maintenu longtemps au-dessus de la barre de 1 %, il occupait le 19e rang des prénoms masculins dans la population de l'an 2000.

Mais Sylvie fit encore mieux que lui : première dix années de suite, de 1955 à 1964, représentant en 1962 pas moins de 8,5 % des filles, elle était en 2000 le deuxième prénom féminin parmi la population, derrière Louise.

Sylvain est illustré en politique par Sylvain Simard (né en 1945), député et ancien ministre. Dans les arts et les lettres, par le poète Sylvain Garneau (1930-1953) et par les chanteurs-compositeurs Sylvain Lelièvre (1943-2002) et Sylvain Cossette (né en 1963). L'ingénieur Sylvain Abitbol est un dirigeant de la communauté sépharade.

Télesphore

Prénom du XIXe siècle, notamment du milieu du siècle.
Prénoms du voisinage : Anastase, Célestin, Éleuthère, Évariste, Hormisdas, Marin, Romain, Urbain, Valentin.

Il n'y a pas si longtemps, au Québec, un homme politique très connu portait ce nom, Télesphore Bouchard, dont nous parlerons plus loin. Cela dit, il y a belle lurette que ce prénom est disparu de nos journaux et de nos médias.

On sait qu'il vient du grec *telesphorès*, qui veut dire « qui accomplit, qui atteint son but ». On sait aussi que le huitième pape, qui régna au IIe siècle, s'appelait ainsi. En revanche, on ne trouvera aucun Télesphore parmi les têtes couronnées, ni parmi les écrivains et les artistes ni chez les autres grands personnages de l'Histoire.

On ne s'étonnera donc pas d'apprendre que ce prénom semble avoir été inconnu en France et en Angleterre. L'*Oxford* n'en souffle mot, pas plus que le *Larousse*, alors que Dupâquier n'en a trouvé qu'une poignée. Par ailleurs, le PRDH nous apprend que ce prénom était inconnu en Nouvelle-France. De surcroît, on ne lui connaît aucun vis-à-vis féminin.

Au Québec, au XIXe siècle, Télesphore n'était pas le seul prénom issu des premiers siècles de la papauté. Certains de ces noms nous venaient du latin (Célestin, Marin, Romain, Urbain, Valentin) ; d'autres, du grec (Anastase, Éleuthère, Évariste, Hormisdas). Or, de tous ces noms, Télesphore est le seul, outre Hormisdas (voir ce nom), à s'être démarqué au Québec.

Certes, il demeura discret, mais n'en fut pas moins présent dans toutes les décennies (du moins à CDN), et il réussit même, dans les années 1850, sa meilleure décennie, à se hisser au 22e rang et à s'approcher de la barre du 1 %. Il s'est trouvé une place dans la toponymie grâce au village de Saint-Télesphore, près de Vaudreuil, qui date de 1858, et à celui du même nom dans le comté de Lévis, fondé en 1876, mais qui a été absorbé par Saint-Romuald.

Ce prénom fut illustré par Télesphore Fournier (1823-1896), ministre de la Justice à Ottawa et juge à la Cour suprême, par Télesphore Saint-Pierre (1869-1912), journaliste, écrivain et militant de la cause franco-américaine, et par Télesphore Parizeau (1867-1961), doyen de la Faculté de médecine de l'Université de Montréal et premier d'une lignée d'universitaires. Dans le roman de Louis Hémon, le frère cadet de Maria Chapdelaine s'appelle Télesphore.

Sur la scène municipale, le prénom fut porté par les maires Simard (1878-1955) de Québec, Normand (1832-1918) de Trois-Rivières et Bouchard (1881-1962) de Saint-Hyacinthe. Ce dernier fut journaliste au *Clairon de Saint-Hyacinthe*, maire de sa ville pendant 25 ans, député à Québec (où il fut élu en 1912 et où il devint chef de l'opposition), puis ministre dans le gouvernement Godbout. Président d'Hydro-Québec en 1944, il siégea au Sénat de 1944 à 1962. Ajoutons qu'il était un « anticlérical », du moins est-ce ainsi qu'on appelait alors les partisans de la séparation de l'Église et de l'État. Il se prénommait Télesphore-Damien, mais tout le monde le connaissait sous ses initiales, « T.-D. », qui formaient sa véritable identité.

Télesphore-Damien pour l'état civil ; T.-D. pour la vie publique ; T.-D. Bouchard pour l'Histoire. Mais l'Histoire ne nous dit pas ce que cet anticlérical pensait de son prénom, venu d'un saint qui fut pape au IIe siècle.

Théodore et Théophile

Prénoms discrets au XIXe siècle.
Prénoms du voisinage : Adéodat, Adonaï, Amédée, Dieudonné, Dosithée, Emmanuel, Salvador, Théode, Théodose, Théodule, Théogène, Théotime, Timothée.
Prénoms féminins : Dorothée, Dositée Théodora.

Nos prénoms étaient presque tous à l'origine des noms de saints, donnés comme tels. Des saints, le plus souvent haut placés dans la hiérarchie du culte : apôtres Pierre, Jean ou Jacques, etc. Voire des membres de la famille même de Jésus : Marie, Joseph, Anne, Jean-Baptiste, etc.[21].

21. Quant au prénom Jésus, il existe en espagnol, mais pas en français. Cependant, Sauveur, qui est connu au Québec par le village de Saint-Sauveur dans les Laurentides, a un équivalent espagnol, Salvador, que j'ai relevé une fois à CDN (année 1890).

Dieu lui-même a aussi sa place parmi nos prénoms. À sa manière, et selon une très ancienne tradition remontant au temps des premiers chrétiens. La langue de l'Église à l'époque étant le grec, c'est en faisant usage du mot *theos* (« dieu » en grec), comme dans « théologie » ou « théocratie », que cette présence s'est manifestée. De nombreux prénoms en portent la marque. Aucun n'a été dominant, mais deux ont été plus fréquents que les autres au Québec (et ailleurs dans le monde) : Théodore et Théophile.

Ces deux prénoms (et leurs vis-à-vis féminins, Théodora en particulier) étaient très répandus parmi les premiers chrétiens, en raison même de leur valeur symbolique. Il ne devait pas être banal, en effet, de s'appeler « Don-de-Dieu » (Théodore) ou « Ami-de-Dieu » (Théophile). À Rome, trois papes (dont un antipape[22]) se sont appelés Théodore, ainsi que plusieurs saints, dont un ancien soldat romain martyrisé pour sa foi nouvelle. L'Église en fit le saint patron des militaires. À Byzance, le nom Théodore fut porté par deux empereurs au XIIIe siècle, et Théodora, par deux impératrices, au VIe et au IXe siècle. La première joua le rôle de conseillère auprès de son mari, Justinien Ier.

Le prénom Théodore se répandit en Europe, vers l'est notamment. En Russie, on l'appelle plutôt Fédor (ou Fiodor), et il fut porté par trois tsars au XVIe et au XVIIe siècle, ainsi que par l'écrivain Fiodor Dostoïevski (1821-1881) et par le chanteur Féodor Chaliapine (1873-1938). Il fut aussi illustré par l'écrivain hongrois, promoteur de l'État d'Israël, Theodor Herzl (1860-1904), par l'homme politique allemand Theodor Heuss (1884-1963) et par le chanteur et acteur américain d'origine autrichienne Theodor Bikel (né en 1924). Un célèbre compositeur grec le porte dans son patronyme : Mikis Theodorakis (né en 1925). Dans certains pays slaves, il s'appelle Bogdan, qui veut dire « don de Dieu » en vieux slavon.

En Angleterre, au VIIe siècle, un archevêque joua un rôle important dans les affaires de l'Église, saint Théodore de Cantorbéry (né à Tarse, dans la Turquie actuelle), mais le prénom Theodore, nous dit l'*Oxford*, n'apparut en Angleterre qu'au XVIIe siècle et se fit rare jusqu'au XIXe siècle, quand il connut une certaine vigueur. Parmi les anglo-protestants du Québec, il fut très discret, bien qu'on le relève tout au long du XIXe siècle (15 mentions sur 7700, soit 0,2 %). Chez nos voisins du Sud, il fut illustré par Theodore Roosevelt (1858-1919), président des États-Unis de 1901 à 1908. Quant à Theophilus, comme l'appellent les Anglais, il ne fut guère en usage en Angleterre.

22. Pape non reconnu par l'Église.

En France, nous dit le *Larousse*, c'est à partir de la Renaissance qu'on remarque ces prénoms, mais ils ne furent jamais fréquents. Théodore fut illustré au XIXe siècle par le peintre Théodore Géricault (1791-1824), par l'écrivain Théodore de Banville (1823-1891) et par le chansonnier Théodore Botrel (1868-1925). Théophile, par l'écrivain Théophile Gautier (1811-1872) et par l'homme politique Théophile Delcassé (1852-1923).

En Nouvelle-France, ces deux prénoms eurent une présence discrète (122 mentions pour Théodore, 91 pour Théophile), tout comme au Québec au XIXe siècle – Théophile faisant alors mieux toutefois que Théodore, du moins à CDN. Ce dernier fut illustré par Théodore Robitaille (1834-1897), lieutenant-gouverneur de 1879 à 1884, et par l'industriel Charles-Théodore Viau (1843-1898), fondateur de la biscuiterie Viau de Montréal. Quant au prénom Théophile, il fut porté par le peintre Théophile Hamel (1817-1870). L'un des douze patriotes morts sur l'échafaud en 1839 s'appelait Pierre-Théophile Decoigne (1808-1839). Deux villages témoignent de ces noms : Saint-Théodore-d'Acton (milieu du XIXe siècle) en Montérégie ; Saint-Théophile (fin du XIXe siècle) en Beauce.

À ces deux prénoms s'ajoutent cinq prénoms, plus rares, que j'ai relevés à CDN, présentés ici par ordre de fréquence : Théodule, le « serviteur de dieu » ; Théodose, « don de dieu » ; Théotime, « qui craint, respecte dieu » ; Théogène ; et Théode. Même regroupés, ces prénoms formés de l'élément *Théo* (sept au total) ont eu une fréquence modeste au XIXe siècle : 92 petites mentions sur 12 500. Soulignons tout de même que, des années 1820 aux années 1860, ces prénoms atteignirent souvent la barre du 1 % et parfois la dépassèrent. Ils se feront encore plus discrets par la suite et termineront le XIXe siècle avec environ 0,3 % de représentation.

Mais, attention ! « Dieu est partout », nous disait *Le Petit Catéchisme*, et il peut se dissimuler sous d'autres prénoms. Ainsi, Amédée, qui vient du latin, a exactement le même sens que Théophile : « Celui qui aime Dieu. » De même, Adéodat et Dieudonné signifient « don de Dieu », tout comme Théodore.

Enfin, le *theos*, le « dieu » du prénom grec, se dissimule parfois en s'inversant. Ainsi, Timothée est l'exact inverse de Théotime, et il a le même sens, « celui qui craint Dieu ». Thimotée est tout de même plus connu, quoique guère plus fréquent (son nom a été donné au début du XIXe siècle à un village de la Montérégie, Saint-Timothée, près de Valleyfield). L'inversion sans doute la plus inattendue est celle qui nous conduit du masculin Théodore au féminin Dorothée ! Même chose pour Dosithée, qui est l'inversion de Théodose. Parions tout de même que ceux qui ont choisi ces prénoms pour leurs filles ne songeaient pas à son étymologie, mais plutôt à sa sonorité.

Au terme de ce tour d'horizon, constatons que personne n'a porté le prénom Dieu. Toutefois, le prénom Emmanuel, qui nous vient de l'hébreu biblique, connu au XIXe siècle et plus encore de nos jours, signifie « Dieu parmi nous », tandis que le prénom Adonaï, totalement oublié aujourd'hui, mais que j'ai relevé trois fois, est l'un des noms de Dieu dans l'Ancien Testament. Enfin, j'ai aperçu un Deus (Deus Marcotte, né dans les années 1870), ce qui n'est pas banal, mais celui-ci n'était peut-être au fond que le diminutif d'Amadeus, si bien porté par Mozart qui, en traduisant le Gottlieb qu'il avait reçu à la naissance, en avait fait son second prénom.

THOMAS

Présence discrète au XIXe siècle, mais retour en force à la fin du XXe.
Médaillé d'or en 2008.
Prénom du voisinage : Tommy.

D'origine araméenne, Thomas est le nom d'un des douze apôtres, celui qui est resté dans notre mémoire collective comme l'incrédule de la famille. « Je le croirai quand je l'aurai vu de mes yeux vu. » Ce qui lui valut tout de même d'être aujourd'hui le patron des juges.

Le prénom se répandit dans les pays de la chrétienté et il y eut plusieurs saints de ce nom. D'Italie, de la ville d'Aquino, un moine dominicain, philosophe et théologien, professeur d'université à Paris et ailleurs, Thomas d'Aquin (1228-1274), qui sera canonisé en 1323, et dont la pensée (appelée le « thomisme ») sera déclarée doctrine officielle de l'Église. Les anciens de nos collèges classiques l'ont bien connu. D'autres Thomas, qui n'étaient pas tous des saints, se sont aussi distingués dans l'Église, l'Espagnol Torquemada (1420-1498), le Grand Inquisiteur, se prénommait Tomas.

Un peu plus tôt, et beaucoup plus au nord, un autre Thomas s'est signalé, en Angleterre celui-là, Thomas Becket (1118-1170), un évêque de Canterbury. L'importance du personnage, les circonstances de sa mort (il fut assassiné sur l'ordre d'un roi qui avait été son ami et dont il avait été le principal conseiller), son sacrifice au nom des droits de l'Église face à ceux de la couronne, bref, tout concourut à en faire une vedette que Rome canonisa presque instantanément. Pour les chrétiens de l'Europe entière, et d'abord pour ceux d'Angleterre, Canterbury devint après sa mort un haut lieu de pèlerinage.

Son prénom deviendra dès le XIIe siècle un des plus courants en Angleterre – *one of the half-dozen commonest men's names in England,* nous dit l'*Oxford.* Il fut illustré dans de nombreux domaines, notamment dans le martyrologe, plus d'une trentaine de catholiques prénommés Thomas ayant été mis à mort en Angleterre. Parmi eux, Thomas More (1478-1535), chancelier du royaume et auteur d'*Utopia*, qu'Henry VIII fit décapiter pour avoir dénoncé son divorce. More sera canonisé en 1935. Par ailleurs, le prénom fut illustré en philosophie par Thomas Hobbes (1588-1679), dans les arts par Thomas Chippendale (1718-1779), qui laissa son nom à un style mobilier, et par le peintre Thomas Gainsborough (1727-1788). Dans les lettres, par les écrivains Thomas Gray (1716-1771) et Thomas De Quincey (1785-1859). L'économiste Thomas Malthus (1766-1834) a laissé son nom à la doctrine du « malthusianisme ». On peut penser qu'il ne s'intéressait pas beaucoup aux prénoms donnés aux nouveau-nés.

Naturellement, ce prénom profondément ancré dans les traditions anglaises se répandra ailleurs dans le monde anglo-saxon. Aux États-Unis, il fut illustré par l'intellectuel et pamphlétaire Thomas Paine (1737-1809), par le troisième président du pays Thomas Jefferson (1743-1826) et par l'inventeur Thomas Edison (1847-1931). Plus près de nous, il évoque le souvenir de Tommy Douglas (1904-1986), le chef du Nouveau Parti démocratique (NPD), qui se signala par son courage en votant contre la décision d'Ottawa d'imposer au Québec la Loi des mesures de guerre en octobre 1970.

La grande popularité de ce prénom parmi les Anglo-Saxons se remarqua à Montréal au XIXe siècle. Chez les protestants, il représenta 5,2 % des prénoms (402 sur 7700), ce qui le plaça au 6e rang pour le siècle. Sa position était plus forte encore chez les irlando-catholiques : 7,7 % (388 sur 5000), à peu près comme le prénom Patrick (8,08 %).

Si le prénom Thomas a suscité une adhésion si forte et si durable chez les Anglo-Saxons, il n'en fut pas de même en France, où il survécut après le Moyen Âge surtout comme patronyme. C'est ainsi qu'au XIXe siècle on ne retrouve Thomas qu'au 93e rang des prénoms masculins. Mais, après de longues décennies de silence quasi absolu, Thomas surgira du néant au cours du dernier quart du XXe siècle et atteindra même le 1er rang pendant quelques années, à la fin du siècle. Il est actuellement représenté par le chanteur Thomas Fersen (né en 1963).

En Nouvelle-France, ce prénom occupa une place respectable (près de 900 mentions au PRDH). Au XIXe siècle, au Québec, il demeura cependant discret, se maintenant autour de 0,6 %. Mais, Thomas, aidé de son nouveau copain Tommy, effectua un spectaculaire retour en force au cours des années 1990. Il est au 5e rang pour les dix dernières années, mais il serait le plus populaire si on lui ajoutait les Tommy (voir **Pouponnières, garderies et maternelles,** p. 176). Il fut médaillé d'or en 2008. À n'en pas douter, ces prénoms seront un jour fort bien illustrés chez nous.

Rappelons que Thomas fut illustré par l'évêque de Trois-Rivières Thomas Cooke (1792-1870) et par l'homme politique et historien Thomas Chapais (1858-1946). Plus près de nous, il fut porté par le juge Thomas Tremblay (1895-1988), qui présida dans les années 1950 une importante étude sur la place du Québec dans le système politique canadien. Actuellement, il est représenté par Thomas Mulcair (né en 1954), député à Ottawa, et par le chanteur Thomas Hellman (né en 1975).

Trois villages portent le nom de Saint-Thomas. Deux remontent au milieu du XIXe siècle, l'un près de Joliette, l'autre près de Pierreville, et le plus récent, du début du XXe siècle, au Saguenay, Saint-Thomas-Didyme (du nom de l'apôtre de Jésus). À ces trois villages s'ajoute celui de Saint-Thomas-d'Aquin, du nom du célèbre philosophe. Tenue par les dominicains, cette paroisse fut érigée canoniquement en 1893, quelques années seulement après que le pape Léon XIII eut proclamé le thomisme base officielle de la philosophie chrétienne. À sa manière, ce petit village témoigne aujourd'hui de ce qui fut un grand nom de la pensée au Québec.

Toussaint, Pascal et Noël

Trois prénoms discrets au XIXe siècle.
Seul Pascal reviendra en force dans le dernier tiers du XXe siècle.
Deux graphies : Pascal, Paschal.
Prénom du voisinage : Jean-Noël.
Prénoms féminins : Pâquerette, Pascale, Pascalina, Pascaline, Pasquelière, Marie-Noëlle, Noella, Noëlle, Noélie, Nathalie, Nathélia, Nativa.

Certains noms de fêtes chrétiennes étaient donnés comme noms de baptême, notamment aux enfants nés le jour de ces fêtes : Toussaint, Noël, Pascal, etc. C'est en Espagne et en Italie, semble-t-il, que cette pratique était la plus répandue. En France, sans être encouragée (elle fut même interdite par certains conciles provinciaux), cette pratique était connue. En témoignent, à l'époque de Henri IV, le peintre Toussaint Dubreuil (1561-1602) ; et, au XVIIIe siècle, le héros de la révolte des esclaves en Haïti, Toussaint Louverture (1743-1803). Au XIXe siècle, toutefois, ces prénoms n'étaient plus très populaires en France, Noël, le mieux placé, devant se contenter d'une lointaine 100e place. Cependant, au xxe siècle, Pascal vint ragaillardir le groupe, en occupant une position de pointe dans le dernier quart du siècle. Il est actuellement illustré par l'écrivain Pascal Quignard (né en 1948).

En tout cas, ces prénoms avaient cours en Nouvelle-France: selon le PRDH, Toussaint, le plus connu, s'est classé, pour l'ensemble de la période, au 24e rang des prénoms masculins (avec quelque 1000 mentions), tandis que Pascal et Noël comptaient chacun près de 500 mentions. Au xviie siècle, Noël fut illustré par le père Chabanel, qui fut martyrisé en 1649 et canonisé en 1930.

Au Québec, au xixe siècle, Pascal semble avoir été le plus discret des trois. Il fut illustré par le seigneur Paschal Taché (1786-1833) et par le député Pascal Chagnon (1765-1825). Toussaint était alors le plus connu, du moins dans la première moitié du siècle, mais sa place demeura modeste. Une liste nominative dressée dans les années 1837-1838 le place tout de même à 1 % des noms cités. Il fut porté par l'abbé Toussaint-Victor Papineau (1798-1869), frère de Louis-Joseph Papineau. Plus près de nous, Toussaint McNicoll (1906-1994) siégea à la Cour supérieure dans les années 1960-1970.

Noël se remarqua surtout dans la seconde moitié du xixe siècle et au début du xxe siècle. Il fut illustré en politique par Jean-Noël Lavoie (né en 1927), maire de Laval et président de l'Assemblée législative, et par Jean-Noël Tremblay (né en 1926), ancien ministre de la Culture. Pascal, qui avait été jusqu'alors silencieux, voire inexistant, se mettra en mouvement et atteindra son sommet dans les années 1970 avec près de 3,5 % de représentation.

Pascal et Noël ont leur place dans la toponymie de nos villages grâce au village de Saint-Pascal, dans le Kamouraska, fondé dans la première moitié du xixe siècle (et longtemps orthographié Paschal), ainsi qu'à Saint-Noël, dans la Matapédia, nom qui fut donné en 1945, après la canonisation de Noël Chabanel. En outre, deux paroisses catholiques sont dédiées à saint Noël Chabanel, à Laval et à Saint-Jean-sur-Richelieu. La paroisse Saint-Pascal-Baylon de Montréal porte le nom d'un religieux espagnol du xvie siècle.

Il n'y a pas de village du nom de Toussaint. Celui-ci serait sans doute oublié aujourd'hui, cette fête ayant perdu son statut de congé férié, si son souvenir ne se perpétuait dans la toponymie, du moins à Montréal, où les autorités ont voulu rendre hommage à Toussaint Louverture, le héros haïtien, en donnant son nom à une rue (1988) puis à un parc de l'arrondissement Ville-Marie (2005).

Victor

Présent tout au long du XIXe siècle, mais assez discret.
Un certain regain de vie à la fin du XXe siècle.
Prénoms du voisinage : Vincent, Victorin, Victorien.
Prénoms féminins : Victoire, Victoria, Victorine.

À Rome, dans l'Antiquité, le nom Victor (« vainqueur », en latin) était souvent donné à des chefs politiques ou à des généraux après leurs victoires. Il fut aussi porté par Hercule[23], sans doute pour nous rappeler que la victoire est toujours du côté du plus fort.

Chez les premiers chrétiens, le prénom Victor était courant grâce à sa signification spirituelle – la victoire acquise sur la mort. Trois papes l'ont porté. Le plus connu, Victor Ier, qui régna de 189 à 199, contribua à renforcer la position de Rome face aux chrétiens orientaux et fit du latin la langue de l'Église, à la place du grec. Deux autres papes du XIe siècle porteront ce nom, mais aussi deux antipapes au XIIe siècle.

Victor fut en usage dans tous les pays du continent européen. Dans les États de la péninsule italienne, des têtes couronnées l'ont illustré : aux XVIIe et XVIIIe siècles, trois Victor Amédée, trois ducs de Savoie, dont l'un sera roi de Sardaigne. Aux XIXe et XXe siècles, trois Victor Emmanuel (Vittore Emmanuele), dont le deuxième sera roi d'Italie en 1861, le premier à porter ce titre. Victor est demeuré courant en Italie, illustré au cinéma par Vittorio De Sica (1902-1974) et par Vittorio Gassmann (1922-2000).

En Angleterre, le nom se répandit plus tardivement, vers la fin du XIXe siècle, nous dit l'*Oxford*. À l'origine de ses succès anglais, la forte présence de la reine Victoria, née en 1819, montée sur le trône en 1837, qui régna jusqu'en 1901. Celle-ci tenait son nom de sa mère, qui était allemande, Maria Louisa Victoria de Saxe-Cobourg. Chez les anglophones du Québec, Victor ne se signala qu'à compter de 1880. Ce prénom évoque Victor Goldbloom (né en 1923), le « docteur Goldbloom », qui fut député et ministre à Québec, commissaire aux langues officielles à Ottawa et président du Congrès juif à Montréal.

En France, c'est un peu plus tôt, à partir de la Révolution, que se répandit Victor. Au XIXe siècle, il se classa au 16e rang, selon le *Larousse*. Victor Hugo (1802-1885) l'illustra de la plus brillante manière, mais ce prénom fut aussi porté par le

23. Le temple d'Hercule Victor à Rome.

philosophe Victor Cousin (1792-1867), par l'homme politique Victor Schoelcher (1804-1893), par l'architecte Victor Baltard (1805-1874). L'écrivain Victorien Sardou (1831-1908) porta l'un des diminutifs du prénom.

Victor était assez rare en Nouvelle-France (61 mentions au PRDH), Victorin et Victorien plus encore. Au XIXe siècle, au Québec, du moins à CDN, il réussit à se classer parmi les 25 premiers dans trois décennies (1820, 1860 et 1870). Sa popularité de la seconde moitié du siècle lui vint sans doute, en partie, de la présence à ses côtés du prénom féminin Victoria, qui atteignait, lui aussi, environ 1 % de représentation. À l'époque, le prénom de la reine d'Angleterre semble avoir été plus courant chez les Canadiennes françaises que chez les Anglo-Québécoises. Au XXe siècle, Victor fut sur une longue pente descendante jusqu'aux années 1960, mais on observe un léger regain de popularité depuis les années 1980 (voir **Pouponnières, garderies et maternelles,** p. 176).

Le prénom fut illustré par Victor Bourgeau (1809-1888), architecte d'églises et d'autres immeubles religieux, par l'homme politique Louis-Victor Sicotte (1812-1889), copremier ministre à l'époque du Canada-Uni, et par le sulpicien Victor Rousselot (1823-1889), qui fut curé de Notre-Dame de Montréal. Plus près de nous, il fut porté par le président de la Société historique de Montréal et de la Société Saint-Jean-Baptiste Victor Morin (1865-1960), par le président de la Commission des écoles catholiques de Montréal Victor Doré (1880-1954) et par le fondateur en 1944 de l'Académie canadienne-française Victor Barbeau (1896-1994). Victor-Elzéar Delamarre (1888-1955) a été l'un des hommes forts du Québec, alors que le général Jean-Victor Allard (1913-1996), premier Canadien français à atteindre le rang de chef des armées canadiennes, deviendra l'un des hommes forts du Canada. Le frère Marie-Victorin (1885-1944), botaniste et écrivain, fondateur du Jardin botanique de Montréal, illustra l'un des diminutifs de Victor.

Sur les cartes du Québec, quelques rares Saint-Victor, tous en Beauce : deux villages et un affluent de la Chaudière. Et, sur l'île de Montréal, à Pointe-aux-Trembles, une paroisse fondée en 1914, un parc et une rue. Par ailleurs, la reine Victoria a laissé de nombreuses marques : la ville de Victoriaville, une rivière qui se jette dans le lac Mégantic, un lac en Abitibi-Témiscamingue – toponymes apparus vers 1860. Cette année-là, à Montréal, fut baptisé solennellement le pont Victoria par le fils de la reine, le prince de Galles. Une grande place au centre-ville porte son nom, ainsi que de nombreuses rues dans la métropole et ailleurs au Québec.

Mais, à Montréal même, la première illustration toponymique de la reine Victoria remonte à 1838. Voulant se dissocier de l'équipée malheureuse des patriotes, le conseil municipal s'empressa de rebaptiser du nom de Victoria ce qui s'appelait alors le chemin Papineau (en l'honneur de Joseph Papineau, père du patriote Louis-Joseph), lequel ne retrouvera son nom que quelques années plus tard – notre avenue Papineau d'aujourd'hui. Pour faire oublier la défaite des uns, quoi de mieux, en effet, que de célébrer la victoire des autres. Il suffisait d'y penser.

VINCENT

Prénom des trente dernières années du XXe siècle, particulièrement remarqué dans les années 1990.
Prénom du voisinage : VICTOR.

Ce prénom vient du latin *vincens*, « qui conquiert », et a le même sens que Victor, son cousin (voir **Victor,** p. 243). Pour les premiers chrétiens, il avait aussi la valeur symbolique de « vainqueur de la mort, du péché ». Plusieurs saints, généralement des pays latins, ont porté ce nom : Vincent de Lérins, Vincent de Saragosse, Vincent Ferrier. Ce dernier, dominicain espagnol mort en France en 1419, n'est pas un inconnu au Québec, puisque deux paroisses portent son nom.

Celui qui est connu universellement, c'est saint Vincent de Paul (1581-1660), « Monsieur Vincent », comme on l'appelait, « le grand saint du grand siècle », comme le présente un de ses biographes. Né dans une famille de modestes laboureurs du sud de la France – son village natal, près de Dax, porte aujourd'hui son nom – et ordonné prêtre, il consacra sa vie aux plus démunis de la société, vieillards, mendiants, enfants trouvés, malades, prisonniers et galériens – missions pour lesquelles il se fit aider par les Filles de la Charité, congrégation instituée par lui-même en 1633. Aussi a-t-il été proclamé saint patron de toutes les œuvres caritatives. Son souvenir est demeuré vivant grâce à l'organisation de bienfaisance qui porte son nom, la Société de Saint-Vincent-de-Paul, fondée à Paris en 1833 et active au Québec depuis 1846. *Monsieur Vincent*, un film de Maurice Cloche sorti en 1947, d'après un scénario de Jean Anouilh et de Jean Bernard-Luc, lui est consacré.

Le prénom Vincent eut assez peu de succès hors des pays latins. Rappelons tout de même le souvenir du peintre hollandais Vincent Van Gogh (1853-1890). Et signalons la présence, discrète mais réelle, de Vincent en Angleterre, qui fut cependant à peine visible parmi les anglophones du Québec au XIXe siècle (8 mentions sur 12 700). Vincent Massey (1887-1967), gouverneur général dans les années 1950, l'illustra au Canada anglais, et l'acteur Vincent Price (1911-1993), aux États-Unis. La forme Vince est connue depuis le XVIIe siècle.

Ce prénom latin est naturellement plus courant dans les pays de tradition latine. Au Pays basque, on l'appelle Bixente, en Espagne et dans les pays hispanophones, Vicente, comme l'illustra l'ex-président du Mexique Vicente Fox (né en 1942). En Italie, Vincenzo est un prénom masculin des plus répandus (le féminin Vincenza y est aussi usité). En France, après un XIXe siècle modeste, ce prénom allait connaître de beaux succès au XXe siècle, plus précisément dans le dernier quart du siècle, se classant parmi les 20 premiers de 1971 à 1996 et obtenant son meilleur résultat (11e) en 1980. Il est représenté par les comédiens Vincent Lindon (né en 1959) et Vincent Cassel (né en 1966), et par le chanteur-compositeur Vincent Delerm (né en 1976). Avant eux, il y avait eu le compositeur Vincent d'Indy (1851-1931) et Vincent Auriol (1884-1966), président de la République de 1947 à 1954. Le compositeur et parolier Vincent Scotto (1874-1952), « l'homme aux 4000 chansons », s'est fait une place dans notre mémoire, quelque part entre *La Petite Tonkinoise* et *Sous les ponts de Paris*.

En Nouvelle-France, Vincent demeura discret, mais fut tout de même mieux représenté que son cousin Victor. Au XIXe siècle, il s'estompa, du moins à CDN, laissant le devant de la scène à Victor. Après une longue période de somnolence, le prénom Vincent s'affirma vigoureusement à partir de 1970 et obtint ses meilleurs résultats dans les années 1990, atteignant 2 % de représentation, ce qui lui valut en l'an 2000, dans l'ensemble de la population, le 52e rang des prénoms masculins. Depuis l'an 2000, il demeure un prénom de choix (voir **Pouponnières, garderies et maternelles,** p. 176).

Dans notre toponymie, il n'y eut qu'un village de Saint-Vincent-de-Paul, fondé en 1743, célèbre pour son pénitencier construit au XIXe siècle, ce qui n'est sans doute pas un hasard, saint Vincent de Paul est aussi le patron des prisonniers. Depuis, le village fut annexé à la ville de Laval en 1965 et ce pénitencier – le « Vieux Pen » – a perdu son nom. Toutefois, le nom Vincent a conservé sa place dans la nomenclature ecclésiastique, puisque huit paroisses portent ce nom, dont deux (à Montréal et à Bromont) furent dédiées au dominicain Vincent Ferrier. Par ailleurs, il fut illustré dans notre histoire par le sulpicien Vincent Quiblier (1796-1852) et par Mgr Vincent Piette (1869-1944), qui fut recteur de l'Université de Montréal, et il est actuellement porté par le journaliste et chroniqueur politique Vincent Marissal, par les hockeyeurs Vincent Damphousse (né en 1967) et Vincent Lecavalier (né en 1980), et par le chanteur-compositeur Vincent Vallières (né en 1978). Vincent Harvey (1923-1972) était dominicain. Il a dirigé la revue *Maintenant* de 1965 à 1972.

Wilfrid

Une présence importante dans le dernier tiers du XIXe siècle et dans la première décennie du XXe.
Prénoms du voisinage : Wilbert, Wilbread, Wilbrod, Wilfred.

Voici un prénom qu'on n'entend plus depuis belle lurette dans nos écoles. Pourtant, il est bien présent dans la mémoire collective. À Québec, il évoque Wilfrid Hamel (1895-1968), qui fut maire de la ville de 1953 à 1965. À Montréal, le chef d'orchestre Wilfrid Pelletier (1896-1982). Et, partout au Québec, Wilfrid Laurier (1841-1919), premier ministre du Canada de 1896 à 1911. On peut dire que les Québécois ont célébré avec enthousiasme la mémoire de ce grand homme : la ville de Mont-Laurier (1909) dans les Laurentides et le mont Sir-Wilfrid tout proche, le village de Laurier-Station (1900) dans Lotbinière et celui de Laurierville (1904) dans les Bois-Francs en sont de belles preuves. Sans oublier toutes ces voies de circulation, partout au Québec, qui portent fièrement son nom. C'est ainsi qu'on peut rouler avenue Wilfrid-Laurier à Québec, prendre la rue du même nom à Rivière-du-Loup, à Trois-Rivières ou à Sherbrooke, remonter le boulevard Sir-Wilfrid-Laurier entre Belœil, Saint-Hilaire et Saint-Basile, et rentrer batifoler dans le parc Sir-Wilfrid-Laurier au cœur du Plateau-Mont-Royal. Mais, plus souvent encore, les autorités municipales n'ont retenu que le nom de famille, comme s'il n'y avait au Québec qu'un seul Laurier. Au total, c'est plus de 170 rues, avenues, boulevards et parcs qui, dans tous les coins du Québec, témoignent de l'estime des Québécois pour Wilfrid Laurier.

À peu près inexistant chez nous avant 1850, classé au modeste 26e rang en 1850, le prénom Wilfrid s'imposera ensuite autour du 15e rang, avec une pointe au 7e rang en 1870 (plus de 2 % des prénoms). Sa popularité perdurera pendant quelques années, au début du XXe siècle. Outre les personnalités déjà nommées, nous connaissons les juges de la Cour supérieure Dorion (1827-1878), Mercier (1860-1936), Laliberté (1880-1948), Lazure (1888-1962) et Girouard (1891-1980), tous prénommés Wilfrid. Et le pionnier de la médecine légale Wilfrid Derome (1877-1931), le financier Wilfrid Gagnon (1898-1963) et l'écrivain et animateur de télé Wilfrid Lemoine (1927-2003).

Ce prénom aux allures nordiques ne nous vient évidemment pas de Nouvelle-France : le PRDH n'en a trouvé nulle trace. Il ne vient pas non plus de la France du XIXe siècle, où il n'eut au mieux qu'une existence fantomatique. Le *Larousse* dit que Wilfrid fut signalé sur des listes de prénoms possibles parues après 1850, mais précise que le prénom n'a pas été retenu à l'époque. Signalons tout de même que Wilfrid Baumgartner (1902-1978) fut gouverneur de la Banque de France dans les années 1950, puis ministre des Finances dans les années 1960, et que Jo-Wilfried Tsonga (né en 1985) est actuellement une des étoiles du tennis français.

Pour en retrouver l'origine, il faut remonter à la plus lointaine Angleterre, celle d'avant les Normands, au VIIe siècle, c'est-à-dire, en gros, à l'époque des Arthur, Alfred et Édouard. On découvre alors un bénédictin du nom de saint Wilfrid (634-709), ou Wilfrith, qui fut archevêque d'York. « L'un des grands personnages de l'Église anglaise », nous dit le dictionnaire hagiographique des bénédictins de Ramsgate. Un personnage important de l'époque – *one of the foremost men of his day*, nous dit l'*Oxford*, qui ajoute que pas moins d'une cinquantaine de paroisses portent son nom en Angleterre. Cependant, contrairement à Édouard et à Alfred, ce prénom ne survécut pas à l'invasion normande.

Ce n'est que plusieurs siècles plus tard qu'il réapparut, grâce à l'imagination d'un grand écrivain, lu partout en Europe et ici même à Montréal, Walter Scott qui, en en faisant le nom de l'un de ses héros, lui redonna vie – *it became common*, nous dit l'*Oxford*. Il reste que, chez les anglo-protestants de Montréal au XIXe siècle, sa présence était bien modeste. C'est à peine si j'ai relevé huit Wilfred parmi les quelque 7700 noms recensés, soit en moyenne quinze fois moins que chez les Canadiens français !

Alors, comment Wilfrid est-il arrivé dans nos parages ? Écartons l'explication la plus simple, qui n'est pas la bonne : ce n'est pas grâce aux succès politiques de Wilfrid Laurier. Ceux-ci ont pu contribuer à entretenir la flamme vers la fin du siècle, mais ils ne l'ont pas allumée, le prénom Wilfrid ayant atteint à CDN le sommet de sa popularité dans les années 1870, quand le jeune Laurier amorçait à peine sa carrière à Ottawa (il fut élu en 1874). Il ne reste que trois explications possibles, qui additionnent sans doute leurs effets : la littérature, la religion et l'intérêt personnel.

1. Wilfrid ne serait pas le seul prénom à devoir ses premiers succès à la littérature. Le prénom Arthur est pour une part le fils des légendes arthuriennes, à l'exemple d'Alexandre, mais aussi d'Alice, dont la popularité doit beaucoup à l'écrivain anglais Lewis Carroll et à ses *Aventures d'Alice au pays des merveilles*. Quoi qu'il en soit, versons au dossier le témoignage de Wilfrid Laurier lui-même, qui disait devoir son prénom à l'admiration de sa mère pour les romans de Walter Scott[24].

24. Voir Joseph Schull, *Laurier*, Montréal, HMH, 1968.

2. Nos curés étaient bien placés pour faire connaître tel ou tel prénom auprès des parents et des parrains. Or, dans le Québec du XIXe siècle, promouvoir le prénom d'un vieil évêque anglais du VIIe siècle, n'était-ce pas un bon moyen d'aider à rapprocher l'Église catholique des milieux anglophones ? En rappelant qu'il fut une époque où l'Angleterre et la France étaient unies dans la vénération des mêmes saints et dans l'appartenance à une même Église, n'était-ce pas contribuer à briser la vieille équation selon laquelle tout ce qui était français était catholique, et que tout ce qui était anglais était protestant ?
3. Sauf quelques exceptions, ce n'est pas avant 1840 que le prénom Wilfrid apparut dans l'usage. Or, en 1840, le sentiment du peuple au Québec n'était pas positif. Les patriotes venaient d'échouer, et même un homme comme Étienne Parent s'était un moment résigné à l'idée de voir son peuple disparaître dans l'assimilation. Dans un pareil contexte, où l'avenir paraissait si prometteur pour le monde britannique et si peu pour le nôtre, certains pères pouvaient juger plus sage de préparer leurs enfants à cet avenir, en choisissant pour eux un prénom bien adapté à ce monde nouveau. Cela, on l'avait vu chez George-Étienne Cartier, l'ardent anglophile qui, pour être « bien en cour », avait fait baptiser sa fille du nom de Reine-Victoria. La même chose a pu se produire chez les Laurier. En effet, le biographe de Wilfrid Laurier, après avoir rappelé le climat délétère de 1840, souligne que la conclusion de Carolus, le père, était précisément celle-là. C'est pourquoi il plaça son fils encore jeune dans une famille anglo-protestante et l'inscrivit à l'école anglaise. N'est-ce pas ce même état d'esprit qui le poussa à choisir pour son aîné (né en 1841) un prénom si authentiquement anglo-saxon ? Et, si ce mécanisme a pu jouer chez les Laurier, sans doute a-t-il aussi contribué à orienter d'autres familles canadiennes-françaises vers ce prénom.

William

Présence réelle mais modeste tout au long du XIXe siècle.
Spectaculaire retour en force à la fin du XXe siècle.
Médaillé d'or des années 2000.
Prénoms du voisinage : Guillaume, Wellie, Willie.
Prénom féminin : Wilhelmine.

Ce prénom anglais vient du nom germanique Willahelm, comme les prénoms Willem en Hollande, Wilhelm et Wilhelmina en Allemagne. Notre propre

Guillaume vient aussi de la même source. À leur façon, ces noms sont tous cousins (voir **Guillaume**, p. 121). En Allemagne, le prénom Wilhelm fut très important dans les familles royales (le dernier kaiser, Guillaume II, qui abdiqua en 1918, s'appelait en allemand Wilhelm) et dans la musique où il fut illustré par le chef d'orchestre Wilhelm Furtwängler (1886-1954) et par les pianistes Wilhelm Backhaus (1884-1969) et Wilhelm Kempff (1895-1991). Willy Brandt (1913-1992) était un homme politique d'Allemagne de l'Ouest.

Mais, ce nom germanique, c'est de France que les Anglais l'ont reçu, et non directement d'Allemagne. Plus précisément de Normandie, au Moyen Âge, quand les Normands et leur duc Guillaume (1027-1087) firent la conquête de l'Angleterre (1066) et s'y installèrent avec leurs prénoms. Le prénom Guillaume, qui devenait ainsi le nom du roi (Guillaume Ier le Conquérant, roi d'Angleterre de 1066 à 1087), se répandit naturellement et, au fil du temps, devint William. Mieux qu'un rapport de cousinage, c'est un lien de filiation qui existe entre ces deux noms.

Prénom de roi, William allait devenir en Angleterre le roi des prénoms, trônant pendant des siècles, tantôt seul, tantôt en compagnie de John, au sommet de la hiérarchie. Et l'on ne compte plus les William qui ont marqué l'histoire anglaise. Saluons tout de même, en levée de rideau, William Shakespeare (1564-1616), qui aimait bien le théâtre.

Après avoir fait celle de l'Angleterre, ce prénom ferait d'autres conquêtes, se répandant partout où s'installeraient les Anglais, notamment en Amérique du Nord. C'est ainsi qu'au XIXe siècle William occupa le 1er rang chez les anglo-protestants du Québec, avec pas moins de 14 % de représentation – tout en étant le troisième prénom des irlando-catholiques. Bel hommage rendu, huit siècles plus tard et 5000 kilomètres plus loin, à Guillaume, le conquérant de l'Angleterre.

De surcroît, William réussit à se tailler une place, modeste certes, mais néanmoins visible, parmi les Canadiens français du XIXe siècle. Est-ce dû à la popularité de ce prénom dans notre voisinage immédiat ? Ou au prestige dont jouissait William, prénom illustre qui fut porté par des rois, notamment par William IV qui, en montant sur le trône en 1830, devint en quelque sorte *notre* roi ? Est-ce ce lointain cousinage avec notre propre Guillaume, prénom que nous avions un peu délaissé au XIXe siècle, mais qui avait été au Moyen Âge l'un des plus courants en France, où il jouissait alors « d'un fort engouement parmi l'élite dirigeante », nous dit le *Larousse*, et qui avait été 25e en Nouvelle-France ?

Quoi qu'il en fût de la situation au XIXe siècle, le tableau a beaucoup changé depuis. Et, si personne ne parle plus du roi William IV, on parle encore beaucoup du président William « Bill » Clinton. Et, si personne n'a effacé de nos mémoires le souvenir de William Shakespeare, on constate que William Faulkner et William Holden occupent une bonne place dans l'imaginaire collectif de notre époque – sans oublier les voitures Williams, chères aux amateurs de Formule 1. Si bien que le prénom William refit surface au Québec dans les vingt dernières années du XXe siècle, et se maintient toujours parmi les premiers. Sept fois médaillé d'or depuis 2000, il occupe le 1er rang sur l'ensemble des dix dernières années (voir **Pouponnières, garderies et maternelles**, p. 176). *Hats off*, dirait Shakespeare, pendant que Clinton s'allumerait un cigare.

Il n'y a pas de William dans la toponymie de nos villages, sauf un hameau, Fort William, à 130 kilomètres au nord-ouest de Gatineau. Et, si l'on voit ce nom dans nos rues ou sur nos cartes, c'est probablement qu'il porte le souvenir d'un Anglo-Canadien, tels le photographe William Notman (1826-1891), le médecin William Osler (1849-1919), et le « roi du Saguenay » et fondateur de la compagnie Price Brothers, William Price (1789-1867). Ou bien il s'agit d'un « Anglais d'Angleterre », comme en témoigne le lac William dans les Bois-Francs, nommé en souvenir de William Pitt (1708-1778), le premier ministre du temps de la guerre de Sept Ans. Chez les Canadiens français, William fut illustré par le poète William Chapman (1850-1917), par le ministre de Duplessis William Tremblay (1877-1973) et par le chanteur country Willie Lamothe, de son vrai nom William Joachim Lamothe (1920-1992).

Ainsi, après des siècles où William et Guillaume, les cousins, grandirent séparés par la Manche, ils se retrouvèrent voisins l'un de l'autre de ce côté-ci de l'Atlantique, sur les rives du Saint-Laurent, dans nos rues et nos villages.

XAVIER

Au XIXe siècle, François-Xavier dominait, mais, à la fin du XXe, Xavier s'affirma.
Prénom du voisinage : FRANÇOIS.
Prénom féminin : XAVIÈRE.

Bien avant de devenir un nom de personne, Xavier était un nom de lieu : Xabier (en français, Xavier ; en espagnol, Javier), un village du Pays basque, près de Pampelune. Et, si ce nom de lieu s'est répandu en tant que prénom, c'est grâce à un personnage très important de l'histoire de l'Église catholique.

François-Xavier

François Xavier (1506-1552) – Frantzisko en basque ; Francisco en espagnol – naquit au château familial et fut baptisé François de Jassu. Plus tard, étudiant à

Paris, il y fit la connaissance d'Ignace de Loyola, un Basque comme lui. Ensemble, et avec quelques autres, ils fondèrent en 1534 (l'année où fut découvert le Canada, mais c'est un hasard) la Compagnie de Jésus, qui jouerait un rôle important dans l'histoire des pays chrétiens et des pays de mission. François Xavier lui-même ira en Inde, en Indonésie et au Japon. Il mourut en 1552, à la veille d'atteindre la Chine, et fut canonisé en 1622. *The greatest Roman Catholic missionary of modern times*, dit de lui l'*Encyclopædia Britannica*. En 1927, Rome le proclamera saint patron des missions – de *toutes* les missions.

En Nouvelle-France – pays de jésuites et de missions –, sa réputation ne tarda pas à s'établir. En 1667, Mgr de Laval proclama François Xavier « second patron du païs » et fit du 3 décembre, en son honneur, un jour de fête observée. Sur le terrain, des paroisses furent fondées sous sa protection. Et, dans l'usage des familles, François-Xavier (avec un trait d'union) devint un prénom fort répandu. Au 19e rang pour l'ensemble de la période (François, lui, était le huitième prénom). À l'époque, il fut illustré par Pierre-François-Xavier de Charlevoix (1682-1761), jésuite lui aussi, qui laissa sa marque à la fois dans nos livres d'histoire et sur nos cartes géographiques.

Le prénom continua sur cette belle lancée au XIXe siècle, faisant poids égal avec François et permettant ainsi à ce dernier d'être un des prénoms favoris de la première moitié du XIXe (voir **François,** p. 102). Sa notoriété devait être grande, si l'on en juge par le fait que ses seules initiales, F.-X., suffisaient à identifier la personne (notamment, comme j'ai pu le constater, sur les pierres tombales de CDN). Ce prénom fut illustré par François-Xavier Garneau (1809-1866), notre « historien national », et par F.-X. Lemieux (1851-1933), l'avocat de Louis Riel – notre « frère » Louis Riel. Par ailleurs, on continua à donner son nom à des paroisses et à des villages, si bien qu'on dénombrait au Québec, au début du XXe siècle, quinze paroisses de ce nom (dont quelques villages).

Xavier

Élevé au statut de prénom à part entière grâce à la notoriété du jésuite, Xavier se ferait connaître dans divers pays d'Europe. En Italie, où il est Saverio, il fut illustré par le compositeur Saverio Mercadante (1795-1870). Le prestige de saint François Xavier était tel dans ce pays que son nom fut adopté par une jeune femme qui allait un jour être canonisée, sainte Françoise-Xavière Cabrini (dont un hôpital de Montréal, Santa Cabrini, porte le nom). Née Francesca en 1850, celle-ci ajouta à son nom celui de Saverio (Xavier) lorsqu'elle reçut l'autorisation de partir en mission aux États-Unis, auprès des immigrés italiens de Chicago.

Elle mourut en 1917 et fut canonisée en 1946. Naturalisée en 1909, on dit qu'elle est la première sainte « américaine ». Nos voisins du Sud l'appellent Frances Xavier Cabrini.

En France, où il prend la forme Savié en Provence, Xavier fut illustré au début du XIXe siècle par l'écrivain Xavier de Maistre (1763-1852) et, dans la première moitié du XXe siècle, par Xavier Vallat (1891-1972), militant de l'extrême droite et ministre de Vichy. De nos jours, ce prénom est représenté dans l'arène politique par Xavier Darcos (né en 1947), haut fonctionnaire devenu ministre, et par Xavier Bertrand (né en 1965), dirigeant de l'UMP, le parti de la droite gouvernementale. Haut fonctionnaire et homme politique à l'époque du général de Gaulle, Xavier Deniau (né en 1923) fut un grand promoteur de la Francophonie et du soutien de la France à la cause du Québec.

Mais, à tout seigneur, tout honneur, c'est en Espagne et dans les pays hispanophones que le prénom Xavier présente actuellement ses illustrations les plus connues, notamment en politique avec Javier Solana (né en 1942), une des grandes voix de la diplomatie européenne, et avec le célèbre acteur Javier Bardem (né en 1969). Né au Pérou en 1920, Javier Pérez de Cuéllar fut secrétaire général de l'ONU de 1982 à 1991.

Au Québec, Xavier (Xavier tout court) est un prénom jeune encore, et des plus populaires depuis 2000 (voir **Pouponnières, garderies et maternelles,** p. 176). Déjà, il s'est trouvé une fort belle illustration en la personne de Xavier Dolan (né en 1989), l'acteur et réalisateur de cinéma, dont le film *J'ai tué ma mère* fut couronné aux Jutra 2010. Le Québécois Xavier Dolan et l'Espagnol Javier Bardem partagent le même amour du cinéma. On le voit, ils partagent aussi le même prénom.

YANN ET YANNICK

Prénoms en vogue dans les années 1960-1970.
Prénom du voisinage : JEAN.
Prénom féminin : MARYANNICK.

Yann et Yannick sont deux équivalents bretons du prénom Jean, lequel veut dire, dans l'hébreu d'origine, Yohanan, « Dieu pardonne » (voir **Jean,** p. 139). On rapprochera de ces prénoms bretons un autre équivalent de Jean, le prénom gaélique Ian (ou Iain), bien connu en Écosse. Yannick a aussi servi de prénom féminin, sans doute sous l'effet d'Annick. On trouve aussi parfois Maryannick.

Yann et Yannick, évidemment courants en Bretagne, le sont ailleurs en France. Ils furent surtout populaires dans les années 1970, Yannick faisant légèrement mieux que Yann, notamment en 1972 et en 1973 quand il se classa au 32e rang. Ces prénoms sont illustrés par l'écrivain Yann Queffélec (né en 1949), qui reçut le prix Goncourt en 1985, par l'auteur-compositeur Yann Tiersen (né en 1970) et par l'ancien champion de tennis Yannick Noah (né en 1960), devenu artiste populaire.

Ces prénoms sont également connus et usités de ce côté-ci de l'Atlantique, et leur évolution est sensiblement la même : apparus au Québec au milieu des années 1960, ils furent très en vogue dans les années 1970, Yannick plus que Yann. Au grand tableau de la population de l'an 2000, Yannick était le 71e prénom et Yann, le 92e.

Ils sont illustrés par l'écrivain Yann Martel (né en 1963) et par l'auteur-compositeur Yann Perreau (né en 1976). Yanick Villedieu pratique depuis une trentaine d'années le journalisme scientifique à Montréal et Yannick Nézet-Séguin (né en 1975) est depuis l'an 2000 le chef titulaire de l'Orchestre métropolitain du Grand Montréal. Il dirige aussi d'autres orchestres ailleurs dans le monde.

YVES

Prénom du XXe siècle qui apparaît dans les années 1920 et culmine vers 1960.
Prénom du voisinage : YVON.
Prénoms féminins : YVETTE, YVONNE.

D'origine germanique, Yves vient du mot *yvo*, qui veut dire « if », comme l'arbuste, et qui a donné Ivo en allemand et en italien. Yves Hélory de Kermartin (v. 1250-1303), qui vécut en Bretagne au XIIIe siècle, était prêtre et avocat. Il fut canonisé en 1347 et on le connaît sous le nom de saint Yves, patron des Bretons et… des avocats. Deux siècles plus tôt vécut un autre Yves, à Chartres, où il était évêque. Lui aussi fut canonisé.

Le prénom Yves est bien entouré par Yvon, son dérivé connu depuis le Moyen Âge, par deux vis-à-vis féminins, Yvonne et Yvette, et en langue bretonne par Erwann et Even, tous deux rarissimes au Québec. Even fut porté en patronyme par un des initiateurs du mouvement créditiste, Louis Even (1885-1974), Breton d'origine, arrivé au Québec en 1903. Yvan (Ivan), qui a certes des airs de famille, se rattache plutôt à Jean, dont il est la forme russe, comme nous l'a appris le tsar Ivan le Terrible.

Les Normands apportèrent le prénom Yves avec eux en Angleterre ; il y perdit son *i* grec et devint Ives, ou Ivo. Ives est demeuré rare dans l'usage des familles, mais on le trouve dans la toponymie, notamment en Cornouailles (solidarité celte oblige !), « en face de la Bretagne », pourrait-on dire, où une station balnéaire porte le nom de St. Ives. Un compositeur américain, Charles Ives (1874-1954), l'illustra par son patronyme.

En France, au XIXe siècle, Yves se trouvait au modeste 65e rang, comme sa cousine Yvonne. Les autres prénoms furent plus discrets encore. Tous les quatre sortiront de l'ombre au XXe siècle, et trois d'entre eux (sauf Yvon) connaîtront de très belles carrières. Yvonne fut l'un des 10 prénoms féminins préférés jusqu'en 1925, comme Yvette jusqu'en 1940, alors que le prénom Yves se classa parmi les 25 plus populaires, et ce, du début des années 1930 jusqu'à la fin des années 1950. Illustré au XVIIIe par le navigateur et explorateur Yves Joseph de Kerguelen de Trémarec (1745-1797), le prénom Yves l'a été au XXe siècle par le couturier Yves Saint-Laurent (1936-2008), par l'écrivain Yves Berger (1931-2004) et par le chanteur et acteur Yves Montand (1921-1991), né Ivo Livi en Italie. Ce prénom est actuellement porté par le chanteur Yves Duteil (né en 1949), auteur de la célèbre chanson *La langue de chez nous*.

En Nouvelle-France, des quatre prénoms de la famille, seul Yves est apparu, mais très discrètement (29 mentions). Au XIXe siècle, le premier de ces prénoms à se détacher fut Yvonne, et il le fit de belle manière : apparu à CDN en 1870, et bien placé en 1880, il se hissa au 2e rang en 1890, avec plus de 4 % de représentation. Il continua sur cette lancée pendant quelques années au début du XXe siècle. Yvette prit ensuite le relais, puis les prénoms masculins suivirent : d'abord Yvon, qui eut ses meilleurs résultats vers 1940 (avec 2 % des noms), puis Yves, vers 1960, avec 2,5 %. La place qu'occupent ces prénoms dans la population d'aujourd'hui dépend de leur « âge » : Yves, le plus « jeune », se classe 24e ; Yvon, 48e ; Yvette, 73e ; et, Yvonne, la plus ancienne, ne figure plus au tableau des 100 prénoms les plus populaires.

Ces prénoms sont demeurés très discrets dans la toponymie : un seul hameau gaspésien, Saint-Yvon, près de Cloridorme, les représente tous. La nomenclature ecclésiastique comprend deux paroisses Saint-Yves, à Laval et à Québec. Il y en avait une autre à Rimouski, fondée en 1941, mais elle a disparu dans une fusion municipale.

Yves et les autres prénoms apparentés ont été généreusement illustrés. Sur la scène politique québécoise, par Yves Prévost (1908-1997), député, ministre, juge et président d'un important comité d'étude sur la justice (un boulevard porte son nom à Anjou). Plus près de nous, par les députés et ministres Yves Michaud (né en 1930), Yves Bérubé (1940-1993) et Yves Séguin (né en 1951). À Ottawa, par un juge de la Cour suprême, Yves Pratte (1925-1988), et par un ambassadeur à l'ONU, Yves Fortier (né en 1935). Dans la vie musicale, nous connaissons Yves Lambert (né en 1956), fondateur de La Bottine souriante et du Bébert Orchestra; au théâtre, Yves Jacques (né en 1956); en littérature, pensons aux romanciers Yves Thériault (1915-1983) et Yves Beauchemin (né en 1941) – le premier s'est intéressé aux autochtones du Nord, le second, aux gens des petites rues de Montréal, celles-là mêmes où grandit Yvon Robert (1914-1971), le champion lutteur, et qui inspirèrent tant l'humoriste Yvon Deschamps (né en 1935).

ZACHARY

Prénom apparu à la fin du XXe siècle.
Deux graphies: ZACHARIE, ZACHARY.
Prénom du voisinage: ZACK.

Ce prénom vient de l'hébreu Zekharyah («Dieu s'est souvenu»). C'était le nom d'un roi d'Israël au VIIe siècle et d'un des douze petits prophètes[25] de la Bible. C'était aussi – c'était *surtout*, vu du Québec – le nom du père de saint Jean le Baptiste, le patron des Canadiens français. Les deux Zacharie, de l'Ancien et du Nouveau Testament, sont tous deux reconnus comme des saints de l'Église.

Ce prénom se répandit parmi les premiers chrétiens, illustré par saint Zacharie, un pape du VIIIe siècle. Il fut particulièrement courant parmi les chrétiens orientaux, sous sa forme grecque Zacharias, et, plus tard, en Angleterre et aux États-Unis parmi les protestants et les puritains. Au XIXe siècle, les États-Unis eurent un président du nom de Zachary Taylor (1784-1850).

Sa présence fut modeste en France, même «très rare», selon le *Larousse*, mais il n'était pas inconnu en Nouvelle-France (136 mentions au PRDH). C'était le prénom d'un des premiers habitants du pays, natif de Mortagne, Zacharie Cloutier (1590-1677), qui est l'ancêtre de tous les Cloutier d'Amérique. Pour qu'on se souvienne de lui, la ville de Québec a donné son nom à une rue et à un parc.

Ce prénom fut aussi porté par le soldat Zacharie Dupuis (Dupuy) qui vécut à Montréal (Ville-Marie) dans la seconde moitié du XVIIe siècle. Major de la garnison et gouverneur intérimaire de la ville en l'absence de Maisonneuve, il reçut des

25. Osée, Joël, Amos, Abdias, Jonas, Michée, Nahum, Habacuc, Sophonie, Aggée, Zacharie et Malachie.

terres dans le sud-ouest de l'île. En 1671, il donna à son fief le nom de Verdun, en souvenir de sa ville natale, Saverdun, dans l'Ariège.

Au Québec, au XIXe siècle, du moins à CDN, ce prénom fut rarissime. Il trouva néanmoins une place dans notre toponymie, à Saint-Zacharie, en Beauce, village fondé en 1873. Un hameau du même nom est aujourd'hui intégré au Val-Saint-François, en Estrie.

Le prénom Zacharie languissait depuis longtemps au Québec, lorsque survint, à la fin du XXe siècle, son frère Zachary « venu des États » et orthographié selon la forme anglaise. La popularité de Zachary depuis la fin des années 1990 ne se dément pas, si bien qu'il est le 13e prénom des dernières années. Et il serait mieux classé si on lui ajoutait les effectifs de Zacharie (voir **Pouponnières, garderies et maternelles,** p. 176). Zack, diminutif devenu prénom autonome, est apparu depuis peu. Indéniablement, de beaux résultats, mais qu'en penserait Zacharie Cloutier, le lointain ancêtre ?

Ce prénom est issu d'un groupe de noms de personnages de l'Ancien Testament, noms fréquemment attribués ces dernières années, dont 5 se classent parmi les 20 plus populaires (Samuel, Nathan, Zachary, Jeremy et Jacob). Les 7 autres (Benjamin, Noah, Adam, Simon, David, Jonathan et Jordan) figurent parmi les 30 suivants (voir **Pouponnières, garderies et maternelles,** p. 176). À leur manière (mais le savent-ils ?), ils ont pris le relais des « anciens de l'Ancien Testament », ces Moïse, Élie et autres Gédéon qui avaient cours au Québec au XIXe siècle et qui avaient la même origine biblique.

Ce prénom encore bien jeune est en attente d'illustrations québécoises. Mais, d'ores et déjà, il a reçu du renfort en la personne du poète et musicien louisianais Zachary Richard (né en 1950), porte-parole de la culture « cadienne » et grand défenseur de la chanson française, salué en France, au Québec et au Canada.

ZÉNON

Prénom peu répandu, apparu vers 1870.
Prénom du voisinage : ZÉNOPHILE.

Zénon, d'origine grecque (« qui se rattache à Zeus »), est à rapprocher d'un autre prénom de même souche, Zénophile, rarissime mais néanmoins relevé à CDN. Zénon fut illustré dans l'Antiquité par trois philosophes, dont Zénon de Sidon, un ami de Cicéron, et par un empereur byzantin qui vécut au Ve siècle et qui régna de 474 à 491. Quelques saints ont porté ce nom, notamment un évêque du IVe siècle qui le laissa à la cathédrale de Vérone, San Zeno Maggiore. On le retrouve beaucoup plus tard, toujours en Italie, porté en patronyme par des navigateurs du XIVe siècle, la famille Zeno, et comme prénom par un compositeur du XVIIe siècle, Zeno Apostolo (1668-1750). Cela est très intéressant, certes, mais n'explique pas comment ce prénom prit racine dans nos familles et dans notre toponymie. Pour cela, il fallut attendre des événements survenus vers 1870.

Dans ces années-là, le Vatican se trouvait dans une situation extrêmement difficile : Pie IX était contesté politiquement, militairement et diplomatiquement par les tenants du projet d'unification de l'Italie fondé sur l'idée de la souveraineté du peuple. Des territoires lui avaient déjà été pris et, pour conserver ceux qui lui restaient, il lui fallait impérativement trouver des soldats, donc des alliés, qui ne pouvaient venir que de l'étranger. Il en recruta donc en France, en Belgique, en Hollande, et ici même au Québec. Ce sont ces soldats qu'on a appelé « zouaves pontificaux ».

Pour convaincre ces alliés potentiels, les gens du Vatican eurent l'idée d'invoquer des modèles tirés de l'histoire de l'Église. Ces modèles furent saint Zénon (soldat romain du IIIe siècle) et ses camarades qui avaient préféré se convertir et subir le martyre plutôt que de massacrer des chrétiens. On venait justement, dans les années 1860, de retrouver leurs reliques tout près de Rome.

Ensuite, le hasard fit bien les choses : Mgr Bourget, l'évêque de Montréal, fit un voyage à Rome à cette époque et s'intéressa à saint Zénon et à ses reliques. De Rome, il écrivit à ses curés pour leur dire toute l'importance de cette découverte et toute son admiration pour le sacrifice de ces soldats du IIIe siècle. Il voulait que la prochaine paroisse érigée dans son diocèse portât le nom de saint Zénon (ce qui fut fait en 1870, dans Lanaudière, au nord de Sainte-Émélie) et il promit d'offrir à chaque jeune homme qui s'enrôlerait une relique de saint Zénon ou de ses compagnons. Peu après, 500 hommes furent recrutés chez nous, qui partirent à Rome défendre « le pape et la foi ». En 1867, les premiers zouaves pontificaux participèrent à la bataille de Mentana (d'où le nom de la rue de Mentana sur le Plateau-Mont-Royal), d'autres se rendirent en Italie en 1869. Puis les zouaves rentrèrent au pays après la victoire des unitaristes italiens, en septembre 1870. Au retour, certains de ces hommes se regroupèrent et fondèrent un village sur la rive ouest du lac Mégantic, village qu'ils baptisèrent Piopolis en hommage au pape Pie IX, puis ils firent dédier leur paroisse à saint Zénon, leur modèle. Une autre paroisse vit le jour dans la Matapédia en 1919, Saint-Zénon-du-Lac-Humqui.

Voilà l'histoire de saint Zénon. Présent dans la toponymie, il s'est aussi fait une place dans nos noms de baptême. Quelques familles l'ont choisi comme prénom pour leurs nouveau-nés. À CDN, j'en ai relevé 17, le premier en 1869, la moitié dans les années 1870, le dernier dans les années 1890. J'ai aussi relevé quelques Zénophile. Certes, ils n'étaient pas nombreux, et les villages qui portent ce nom sont loin des grands centres urbains. Mais, qu'ils se consolent. Leur prénom les rattache à un grand moment de l'histoire de l'Europe du XIXe siècle. Et ils nous rappellent le temps de nos zouaves pontificaux.

Bibliographie

Audebert, Antoine. *Dictionnaire analytique des prénoms*, Paris, Calmann-Lévy, 1956.

Baudot et Chaussin RR. PP., O.S.B. *Vies des saints et des bienheureux selon l'ordre du calendrier avec l'historique des fêtes*, Paris, Librairie Letouzey et Ané, (1935-1959), 13 volumes.

Belèze, Guillaume. *Dictionnaire des noms de baptême*, Paris, Hachette, 1863.

Benvenuti, Stefano. *Il Nominario. Origine e significato di 2000 nomi di persona*, Milan, Mondadori, 1980.

Burgio, Alfonso. *Dizionario dei Nomi propri di persona*, Milan, Ceschina, 1970.

Canadian Intermediate Dictionary (The), Toronto, Gage Publishing Limited, 1979.

Cerbelaud-Salagnac, Georges. *Prénoms d'hier et de demain*, Paris, TÉQUI, 1984.

Cherpillod, André. *Dictionnaire étymologique des noms d'hommes et de dieux*, Paris, Masson, 1988.

Cherpillod, André. *Dictionnaire étymologique des noms géographiques*, 2e édition, Paris, Masson, 1991.

Commission de toponymie du Québec. *Noms et lieux du Québec. Dictionnaire illustré*, Les Publications du Québec, 2006.

Corblet, abbé Jules. *Histoire dogmatique, liturgique et archéologique du sacrement de baptême*, 2 volumes, Paris, Bruxelles, Genève, Société générale de librairie catholique, 1882.

Dauzat, Albert. *Dictionnaire étymologique des noms de famille et prénoms de France*, édition revue et augmentée par Marie-Thérèse Morlet, Paris, Larousse, 1969 (1951).

De Felice, Emidio. *Dizionario dei nomi italiani. Origine, etimologia, storia, diffusione et frequenza di oltre 18 000 nome*, Milan, A. Mondadori, 1986.

Delehaye, Hippolyte S.J. *La légende de St. Napoléon*, Bruxelles, Cabinet des estampes, 1926.

DeSerres, Hélène. *Omer de Serres, trois générations créatives*, Montréal, Édition de l'Homme, 2008.

Dictionnaire culturel de la Bible, Paris Cerf/Nathan, 1999.

Dix mille saints, dictionnaire hagiographique rédigé par les bénédictins de Ramsgate (traduction du livre anglais *The Book of Saints*, sixième édition, 1988), Éditions Brepols, 1991.

Duchesne, Louis. *Les prénoms. Des plus rares aux plus courants au Québec*, Saint-Laurent, Trécarré, 2001.

Dupâquier, Jacques, Pelissier, Jean-Pierre et Danièle Rebaudo. *Le Temps des Jules. Les prénoms en France au XIXe siècle*, Paris, Éditions Christian, 1987.

Farmer, David Hugh. *Oxford Dictionary of Saints*, 2e édition, Oxford University Press, 1987.

Gauthier, Yves. *Monsieur Livre. Henri Tranquille*, Québec, Septentrion, 2005.
Green, Julien. *Frère François*, Paris, Éditions du Seuil, 1983.
Hémon, Louis. *Maria Chapdelaine*, illustrations de Clarence Gagnon, Montréal, Art global, Libre Expression, 1980.
Jouniaux, Léo. *Les 20 000 plus beaux prénoms du monde*, Paris, Hachette, 2007.
Karampatéa, Mariléna. *La Mythologie grecque*, Athènes, Éditions Adam, 1997.
Kolatch, Alfred J. *Dictionary of First Names*, New York, Jonathan David Publishers, 1980.
Le Bras, Florence. *Maxi Prénoms*, Paris, Marabout, 2000.
Le Bras, Florence. *Prénoms et origines*, Paris, Marabout, 2004.
Le Petit Larousse illustré, Paris, Larousse, 2005.
Le Petit Robert 2. Dictionnaire universel des noms propres, Paris, Le Robert, 1990.
Lévy, Édouard. *Le manuel des prénoms*, Paris, Librairie Rousseau et Cie, 1922.
Lussier, Doris. *Le père Gédéon, son histoire et ses histoires*, Montréal, Les Quinze, 1980.
Magnan, Hormisdas. *Dictionnaire historique et géographique des paroisses, missions et municipalités de la province de Québec*, Arthabaska, Imprimerie d'Arthabaska, 1925.
Odelain, O. et R. Séguineau. *Dictionnaire des noms propres de la Bible*, Paris, Éditions du Cerf, 2002.
Pelletier-Baillargeon, Hélène. *Olivar Asselin et son temps. Le militant*, Montréal, Fides, 1996.
Rapoport, Stéphanie. *L'Officiel des prénoms*, Paris, Éditions First, 2005.
Répertoire des parlementaires québécois 1867-1978, Assemblée nationale du Québec, 1980.
Ribordy, Geneviève. *Les Prénoms de nos ancêtres*, Québec, Septentrion, 1995.
Rituel du diocèse de Québec, publié par ordre de monseigneur de Saint-Valier, évêque de Québec, Paris, Simon Langlois, 1703.
Roy, Bruno. *Les cent plus belles chansons du Québec*, Montréal, Fides, 2009.
Schull, Joseph. *Laurier*, Montréal, HMH, 1968.
Scott de Martinville, Édouard-Léon. *Les noms de baptême et les prénoms*, Paris, Alexandre Houssiaux, 1858.
Sleigh, Linwood et Charles Johnson. *The Book of Boys' Names*, Londres, George G. Harrap & Co., 1962.
St. James Encyclopedia of Popular Culture, 4 volumes, Detroit, San Francisco, Londres, Boston, St. James Press, 2000.
Tanet, Chantal et Tristan Hordé. *Dictionnaire des prénoms*, Paris, Larousse, 2006.
Thibaud, Robert-Jacques. *Dictionnaire de mythologie et de symbolique romaine*, Paris, Dervy, 1998.
Vinel, André. *Le livre des prénoms selon le nouveau calendrier*, Paris, Albin Michel, 1972.
Wasserzieher, Dr Ernst. *Hans und Grete: 2 500 Vornamen erklärt*, Bonn, Hanovre, Munich, Dümmler, 1967.
Weekley, Ernest. *Jack and Jill: A Study in Our Christian Names*, London, Murray, 1939.
Weekley, Ernest. *The Romance of names*, 2e édition, London, Murray, 1914.
Withycombe, E. G. *Oxford Dictionary of English Christian Names*, Oxford, Clarendon Press, 1963.

ANNEXE 1
INDEX DES PRÉNOMS ÉTUDIÉS

ANNEXE 2
INDEX DES PRÉNOMS MENTIONNÉS

Prénoms qui, sans avoir une entrée propre, ont été mentionnés dans une ou plusieurs notices principales ou encore dans les listes suivantes : **Ces villages qu'on n'oublie pas,** p. 80 et **Pouponnières, garderies et maternelles,** p. 176.

ANNEXE 3
INDEX DES PRÉNOMS FÉMININS MENTIONNÉS

Liste des équivalents féminins des prénoms masculins qui font l'obet d'une entrée. Le tome 2, à paraître, sera consacré aux prénoms féminins.

Adéla	Adélard
Adélaïde	Adélard
Adèle	Adélard
Adeline	Adélard
Adolphine	Adolphe
Adrienne	Adrien
Aimée	Aimé
Alberta	Albert
Alberte	Albert
Albertine	Albert
Alexandra	Alexandre
Alexandrienne	Alexandre
Alexandrina	Alexandre
Alexandrine	Alexandre
Alexia	Alexis
Alexina	Alexis
Alexine	Alexis
Alfréda	Alfred
Alfrédine	Alfred
Alphonsina	Alphonse
Alphonsine	Alphonse
Amable	Aimé
Andréanne	André
Andrée	André
Antoinette	Antoine
Antonia	Antonio
Antonine	Antonio
Armanda	Armand
Armande	Antonio
Armandine	Armand
Armantienne	Armand
Augusta	Auguste
Augustine	Auguste
Bénédicte	Benoît
Benoîte	Benoît
Bernadette	Bernard
Bernardine	Bernard
Carole	Charles
Caroline	Charles
Charlotte	Charles
Christiane	Christian
Christine	Christian
Claude	Claude
Claudette	Claude
Claudia	Claude
Claudie	Claude
Claudine	Claude
Colette	Nicolas
Danielle	Daniel
Denise (Denyse)	Denis
Dométhilde	Dominique
Dominique	Dominique
Domitille	Dominique
Donatienne	Donat
Dorothée	Théodore, Donat
Dosithée	Théodore
Edmonde	Edmond
Édouardina	Édouard

Prénom	Histoire
Marie-Christine	Christian
Marie-Claude	Claude
Marie-Denise	Denis
Marie-Françoise	François
Marie-Jeanne	Jean
Marie-Louise	Louis
Marie-Michèle	Michel
Marie-Noëlle	Toussaint, Pascal et Noël
Marie-Paule	Paul
Marie-Pier	Pierre
Martine	Martin
Maryannick	Yann et Yannick
Maryvonne	Yves
Maxime	Maxime
Maximilienne	Maxime
Michaëlla	Michel
Michaëlle	Michel
Micheline	Michel
Michelle	Michel
Nathalie	Toussaint, Pascal et Noël
Nathélia	Toussaint, Pascal et Noël
Nativa	Toussaint, Pascal et Noël
Nicole	Nicolas
Nicolette	Nicolas
Noélie	Toussaint
Noëlla	Toussaint, Pascal et Noël
Noëlle	Toussaint, Pascal et Noël
Normande	Normand
Octavie	Octave
Oliva	Olivier
Olive	Olivier
Olivina	Olivier
Olivine	Olivier
Onésima	Onésime
Onésime	Onésime
Pâquerette	Toussaint, Pascal et Noël
Pascale	Toussaint, Pascal et Noël
Pascalina	Toussaint, Pascal et Noël
Pascaline	Toussaint, Pascal et Noël
Pasquelière	Toussaint, Pascal et Noël
Patricia	Patrick
Paula	Paul
Paule	Paul
Paulette	Paul
Pauline	Paul
Pétronille	Pierre
Pierrette	Pierre
Raymonde	Raymond
Renée	René
Roberta	Robert
Roberte	Robert
Robertine	Robert
Rogère	Roger
Rolande	Roland
Rosaria	Rosaire
Samuelle	Samuel
Sébastienne	Sébastien
Simon(n)e	Simon
Stéphanie	Étienne et Stéphane
Sylva	Sylvain
Sylvaine	Sylvain
Sylvanie	Sylvain
Sylvanne	Sylvain
Sylvette	Sylvain
Sylvia	Sylvain
Sylviane	Sylvain
Sylvie	Sylvain
Sylvina	Sylvain
Théodora	Théodore
Victoire	Victor
Victoria	Victor
Victorine	Victor
Vitaline	Guy
Wilhelmine	William
Xavière	Xavier
Yvette	Yves
Yvonne	Yves

Table des matières

transcontinental
IMPRESSION
IMPRIMERIE GAGNÉ